PLUSPUNKT DEUTSCH
Leben in Deutschland

A1

KURSBUCH GESAMTBAND

Jin | Schote

scook Dieses Buch gibt es auch auf
www.scook.de/eb
agsdm-qpxs2

Cornelsen

Symbole

🔊 2.14 Hörtext auf CD

Ü14-15 Verweis auf
die passende Übung
im Arbeitsbuch

Video-Clip

✦ Portfolio

Pluspunkt Deutsch A1
Leben in Deutschland

Kursbuch, Gesamtband

Im Auftrag des Verlags erarbeitet von Friederike Jin und Joachim Schote
Video-Drehbuch und Übungen zum Video von Dagmar Giersberg

Redaktion:	Friederike Jin und Laura Nielsen
	Gertrud Deutz (Redaktionsleitung)
Redaktionelle Mitarbeit:	Dieter Maenner
Bildredaktion:	Katharina Hoppe-Brill, Claudia Groß, Anna Koltermann, Laura Nielsen
Unter besonderer Mitwirkung von:	Georg Krüger (Berlin)
Beratende Mitwirkung:	Lada Bormotov (Frankfurt am Main), Verena Paar-Grünbichler (Graz)
Illustrationen:	Christoph Grundmann

Umschlaggestaltung, Layout und technische Umsetzung: finedesign Büro für Gestaltung, Berlin
Basierend auf Pluspunkt Deutsch von: Friederike Jin und Joachim Schote

www.cornelsen.de

Die Webseiten Dritter, deren Internetadressen in diesem Lehrwerk angegeben sind,
wurden vor Drucklegung sorgfältig geprüft. Der Verlag übernimmt keine Gewähr für
die Aktualität und den Inhalt dieser Seiten oder solcher, die mit ihnen verlinkt sind.

Soweit in diesem Buch Personen fotografisch abgebildet sind und ihnen von der Redaktion
Namen, Berufe, Dialoge und Ähnliches zugeordnet oder diese Personen in bestimmten Situationen
dargestellt werden, sind diese Zuordnungen und Darstellungen fiktiv und dienen ausschließlich
der Veranschaulichung und dem besseren Verständnis des Buchinhalts.

2. Auflage, 1. Druck 2017

Alle Drucke dieser Auflage sind inhaltlich unverändert
und können im Unterricht nebeneinander verwendet werden.

© 2017 Cornelsen Verlag GmbH, Berlin

Druck: Firmengruppe APPL, aprinta Druck Wemding

ISBN: 978-3-06-120763-2
      978-3-06-120782-3 (E-Book)

PEFC zertifiziert
Dieses Produkt stammt aus nachhaltig
bewirtschafteten Wäldern und kontrollierten
Quellen.
www.pefc.de

PEFC/12-31-006

Vorwort

Liebe Deutschlernende, liebe Deutschlehrende,

PLUSPUNKT DEUTSCH – *Leben in Deutschland* ist ein Grundstufenlehrwerk für Erwachsene ohne Deutsch-Vorkenntnisse. Es ist besonders geeignet für Lernende, die sich im deutschen Alltag zurechtfinden wollen.

PLUSPUNKT DEUTSCH – *Leben in Deutschland* setzt die Kannbeschreibungen des Gemeinsamen europäischen Referenzrahmens konsequent um und orientiert sich eng an den Vorgaben des Rahmencurriculums für Integrationskurse. Das Lehrwerk führt zum *Deutsch-Test für Zuwanderer*.

Das Kursbuch enthält vierzehn Einheiten sowie vier fakultative Stationen. Im Vordergrund stehen Themen des alltäglichen Lebens und ihre sprachliche Bewältigung. Jede Einheit enthält eine Doppelseite *Sprechen aktiv* mit Sprechübungen zur Automatisierung. Die abschließende Seite *Gewusst wie* fasst die wichtigsten Redemittel und grammatischen Strukturen übersichtlich zusammen. Die fakultativen zweiseitigen *Stationen* bieten eine spielerische Wiederholung des Gelernten und in Station 4 eine Doppelseite zum Handlungsfeld „Diversität und Interkulturalität".

Im Anhang am Ende des Kursbuchs finden Sie
· Phonetikübungen, die den einzelnen Einheiten zugeordnet sind,
· Videoseiten für die vertiefende Arbeit mit den zwanzig Videoclips,
· die Hörtexte, die alphabetische Wortliste, sowie eine Liste der unregelmäßigen Verben.

Die im Kursbuch eingelegte Video-DVD enthält als fakultatives Zusatzmaterial zwanzig Video-Clips mit Spielszenen zu den Themen der vierzehn Einheiten.

Die separate Audio-CD enthält alle Hörtexte und Phonetikübungen aus dem Kursbuch.

Das Arbeitsbuch mit zwei eingelegten Lerner-Audio-CDs unterstützt die Arbeit mit dem Kursbuch. Es enthält ein umfangreiches Übungsangebot. Ein besonderes Plus sind die vier Seiten zur Wortschatzarbeit mit einem Bildlexikon, Übungen und Lerntipps. Im Anhang des Arbeitsbuches finden Sie eine systematische Zusammenfassung der Grammatik.

Die Handreichungen für den Unterricht enthalten Tipps für den Unterricht, Vorschläge für Differenzierungsmaßnahmen sowie Kopiervorlagen, Diktate und Tests.

Der digitale Unterrichtsmanager (UMA) ermöglicht die Vorbereitung des Unterrichts am PC/Laptop sowie den Einsatz des Kursbuchs im Unterricht mit dem Whiteboard oder Beamer.

Unter www.cornelsen.de/pluspunkt-deutschland finden Sie weitere Zusatzmaterialien.

Viel Spaß und Erfolg mit PLUSPUNKT DEUTSCH – *Leben in Deutschland* wünschen Ihnen

Autoren und Verlag

Inhalt

	Sprachhandlung	Grammatik
1 Willkommen! 	• sich vorstellen und nach Namen und Herkunft fragen • buchstabieren • sich begrüßen und sich verabschieden • zählen • nach der Handynummer fragen und die Handynummer sagen • nach dem Beruf fragen	• Alphabet • Aussagesätze • Fragepronomen (*Wer? Wie? Woher? Was?*) • Verben im Präsens (*ich, du, wir, ihr, Sie*) • formelle und informelle Anrede (*du* oder *Sie?*)
2 Alte Heimat, neue Heimat 	• über Länder und Kontinente sprechen • Personen vorstellen • nach Gegenständen fragen und Gegenstände benennen • persönliche Angaben machen (Handynummer, Adresse, E-Mail-Adresse)	• Verben im Präsens (*er, sie, es, sie*) • bestimmter und unbestimmter Artikel • Nomen im Singular und Plural • W-Fragen
3 Häuser und Wohnungen 	• über Wohnungen und Möbel sprechen • die Wohnsituation beschreiben • Wohnungsanzeigen verstehen	• Ja/Nein-Fragen • Akkusativ: bestimmter und unbestimmter Artikel • Negation mit *kein* • Personalpronomen im Nominativ
4 Familienleben 	• über die Familie sprechen • über Freizeitaktivitäten sprechen • eine Stadtbesichtigung planen • über die eigene Stadt berichten • über Vergangenes sprechen	• Possessivartikel (*mein, dein, sein, ihr, Ihr*) • Zeitadverbien im Satz (*zuerst, dann, danach*) • Verben mit Vokalwechsel • Präteritum von *sein* und *haben*
Station 1	**Wiederholen:** Kommunikation im Kurs – Spiel: Drei in einer Reihe	
5 Der Tag und die Woche 	• über Freizeit und Hobbys sprechen • nach der Uhrzeit fragen und antworten • einen Tagesablauf beschreiben • einen Wochenplan beschreiben • sich verabreden	• trennbare Verben • *gehen* + Infinitiv • Zeitangaben im Satz • temporale Präpositionen (*um, bis, von ... bis*)
6 Guten Appetit! 	• über Lebensmittel sprechen • Einkaufsdialoge führen • nach Preisen fragen • sagen, was man gerne isst und trinkt • einen Text über Essgewohnheiten in Deutschland verstehen und über Essgewohnheiten im Heimatland sprechen	• Imperativ • *möchten* und *mögen* • *gern / nicht gern* • unpersönliches Pronomen *man*
7 Arbeit und Beruf 	• über Beruf und Arbeit sprechen • ein Überweisungsformular ausfüllen • den Tagesablauf beschreiben • einen Termin vereinbaren	• Modalverben *können, müssen, wollen* • Dativ: bestimmter und unbestimmter Artikel • Präpositionen mit Dativ (*aus, bei, mit, nach, von, vor* [temporal, *zu*])
Station 2	**Wiederholen:** Dialoge spielen – Wörter in Wortfeldern lernen	

Themen und Texte	Rahmencurriculum/Referenzrahmen*	Seite
. Kennenlerngespräche . Zahlen bis 20 . Beruf	. Kann Kontakt aufnehmen. . Kann sich vorstellen. . Kann jemanden ansprechen. . Kann die Anredeform klären. . Kann Gespräche und Begegnungen adäquat beenden. . Kann fragen, wie es einer Person geht.	9
. Länder und Kontinente . Nationalität und Sprachen . Gegenstände im Kursraum . Zahlen ab 20 . Kindergartenplatz . Texte: Magazintext, Visitenkarte	. Kann andere Personen vorstellen. . Kann über seine/ihre Herkunft sprechen. . Kann sagen, welche Sprache(n) er/sie spricht. . Kann persönliche Angaben machen. . Kann sich nach Betreuungseinrichtungen erkundigen.	19
. Wohnung und Einrichtung . Farben . ein Mehrfamilienhaus . Abkürzungen . Texte: Blogtexte, Wohnungsanzeigen	. Kann ausdrücken, inwieweit ihm/ihr etwas gefällt oder missfällt. . Kann grundlegende, einfache Informationen zu Produkten erfragen. . Kann Anzeigen relevante Informationen entnehmen. . Kann die wichtigsten Abkürzungen in Wohnungsanzeigen verstehen.	29
. Verwandtschaftsbezeichnungen . Freizeitaktivitäten . Sehenswürdigkeiten . Familien früher . Texte: Poster, Radiointerview	. Kann die eigene Familie beschreiben. . Kann gemeinsame Aktivitäten vereinbaren. . Kann über die eigene Freizeit sprechen.	39
		49
. Freizeitaktivitäten . Uhrzeiten, Tageszeiten . Wochentage . Texte: Terminkalender	. Kann sagen, was er/sie an einem normalen Tag macht. . Kann ausdrücken, wie er/sie zu einem Vorschlag des Gesprächs- partners / der Gesprächspartnerin steht. . Kann etwas ablehnen. . Kann, auch telefonisch, auf einfache Fragen zu Ort und Zeit Auskunft geben.	51
. Lebensmittel . Verpackungen . Einkaufssituationen . Texte: Blog	. Kann Neigungen ausdrücken. . Kann gut verständlich Zahlenangaben machen, z.B. Preise wiederholen, Größen angeben. . Kann Einkaufsdialoge führen.	61
. Berufe . Arbeitsalltag . Bankgeschäfte . Texte: Magazintext	. Kann um Unterstützung bitten. . Kann wichtige Formulare im Zahlungsverkehr ausfüllen. . Kann einfach und klar wichtige Auskünfte geben, z.B. dass er/sie einen bestimmten Job ausüben möchte. . Kann bei der Bedienung von Automaten die erforderlichen Daten eingeben. . Kann einem Kontoauszug wesentliche Informationen entnehmen.	71
		81

* Rahmencurriculum für Integrationskurse / Gemeinsamer Europäischer Referenzrahmen

Inhalt

	Sprachhandlung	Grammatik
8 Gute Besserung! 	• über Krankheiten und Ärzte sprechen • einen Termin beim Arzt machen • eine Entschuldigung schreiben • einen Notruf tätigen	• Modalverb *sollen* • Pronomen im Akkusativ
9 Wege durch die Stadt 	• über Verkehrsmittel sprechen • eigene Wege durch die Stadt beschreiben • nach dem Weg fragen und Antwort geben • Verkehrsregeln beschreiben	• lokale Präpositionen mit Dativ (*in, an, auf, über, unter, vor, hinter, neben, zwischen*) • Modalverb *dürfen*
10 Mein Leben 	• über das frühere Leben sprechen • über Alltagsaktivitäten sprechen • von einer Reise erzählen	• Perfekt • Präposition *seit* + Dativ
11 Ämter und Behörden 	• über Ämter und Behörden sprechen • ein Formular verstehen • das Datum nennen • um Hilfe bitten und auf Bitten reagieren • Fragen stellen und etwas erklären • sich bedanken	• Personalpronomen im Dativ • Ordinalzahlen • Präposition *für* + Akkusativ
Station 3		**Wiederholen:** Wörterspiel – Phonetikspiel – Grammatikspiel – Würfelspiel: Vom Start zum Ziel
12 Im Kaufhaus 	• über Kleidung sprechen • Einkaufsdialoge im Kaufhaus führen • über Einkaufsmöglichkeiten sprechen • sich im Kaufhaus orientieren	• Adjektive vor Nomen mit bestimmtem Artikel • Fragewort *welch-* • Komposita
13 Auf Reisen 	• über Landschaften und Reisen sprechen • eine Fahrkarte kaufen und nach Informationen fragen • einen Reiseblog verstehen • über das Wetter, die Jahreszeiten und das Klima sprechen • etwas vergleichen	• Präpositionen mit Akkusativ (*für, um, durch*) • Komparativ • Pronomen *es* (*es regnet, es gibt ...*)
14 Zusammen leben 	• beschreiben, wie man wohnt • Smalltalk machen • über Probleme im Haus sprechen • einen formellen Brief schreiben • über Kinderbetreuung sprechen	• Satzverbindungen mit *aber, denn, und, oder*
Station 4		**Wiederholen:** Dialoge spielen – **Diversität und Interkulturalität:** Über Migration sprechen

Partnerseiten 158   Phonetik 164   Videoseiten 174   Hörtexte 188   Wortliste 202   unregelmäßige Verben 216

Themen und Texte	Rahmencurriculum/Referenzrahmen*	Seite
. Praxisschilder . Körperteile . Texte: Entschuldigungsschreiben, Merkblatt (Notruf)	. Kann Adressen und Öffnungszeiten von Ärzten erfragen. . Kann Auskünfte zur Person bei der Anmeldung beim Arzt geben. . Kann mitteilen, wie es ihm/ihr geht, und beschreiben, was ihm/ihr wehtut. . Kann im Gespräch mit Ärzten relevante Informationen verstehen. . Kann sich mit einfachen Worten krankmelden. . Kann bei Krankheit eine kurze schriftliche Entschuldigung schreiben. . Kann telefonisch einen Notruf tätigen.	83
. Verkehrsmittel . Orte/Gebäude in der Stadt . Verkehrschilder . Texte: U-Bahn-Plan, Flyer	. Kann Fahrplänen für ihn/sie relevante Informationen entnehmen. . Kann nach dem Weg fragen und das Wesentliche einer Wegbeschreibung verstehen. . Kann einen Weg beschreiben. . Kann Hinweisschildern die wichtigsten Informationen entnehmen.	93
. früheres Leben . Alltagsaktivitäten . Reisen . Jahreszahlen . Texte: Postkarte, Magazintext	. Kann über sich und seine/ihre Situation im Herkunftsland sprechen. . Kann eine einfache Postkarte mit Feriengrüßen schreiben. . Kann Feriengrüße auf einer Postkarte verstehen.	103
. Ämter und Behörden . ein Formular ausfüllen . persönliche Angaben . Texte: Formular, Internetseite	. Kann in einem Formular persönliche Daten eintragen. . Kann nachfragen, wenn er/sie etwas nicht verstanden hat. . Kann jemandem bitten, ihm/ihr beim Ausfüllen eines Formulars zu helfen. . Kann am Informationsschalter gezielt Auskünfte erfragen. . Kann sich über Beratungseinrichtungen informieren, z.B. über Öffnungszeiten, Adresse.	113
		123
. Kleidungsstücke . Geschäfte und Einkaufsmöglichkeiten . Texte: Internetseite, Infotafel	. Kann sagen, wie er/sie alltägliche Dinge findet. . Kann Informationen zu Produkten erfragen (Preis, Größe, Abteilung). . Kann Zahlenangaben machen (Preis, Größe). . Kann Produktinformationen das Wesentliche entnehmen. . Kann im Internet Bestellungen aufgeben und Bestellformulare ausfüllen.	125
. Landschaften . Wetter . Monate . Urlaub . Texte: Reiseblog, Urlaubsprospekt	. Kann am Schalter Informationen (Abfahrtszeiten, Preise) erfragen. . Kann einen Platz reservieren. . Kann relevante Abkürzungen in Fahrplänen verstehen. . Kann Klima und Wetter in Deutschland mit Klima und Wetter in seinem/ihrem Heimatland vergleichen.	135
. Haus und Nachbarschaft . Smalltalk . Kinderbetreuung . Texte: Einladung, formeller Brief	. Kann Nachbarn um Hilfe bitten. . Kann die wesentlichen Informationen einer Mitteilung eines Hausbewohners verstehen (z.B. Einladung zum Hoffest). . Kann einen formellen Brief schreiben. . Kann Bekannten das Du anbieten und kann reagieren, wenn ihm/ihr Bekannte das Du anbieten. . Kann sich nach Betreuungsmöglichkeiten erkundigen.	145
		155

* Rahmencurriculum für Integrationskurse / Gemeinsamer Europäischer Referenzrahmen

Sprache im Kurs

Sprechen Sie.

Hören Sie.

Lesen Sie.

Schreiben Sie.

Ergänzen Sie.

Kreuzen Sie an.

Sprechen Sie nach.

Lesen Sie den Dialog zu zweit.

Spielen Sie den Dialog.

Willkommen!

> Guten Tag, ich heiße Eva Meier. Und wie heißen Sie?

> Guten Tag, ich heiße Tony Balcazar.

> Guten Tag, ich heiße Anna Nowak.

Sie lernen

- sich begrüßen und sich verabschieden
- sich vorstellen und nach Namen und Herkunft fragen
- buchstabieren
- formelle und informelle Anrede
- Zahlen bis 20
- nach dem Beruf fragen

🔊 1.02 **1** Wie heißen Sie? Hören und lesen Sie. Stellen Sie sich vor.

🔊 1.03 **2** Woher kommen Sie? Hören und lesen Sie. Fragen Sie im Kurs.

> Woher kommen Sie?

> Ich komme aus Spanien.

🔊 1.04 Ü1-3 **3 a** Hören und lesen Sie.

- Guten Tag.
- Guten Tag.
- Ich heiße Belin Akin. Wie heißen Sie?
- Ich heiße Ana Sereno.
- Woher kommen Sie?
- Ich komme aus Portugal. Und Sie?
- Ich komme aus der Türkei.

🔊 1.05 **3 b** Hören Sie und sprechen Sie nach.

3 c Lesen Sie den Dialog zu zweit. Variieren Sie die Wörter in Grün.

🔊 **1 a** Sehen Sie das Foto an und hören Sie den Dialog.
1.06 Ü4-5

1 b Hören Sie noch einmal und lesen Sie mit.

- Guten Morgen. Ich bin neu hier im Haus. Ich heiße Paolo Costa.
- Entschuldigung, wie heißen Sie?
- Paolo Costa. Ich komme aus Argentinien.
- Guten Morgen, Herr Costa. Mein Name ist Balbay. Kerem Balbay. Ich wohne schon lange hier.
- Und das ist Manu.
- Hallo, Manu.

1 c Lesen Sie den Dialog zu zweit. Variieren Sie die Wörter in Grün.

- Guten Tag, ich bin neu hier in Frankfurt. Ich heiße Paolo Costa.
- Entschuldigung, wie heißen Sie?
- Mein Name ist Costa. Paolo Costa.

2 a Wer ist das? Ergänzen Sie.
Ü6-7

Wer ist das?

Wer ist das?

Wer ist das?

Das ist Manu Costa.

2 b Spielen Sie im Kurs.

Ich bin Alla Tagirowa.

Das ist Alla Tagirowa ...

... und ich bin Jamal Rossi.

Das ist Jamal Rossi, das ist Alla Tagirowa und ich bin ...

B Buchstaben

1 Hören Sie das Alphabet und sprechen Sie die Buchstaben nach.

A Be Ce De E eF Ge Ha I
Jot Ka eL eM eN O Pe Qu eR
eS Te U Vau We iX Ypsilon Zett
Ä A Umlaut Ö O Umlaut
Ü U Umlaut ß Eszett

2 Hören Sie und notieren Sie die Buchstaben.

1 .... 2 .... 3 .... 4 .... 5 .... 6 ....

7 .... 8 .... 9 .... 10 .... 11 .... 12 ....

3 Hören Sie und notieren Sie die Namen.

- Wie heißen Sie?
- Joachim Schote.
- Wie bitte? Wie schreibt man das?
- Moment, ich buchstabiere:

1 *JOACHIM SCHOTE*   3 ....

2 ....   4 ....

4 Schreiben Sie eine Kursliste. Fragen und antworten Sie im Kurs.

Wie heißen Sie?

Ich heiße …

Woher kommen Sie?

Wie schreibt man das?

Ich komme aus …

Familienname	
Vorname	
Land	
Stadt	

1.10 Ü11-13 **1a** Begrüßen oder verabschieden? Hören und lesen Sie die Dialoge und ordnen Sie die Zeichnungen zu.

1 ☐
- Guten Tag. Wie heißen Sie?
- Ich heiße Lisa Ott. Und Sie?
- Ich bin Max Klein.

2 ☐
- Auf Wiedersehen, Frau Ott.
- Auf Wiedersehen, Herr Klein. Bis bald.

3 ☐
- Guten Tag, Frau Ott.
- Guten Tag, Herr Klein. Wie geht es Ihnen?
- Danke, gut, und Ihnen?
- Auch gut, danke.

4 ☐
- Hallo, wie heißt du?
- Ich bin Mario. Und du?
- Ich bin Laura.

5 ☐
- Hallo, Mario.
- Hallo, Laura. Wie geht es dir?
- Gut, und dir?
- Na ja, es geht so.

6 ☐
- Tschüss, Laura.
- Tschüss, Mario.

1b Formell und informell. In welche Situation passen die Dialoge aus 1a? Ordnen Sie zu.

formell

informell

 DIALOG ☐ ☐ ☐

 DIALOG ☐ ☐ ☐

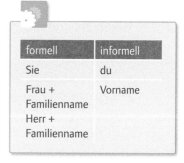

formell	informell
Sie	du
Frau + Familienname	Vorname
Herr + Familienname	

1c Lesen Sie die Dialoge in 1a zu zweit. Variieren Sie die Wörter in Grün.

1.11 Ü14-15 **2** Hören Sie und kreuzen Sie an: Welche Antwort passt?

1 ☐ Hallo, Tim. Wie geht es dir?
☐ Guten Tag, Herr Meier.

3 ☐ Tschüss, Anna. Bis morgen.
☐ Auf Wiedersehen, Frau Schneider.

2 ☐ Ich heiße Lina Kraus. Und Sie?
☐ Ich heiße Lina. Und du?

4 ☐ Danke, gut, und Ihnen?
☐ Danke, gut, und dir?

3 Fragen und antworten Sie im Kurs.

Guten Tag, Frau Usta, wie geht es Ihnen?

Hallo, Fuat, wie geht es dir?

Danke, gut, und Ihnen?

Danke, gut, und dir?

■))
1.12   Ü16

4 a   Hören und lesen Sie die Dialoge.

- Woher kommen Sie?
- Wir kommen aus Frankreich.
  Und Sie, woher kommen Sie?
- Ich komme aus Thailand

- Woher kommt ihr?
- Wir kommen aus Kanada.
  Und du? Woher kommst du?
- Ich komme aus Italien.
- Was machst du hier?
- Ich lerne Deutsch.

4 b   Lesen Sie die Dialoge noch einmal und markieren Sie die Endungen von *kommen*.

5 a   Ergänzen Sie die Endungen.
Ü17-19

1 ● Woher komm......... Sie?
  ● Ich komm......... aus Spanien.
2 ● Wie heiß......... Sie?
  ● Ich heiß......... Schmidt.
3 ● Wo wohn......... Sie?
  ● Wir wohn......... in Berlin.
4 ● Was mach......... Sie hier in Berlin?
  ● Ich lern......... Deutsch.
5 ● Woher komm......... ihr? ● Wir komm......... aus Italien. Und du, woher komm......... du?
  ● Ich komm......... aus Togo.
6 ● Wie heiß......... ihr? ● Ich heiß......... Silvio.
  ● Und ich heiß......... Anna. Und du? Wie heiß......... du?
  ● Ich heiß......... Elisabeth.

	kommen	heißen	sein
ich	komme	heiße	**bin**
du	kommst	heißt	**bist**
wir	kommen	heißen	**sind**
ihr	kommt	heißt	**seid**
Sie	kommen	heißen	**sind**

5 b   Ergänzen Sie das Verb *sein*.

1 ● Wer .... du?   ● Ich .... Maria.

2 ● Wer .... ihr?   ● Wir .... Peter und Monika.

6   Schreiben Sie Fragen und machen Sie ein Partnerinterview.
Ü20

Wie heißen Sie?

Ich bin ...

Wie heißen Sie?
Woher ... ?
Wo ... ?
Was ... ?

① D Zahlen bis 20

 1.13

1 Zahlen bis 20. Hören Sie und sprechen Sie die Zahlen nach.

0 null				
1 eins	**2** zwei	**3** drei	**4** vier	**5** fünf
6 sechs	**7** sieben	**8** acht	**9** neun	**10** zehn
11 elf	**12** zwölf	**13** dreizehn	**14** vierzehn	**15** fünfzehn
16 sechzehn	**17** siebzehn	**18** achtzehn	**19** neunzehn	**20** zwanzig

2 Wie heißen die Hausnummern? Schreiben Sie die Zahlen.
Ü21-22

neunzehn ....

 1.14

3 Autokennzeichen. Hören und notieren Sie.

1 `D HH FK 6341`   2 `D` ....   3 `D` ....

sechs drei vier eins   ....

4 `D` ....   5 `✛` ....   6 `A` ....

....

 1.15

4a Wie ist Ihre Handynummer?
Hören und lesen Sie den Dialog.

● Wie ist Ihre Handynummer?
● Moment, 0176458910.
● 0176458920?
● Nein, nicht 20! 10!
● Ach so, 0176458910.
● Ja, genau.
● Danke. Meine Nummer ist 0169739228.

4b Variieren Sie den Dialog und notieren Sie die Nummern.

E   Was sind Sie von Beruf?

1 Berufe. Hören Sie, suchen Sie und sprechen Sie nach.

1.16 · Ü23

 Ingenieur  Ingenieurin  Verkäuferin  Ärztin

 Lehrer  Elektriker  Altenpfleger

 Friseurin  Grafikerin  Buchhalter

2 a Hören und lesen Sie.

1.17 · Ü24–25

- ○ Was sind Sie von Beruf?
- ● Ich bin Lehrer. Und Sie?
- ○ Ich bin Ärztin.

Berufe	
Lehrer	Lehrer**in**
Elektriker	Elektriker**in**
Arzt	**Ärztin**

2 b Sprechen Sie zu zweit.
Variieren Sie die Wörter in Grün.

2 c Fragen und antworten Sie im Kurs. Sammeln Sie gemeinsam Berufe.

Vorname	Familienname	Beruf
Julia	Salvador	Programmiererin
Maria	Gomes	Hausfrau
Kofi	Ayew	Student
Arshad	Ilyas	…

Wörter sprechen

1a Berufe sprechen. Lesen Sie die Berufe laut.

> Ingenieur • Arzt • Verkäuferin • Studentin • Hausfrau • Lehrerin •
> Altenpfleger • Programmiererin

1b Was sind die Personen von Beruf? Arbeiten Sie zu zweit. Fragen und antworten Sie.
Die Informationen für Partner/in B finden Sie auf Seite 158.

Partner/in A

> Was ist Frau Neuer von Beruf?

> Frau Neuer ist …

Herr Schmidt — *Ingenieur* 　Frau Neuer — ………… 　Herr Santos — *Arzt* 　Frau Mbeki — …………

Frau Arslan — *Verkäuferin* 　Herr Wang — ………… 　Frau Basdeki — *Studentin* 　Herr Aydin — …………

> Was sind Sie von Beruf?

Minidialoge sprechen

2a 🔊 1.18 Fragen. Hören Sie und sprechen Sie nach.

Wie?	–	Wie heißen Sie?
Woher?	–	Woher kommen Sie?
Wo?	–	Wo wohnen Sie?

2b Machen Sie Fantasiedialoge. Lesen Sie und variieren Sie die Wörter in Grün.

- Wie heißen Sie?
- Woher kommen Sie?
- Wo wohnen Sie?

- Ich heiße Lady Gaga.
- Ich komme aus den USA.
- Ich wohne in Los Angeles.

Lady Gaga aus den USA in Los Angeles 　Lionel Messi aus Argentinien in Barcelona 　Angela Merkel aus Deutschland in Berlin 　Lang Lang aus China in New York 　Name: Land: Stadt:

Grammatik sprechen

🔊 1.19 **3a** Ich auch – Ich nicht! Hören Sie und sprechen Sie die Antwort nach.

Wir lernen Deutsch.	Ich lerne auch Deutsch.
Wir wohnen in Deutschland.	Ich wohne auch in Deutschland.
Wir kommen aus Marokko.	Ich komme nicht aus Marokko, ich komme aus Ghana.
Ich heiße Younes.	Ich heiße nicht Younes. Ich heiße Daniel.
Meine Handynummer ist 0176233223.	Meine Handynummer ist 0177566676.
Ich bin Ingenieur von Beruf.	Ich bin auch Ingenieur von Beruf.

3b Sprechen Sie zu zweit und variieren Sie den Dialog.

Ich lerne Deutsch.

Ich lerne auch Deutsch.

Flüssig sprechen

🔊 1.20 **4** Hören Sie zu und sprechen Sie nach.

VIDEO

Clip 01
Seite 174

Dialogtraining

🔊 1.21 **5a** Hören und lesen Sie den Dialog.

- Hallo, guten Tag. Wie geht es Ihnen?
- Danke, gut! Und Ihnen?
- Auch gut, danke.
- Sind Sie neu hier in Berlin?
- Ja. Wir kommen aus Mannheim.
- Ach so.

5b Wählen Sie eine Emotion. Sprechen Sie den Dialog zu zweit.

Daniel   Julia   Elena
↓   ↓   ↘

5c Schreiben und spielen Sie einen Dialog zu dem Foto.

Daniel: Hallo, ich heiße …

Elena:

Kommunikation

sich begrüßen (formell)

- Guten Morgen. / Guten Tag.
- Wie geht es Ihnen?
- Danke, gut. Und Ihnen?

sich begrüßen (informell)

- Hallo. / Guten Tag. / Guten Morgen.
- Wie geht es dir?
- Danke, gut. Und dir?

sich vorstellen (formell)

- Wie heißen Sie?
- Entschuldigung, wie heißen Sie?
- Ich heiße …
- Woher kommen Sie?
- Ich komme aus …
- Wo wohnen Sie?
- Ich wohne in …
- Was sind Sie von Beruf?
- Ich bin …
- Wie ist Ihre Handynummer?
- Meine Nummer ist 0176235628.

sich vorstellen (informell)

- Wie heißt du?
- Entschuldigung, wie heißt du?
- Ich heiße …
- Woher kommst du?
- Ich komme aus …
- Wo wohnst du?
- Ich wohne in …
- Was bist du von Beruf?
- Ich bin …
- Wie ist deine Handynummer?
- Meine Nummer ist 0176235628.

sich verabschieden (formell)

- Auf Wiedersehen!
- Auf Wiedersehen!

sich verabschieden (informell)

- Tschüss!
- Tschüss!

Grammatik

Verben im Präsens

	fragen	heißen
ich	frage	heiße
du	fragst	heißt
wir	fragen	heißen
ihr	fragt	heißt
sie/Sie	fragen	heißen

	sein
ich	bin
du	bist
wir	sind
ihr	seid
sie/Sie	sind

Berufe

Ingenieur	Ingenieurin
Verkäufer	Verkäuferin
Altenpfleger	Altenpflegerin
Programmierer	Programmiererin
Arzt	Ärztin

Sie lernen

- Personen vorstellen
- nach Wörtern fragen
- persönliche Angaben machen
- bestimmte und unbestimmte Artikel
- Plural von Nomen
- Verben im Präsens
- W-Fragen
- Zahlen ab 20

1 a
Ü1

Welches Foto passt zu welchem Kontinent?

Afrika: ....   Europa: ....

Asien: ....   Nordamerika: ....

Australien: ....   Südamerika: ....

1 b
Was kennen Sie? Sprechen Sie zu zweit.

> *Das ist Athen. Ich kenne Athen.*

> *Ich kenne Athen nicht.*

2 a
Ü2

Wo liegt …? Fragen und antworten Sie.

> Deutschland? • Ägypten? • China? • Indien? • Brasilien? • Spanien? • Griechenland? • die Türkei? • Russland? • Kanada? • Peru?

> *Wo liegt Deutschland?*

> *Deutschland liegt in Europa.*

2 b
Woher kommen Sie?

> *Ich komme aus Ungarn. Ungarn liegt in Europa.*

2   A   Nationalität und Sprachen

1a Lesen Sie den Artikel und ergänzen Sie die Tabelle.
Ü3

Name	Rosa Navas	Marcel Roy + Paul Hart	Ilkay Gül	Wang Jinjin	Leonidas Galanis
Land		*Kanada*		*China*	*Griechenland*
Nationalität	*Spanierin*		*Türke*		
Sprache/n					

Neue Heimat Deutschland

Rosa Navas kommt aus Spanien. Sie kommt aus Valencia. Sie spricht ein bisschen Englisch und Deutsch und natürlich Spanisch. Jetzt arbeitet sie in Heilbronn. Sie ist Altenpflegerin von Beruf.

Marcel Roy und Paul Hart kommen aus Quebec. Sie sind Kanadier und sprechen Englisch und Französisch. Jetzt sind sie Studenten in Berlin und lernen Deutsch. Sie lieben Berlin.

Ilkay Gül kommt aus der Türkei. Er ist Ingenieur. Er arbeitet bei VW in der Türkei und in Deutschland. Er ist oft in Deutschland. Er spricht Türkisch und Deutsch.

Wang Jinjin ist neu in Deutschland. Sie ist Chinesin und kommt aus Shanghai. Ihre Muttersprache ist Chinesisch und sie spricht auch ein bisschen Deutsch. Sie lebt und arbeitet in Frankfurt.

Leonidas Galanis ist Grieche und kommt aus Patras. Er wohnt jetzt in Freiburg und sucht Arbeit in Deutschland. Er ist Kinderarzt von Beruf. Er spricht Griechisch und Englisch und lernt jetzt Deutsch.

eu = öjor öï

1b Lesen Sie noch einmal und unterstreichen Sie die Verben im Text.

1c Ergänzen Sie die Endungen in den Fragen.
Fragen und antworten Sie dann im Kurs.

1 Woher komm......... Frau Navas?
2 Was lern......... Paul und Marcel?
3 Was i......... Herr Gül von Beruf?
5 Wo arbeit......... Frau Wang?
6 Was mach......... Herr Galanis?

	kommen	arbeiten	sprechen	sein
er/sie	kommt	arbeitet	spricht	ist
sie (Pl.)	kommen	arbeiten	sprechen	sind

2 a 🔊 1.22 Hören Sie das Interview. Sind Herr und Frau Monti neu in Deutschland?

2 b Ü4-5 Hören Sie noch einmal und ergänzen Sie die Verben in der richtigen Form.

> arbeiten • kommen • kommen • ~~leben~~ • lernen • sein • sprechen

1 Herr und Frau Monti ...*leben*... schon lange in Deutschland.

2 Herr Monti .... bei Siemens.

3 Frau Monti .... Sekretärin von Beruf.

4 Frau Monti .... Polnisch und Deutsch.

5 Frau Monti .... aus Polen,

Herr Monti .... aus Italien.

6 Herr und Frau Monti .... jetzt Englisch.

3 a Notieren Sie Ihr Land, Ihre Nationalität und Ihre Sprachen und ergänzen Sie die Sätze.

Land:	Ich komm........ aus ....
Nationalität:	Ich b........ ....
Muttersprache:	Meine Muttersprache i........ ....
Sprache/n:	Ich sprech........ ....

3 b Fragen Sie Ihren Partner / Ihre Partnerin und notieren Sie die Antworten.

> *Woher kommen Sie?*

> *Was ist Ihre Nationalität?*

> *Welche Sprachen sprechen Sie?*

> *Wo liegt das?*

3 c Ü6-7 Stellen Sie Ihren Partner / Ihre Partnerin vor.

> *Das ist Sunicha. Sie kommt aus Thailand. Thailand liegt in Asien. Sie ist Thailänderin. Sie spricht Thailändisch und ein bisschen Deutsch.*

Frau	sie
Mann	er
Plural	sie

4 Ein Würfelspiel mit Verben. Wählen Sie ein Verb aus.
Würfeln Sie und sagen Sie das Verb in der richtigen Form.

> kommen • lernen • machen • wohnen • arbeiten • heißen • sein • fragen

⚀ ich ⚁ du ⚂ er/sie ⚃ wir ⚄ ihr ⚅ sie/Sie

🔊
1.23

1a
Ü8

Was sehen Sie auf dem Bild? Hören Sie die Wörter und sprechen Sie nach.

die Tür · das Fenster · die Uhr · der Stuhl · das Plakat · die Tafel · die Lampe · der Laptop · das Tablet · die Tasche · die Flasche · die CD · das Buch · die Brille · das Papier · das Wörterbuch · das Heft · das Handy · der Schlüssel · der USB-Stick · der Tisch · der Kugelschreiber (der Kuli)

1b
Welche Wörter passen zusammen? Es gibt verschiedene Möglichkeiten. Sammeln Sie und sprechen Sie die Paare mit Artikel.

> das Fenster und die Tür

> der Tisch und der Stuhl

2a
Ü9
Markieren Sie den unbestimmten und bestimmten Artikel wie im Beispiel.

Das ist ein Bleistift.
Der Bleistift kostet 70 Cent.

Das ist ein Buch.
Das Buch kostet 15 Euro.

Das ist eine Tasche.
Die Tasche kostet 30 Euro.

2b
Ergänzen Sie den unbestimmten Artikel.

der Stuhl – .... Stuhl
die Lampe – .... Lampe
das Heft – .... Heft

Artikel im Singular		
m	der	ein
n	das	ein
f	die	eine

2c
Lesen Sie den Dialog und variieren Sie die Wörter in Grün.

● Wie heißt das auf Deutsch?
● Heft.
● Wie ist der Artikel?
● Das. Das Heft.
● Danke. Das ist ein Heft. Das Heft kostet 2 Euro.

3a Wie viele Dinge sind das? Ergänzen Sie.

Ü10

 1 Das ist .... Tasche.

 2 Das sind .... Taschen.

 3 Das ist .... Bleistift.

 4 Das sind .... Bleistifte.

 5 Das ist .... Buch.

6 Das sind .... Bücher.

3b Markieren Sie die Pluralendungen in 3a.

3c Benutzen Sie die Wortliste ab Seite 202 und schreiben Sie die Pluralformen zu den Wörtern. Fragen und antworten Sie dann.

| Tisch • Stuhl • Fenster • Handy • Plakat • Heft • Schlüssel • Stift |

Stuhl?

der Stuhl – die Stühle

Prima! Der Stuhl – die Stühle. Das ist richtig!

In der Wortliste finden Sie die Pluralformen so:
Tasche, die, -n
Stift, der, -e
Buch, das, "-er

Sie lesen:
die Tasche, die Taschen
der Stift, die Stifte
das Buch, die Bücher

4 Artikel im Plural.
Schreiben Sie Sätze wie im Beispiel.

| kaputt • schick • interessant |

 **1**

 **2**

 **3**

 **4**

1 Was ist das? *Das sind Stühle. Die Stühle sind kaputt.*

2 Was ist das? *Das sind* ....

3 Was ist das? ....

4 Was ist das? ....

Artikel im Plural

Pl. **die** Stifte – Stifte

5 Wie viele ... sind im Kursraum? Fragen und antworten Sie im Kurs.

Wie viele Stühle sind im Kursraum?

Zwanzig Stühle.

Wie viele ...?

1 🔊 1.24 Zahlen bis 1000. Hören Sie und lesen Sie dann laut.

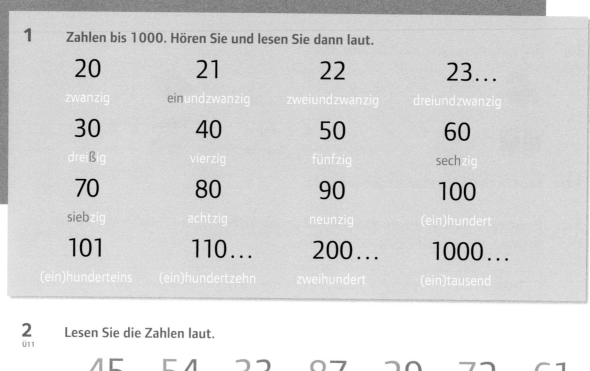

20	21	22	23…
zwanzig	einundzwanzig	zweiundzwanzig	dreiundzwanzig
30	**40**	**50**	**60**
dreißig	vierzig	fünfzig	sechzig
70	**80**	**90**	**100**
siebzig	achtzig	neunzig	(ein)hundert
101	**110…**	**200…**	**1000…**
(ein)hunderteins	(ein)hundertzehn	zweihundert	(ein)tausend

2
Ü11
Lesen Sie die Zahlen laut.

45   54   33   87   29   72   61

fünfundvierzig

3 a
Ü12-14
Beim Berlin-Marathon. Schreiben Sie die Zahlen.

1 .... sechshundertsechsundneunzig

2 .... zweihundertfünfundvierzig

3 .... dreihundertzweiundsiebzig

4 .... vierhundertdreiundachtzig

5 .... achthundertvierundzwanzig

6 .... siebenhundertsiebzehn

7 .... fünfhundertachtunddreißig

8 .... hundertelf

3 b 🔊 1.25 Hören Sie die Zahlen und sprechen Sie nach.

❗ am Telefon oft: zwo = zwei

4 a 🔊 1.26-30 Hören Sie und notieren Sie die Nummern.

1 Paul: ....   2 Herr Weiß: ....

3 Frau Tanner: ....   4 Sprachschule: ....

5 Birthe: Vorwahl: ....   Telefonnummer: ....

4 b
Ü15-17
Fragen und antworten Sie.
Notieren Sie die Nummern.

Wie ist Ihre Vorwahl?   Meine Vorwahl ist …

D Wie ist Ihre Adresse?

1 Eine Visitenkarte verstehen. Ordnen Sie zu.

1 die Straße
2 die Vorwahl
3 die Telefonnummer
4 die Postleitzahl
5 die Hausnummer
6 die E-Mail-Adresse
7 der Vorname
8 der Nachname

KITA REGENBOGEN

Leiterin: Andrea Klein
Bismarckstraße 21
20259 Hamburg
Tel.: 040 – 41 09 861
E-Mail: kita-regenbogen@gmx.de

2a 🔊 1.31 Ü18 **Hören und lesen Sie. Notieren Sie die Angaben von Thomas Schulz auf der Visitenkarte.**

● Kita Regenbogen, Andrea Klein.
● Guten Tag, hier spricht Thomas Schulz. Mein Sohn Ferdinand ist zwei Jahre alt. Wir suchen eine Kita. Haben Sie noch Plätze frei?
● Ja, wir haben noch Plätze frei. Wie ist Ihr Name und Ihre Adresse?
● Thomas Schulz, Juliusstraße 15 in Hamburg. Die Postleitzahl ist 22769 Hamburg.

● Und die Telefonnummer?
● Die Telefonnummer ist 41 09 861.
● Haben Sie eine E-Mail-Adresse?
● Ja, das ist schulz@gmx.de.
● Gut. Wir schicken Ihnen ein Anmeldeformular.
● Sehr gut! Vielen Dank und auf Wiederhören!
● Auf Wiederhören!

Name: ....

Adresse: ....
....

Telefonnummer: ....

E-Mail: ....

❗ @ spricht man „ätt": schulz ätt ge em ix de e

2b Lesen Sie noch einmal und beantworten Sie die Fragen.

1 Wie alt ist Ferdinand?
2 Was sucht Herr Schulz?
3 Wie ist die Hausnummer von Familie Schulz?
4 Wie ist die Postleitzahl?
5 Was ist die E-Mail-Adresse von Thomas Schulz?
6 Was schickt Frau Klein?

2c Sprechen Sie den Dialog zu zweit.

3 Schreiben Sie Ihre eigene Visitenkarte.

Wörter sprechen

1a Sehen Sie die Bilder an und sagen Sie das Wort mit Artikel.

1b Erfinden und ergänzen Sie Preise wie im Beispiel. Fragen und antworten Sie.

Was kostet der Kuli?

Der Kuli kostet 15 Euro.

Das ist aber teuer!

Was kostet die Lampe?

Die Lampe kostet 5 Euro.

Das ist aber billig!

2 Zahlendiktat. An der Wand hängt eine Liste mit Zahlen. Gehen Sie zur Liste. Merken Sie sich eine Zahl und diktieren Sie sie dann Ihrem Partner / Ihrer Partnerin.

Minidialoge sprechen

3a Hören Sie und sprechen Sie nach.

1 … Name?
2 … Adresse?
3 … Handynummer?
4 … E-Mail-Adresse?
5 … Postleitzahl?

… Ihr Name?
… Ihre Adresse?
… Ihre Handynummer?
… Ihre E-Mail-Adresse?
… Ihre Postleitzahl?

Wie ist Ihr Name?
Wie ist Ihre Adresse?
Wie ist Ihre Handynummer?
Wie ist Ihre E-Mail-Adresse?
Wie ist Ihre Postleitzahl?

3b Fragen und antworten Sie.

Grammatik sprechen

4 Konjugation üben. Arbeiten Sie zu zweit. Fragen und antworten Sie wie im Beispiel.

1 Ich lerne Deutsch. Und Paul Hart?
2 Ich lebe in Deutschland. Und Herr und Frau Monti?
3 Ich wohne in Freiburg. Und Herr Galanis?
4 Ich arbeite in Frankfurt. Und Frau Wang?
5 Ich bin Ingenieur. Und Herr Gül?
6 Ich spreche Deutsch. Und Herr und Frau Monti?

Ich lerne Deutsch. Und Paul Hart?

Er lernt auch Deutsch.

5 Plural üben. Beschreiben Sie das Bild.

Hier sind sechs Stühle.

Flüssig sprechen

🔊 1.33 **6** Hören Sie zu und sprechen Sie nach.

VIDEO

Clip 03
Seite 175

Dialogtraining

🔊 1.34 **7a** Hören und lesen Sie den Dialog.

- Mein Kind heißt Luis Fernández-Weber.
- Und wie alt ist Luis?
- Er ist fünf Jahre alt.
- Kommen Sie aus Spanien?
- Ja, ich bin Spanier.
- Welche Sprachen spricht Luis?
- Er spricht Deutsch und Spanisch.
- Ich schicke ein Anmeldeformular. Haben Sie eine E-Mail-Adresse?

7b Sprechen Sie zu zweit und variieren Sie die Wörter in Grün.

Gewusst wie

Kommunikation

Adresse/Telefonnummer

- Wie ist Ihre/deine Adresse?
- Ich wohne in der Schillerstraße 18 in München. Die Postleitzahl ist …
- Wie ist Ihre/deine Telefonnummer?
- Meine Telefonnummer ist …

Muttersprache/Nationalität

- Welche Sprachen sprechen Sie / sprichst du?
- Ich spreche …
- Was ist Ihre/deine Nationalität?
- Ich bin …

jemanden vorstellen

Das ist Ferran Hernández. Er kommt aus Spanien, aus Barcelona. Er ist Spanier. Er lebt und arbeitet in Frankfurt. Er spricht Spanisch.

nach Wörtern fragen

Was ist das?
Wie heißt das auf Deutsch?
Wie ist der Artikel?
Wie schreibt man das?

Grammatik

Verben im Präsens

	kommen*	arbeiten	sprechen	sein
ich	komme	arbeite	spreche	bin
du	kommst	arbeitest	sprichst	bist
er/es/sie	kommt	arbeitet	spricht	ist
wir	kommen	arbeiten	sprechen	sind
ihr	kommt	arbeitet	sprecht	seid
sie/Sie	kommen	arbeiten	sprechen	sind

*genauso: lernen, machen, leben, wohnen …

Nomen und Artikel

	bestimmter Artikel	unbestimmter Artikel
m (maskulin)	der Mann	ein Mann
n (neutral)	das Kind	ein Kind
f (feminin)	die Frau	eine Frau
Pl. (Plural)	die Stühle	– Stühle

Das ist **eine** Tasche. **Die** Tasche ist schick.

W-Fragen

	Verb	
Wie	heißen	Sie?
Wo	wohnen	Sie?
Was	sind	Sie von Beruf?
Wer	ist	das?
Woher	kommt	Frau Alvarez?

Pluralformen

-e (+Umlaut)	-en	-n
das Plakat, die Plakate der Stuhl, die Stühle	die Uhr, die Uhren	die Tasche, die Taschen
–	-s	-er (+Umlaut)
das Fenster, die Fenster der Zettel, die Zettel	der Kuli, die Kulis das Handy, die Handys	das Kind, die Kinder das Buch, die Bücher

die Küche

das Schlafzimmer

das Wohnzimmer

Sie lernen

- über Wohnungen und Möbel sprechen
- die Wohnsituation beschreiben
- Wohnungsanzeigen verstehen
- Negation mit *kein*
- Ja/Nein-Fragen
- Akkusativ

1 **Möbel. Welche Wörter kennen Sie? Ordnen Sie zu.**
Ü1

8 die Spüle	10 der Schrank	3 das Bild
12 das Bett	7 der Fernseher	2 das Regal
9 der Herd	4 der Sessel	11 der Teppich
1 das Sofa	6 die Lampe	5 der Vorhang

2 **Sprechen Sie über die Wohnung. Wie sind die Möbel?**
Ü2

alt • neu • modern • groß • klein • schön • hässlich • bequem • unbequem • ordentlich • unordentlich

der	→	er
das	→	es
die	→	sie
die (Pl.)	→	sie

Da ist ein Schrank. Er ist groß.

Da ist ein Bett. Es ist schön.

Da sind Lampen. Sie sind modern.

Da ist eine Spüle. Sie ist klein.

1a Eine neue Wohnung. Was fehlt hier? Ergänzen Sie die Sätze. Der Grammatikkasten hilft.
Ü3-4

1 Im Wohnzimmer ist _ein_ Tisch und _____ Sessel.

2 Im Wohnzimmer ist _kein_ Sofa und _keine_ Lampe.

3 Im Wohnzimmer ist _ein_ Regal, aber _kein_ Bild.

4 In der Küche ist _eine_ Spüle und _ein_ Kühlschrank.

5 In der Küche ist _kein_ Herd und _ein_ Schrank.

6 In der Küche sind _____ Blumen, aber _keine_ Stühle.

Das ist … / Das sind …		
m	ein Tisch	kein Tisch
n	ein Sofa	kein Sofa
f	eine Lampe	keine Lampe
Pl.	– Stühle	keine Stühle

1b Was fehlt noch? Sammeln Sie weitere Gegenstände.

In der Küche ist kein/e …

Im Wohnzimmer ist kein/e …

◀») **2a** Herr und Frau Santos in der neuen Wohnung. Welche Wörter hören Sie? Kreuzen Sie an.
1.35 Ü5-6

☐ Stühle
☐ Spülmaschine
☐ Tisch
☐ Teppich
☐ Regal
☐ Sessel

2b Hören Sie das Gespräch noch einmal. Kreuzen Sie an:
Richtig oder falsch?

		R	F
1	Familie Santos hat kein Regal.	☐	☐
2	Familie Santos braucht einen Teppich.	☐	☐
3	Familie Santos braucht eine Spülmaschine.	☐	☐
4	Familie Santos kauft Stühle.	☐	☐

haben	
ich	habe
du	**hast**
er/sie	**hat**
wir	haben
ihr	habt
sie/Sie	haben

3a
^{Ü7-9}

Was hat Familie Santos? Was braucht sie und was kauft sie? Schreiben Sie Sätze.

Familie Santos	hat braucht kauft	einen keinen eine keine – kein ein	Fernseher Tisch Waschmaschine Mikrowelle Handy Stühle Lampen

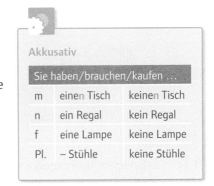

Akkusativ

Sie haben/brauchen/kaufen …		
m	einen Tisch	keinen Tisch
n	ein Regal	kein Regal
f	eine Lampe	keine Lampe
Pl.	– Stühle	keine Stühle

3b

Was haben Sie (nicht), was brauchen Sie (nicht)? Schreiben Sie Sätze und lesen Sie vor.

Ich habe zwei Tische und brauche keinen Tisch.

4a
^{Ü10}

Farben. Beschreiben Sie das Zimmer.

Die Wand ist orange.

Das Sofa ist …

rot   rosa   lila   blau   grün   gelb   orange   braun   weiß   grau   **schwarz**

4b

Was ist Ihre Lieblingsfarbe? Fragen und antworten Sie.

5a
🔊 1.36   Ü11-14

Hören Sie den Dialog und lesen Sie mit.

- Guck mal, wie findest du den Sessel?
- Super. Der Sessel ist sehr elegant.
- Ja, das finde ich auch.
- Gut, dann kaufen wir den Sessel.

Akkusativ

Wie findest du …

den Sessel
das Regal
die Lampe?
die Stühle?

5b

Sprechen Sie den Dialog zu zweit und variieren Sie die Wörter in Grün.

🙂   sehr schön – toll – super – schön – elegant – gemütlich

😐   ganz schön – nicht schlecht – okay

🙁   langweilig – nicht schön – hässlich

■))
1.37 Ü15 **1a** Hören Sie den Dialog und lesen Sie mit.

- Was ist das? Ist das ein Tisch?
- Nein, das ist kein Tisch. Das ist eine Lampe.
- Wirklich?
- Ja, schau mal.
- Oh, klasse!

1b Schreiben Sie Fragen wie im Beispiel.

Ist das ein Bett?

> **Ja/Nein-Fragen**
>
> | **Ist** das ein Tisch? | Ja, das **ist** ein Tisch. |
> |---|---|
> | | Nein, das **ist** kein Tisch. |

ein Bett?

ein Stuhl?

ein Waschbecken?

eine Spülmaschine?

eine Kommode?

■))
1.38 **1c** Hören Sie die Fragen zur Kontrolle und sprechen Sie nach.

1d Fragen und antworten Sie zu zweit wie in 1a.

2a Schreiben Sie Ja/Nein-Fragen zu den Antworten.

1 ....? Ja, ich brauche eine Mikrowelle.

2 ....? Nein, ich habe keinen Fernseher.

3 ....? Ja, sie kauft einen Laptop.

4 ....? Nein, er hat keine Spülmaschine.

2b Und Ihre Wohnung? Fragen und antworten Sie.

Haben Sie eine Mikrowelle?

Hast du ein Sofa?

Nein, ich habe keine Mikrowelle.
Ich brauche auch keine Mikrowelle.

Ja. Das Sofa ist weiß.

C Ein Mehrfamilienhaus

1a Sehen Sie das Foto an. Wie viele Personen wohnen in dem Haus? Was denken Sie?
Ü16

- im Dachgeschoss ☐
- im 3. (dritten) Stock ☐
- im 2. (zweiten) Stock ☐
- im 1. (ersten) Stock ☐
- im Erdgeschoss ☐

1b Wo klingelt Mirko? Hören Sie den Dialog und kreuzen Sie in 1a an.
1.39

2a Lesen Sie den Text und beantworten Sie die Fragen.
Ü17-18

Herr und Frau Koval wohnen und arbeiten oben im Dachgeschoss.
Familie Wang wohnt im 2. Stock links. Familie Singer wohnt rechts.
Familie Waltermann wohnt im 1. Stock links. Frau Costa wohnt rechts.
Unten im Erdgeschoss sind Geschäfte. Es gibt einen Asienladen. Hier arbeitet Herr Lim.
Es gibt auch einen Obst- und Gemüseladen. Hier arbeiten Herr und Frau Demir.

1 Wohnen Herr und Frau Koval im Erdgeschoss?
2 Wohnt Familie Singer im zweiten Stock?
3 Wohnt Familie Demir im ersten Stock links?
4 Sind die Geschäfte im Dachgeschoss?

es gibt + Akkusativ
Es gibt einen Laden.

2b Wer wohnt wo? Wer arbeitet wo?
Fragen und antworten Sie im Kurs.

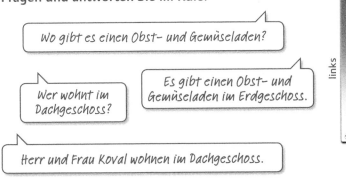

Wo gibt es einen Obst- und Gemüseladen?

Wer wohnt im Dachgeschoss?

Es gibt einen Obst- und Gemüseladen im Erdgeschoss.

Herr und Frau Koval wohnen im Dachgeschoss.

oben

links

Koval

Malakjan | Demir

Wang | Singer

| Costa

rechts

unten

3 Wo wohnen Sie? Fragen und antworten Sie im Kurs.

Wo wohnen Sie?

Ich wohne im ...

Und Sie?

1 a Wie wohnen die Personen jetzt? Lesen Sie die Blogtexte und ergänzen Sie die Tabelle.
Ü19-21

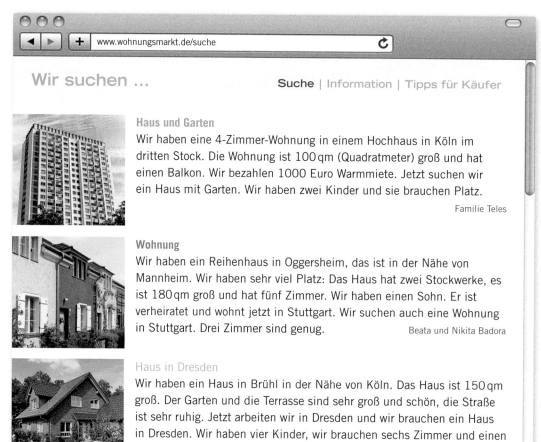

Wir suchen ...   Suche | Information | Tipps für Käufer

Haus und Garten

Wir haben eine 4-Zimmer-Wohnung in einem Hochhaus in Köln im dritten Stock. Die Wohnung ist 100 qm (Quadratmeter) groß und hat einen Balkon. Wir bezahlen 1000 Euro Warmmiete. Jetzt suchen wir ein Haus mit Garten. Wir haben zwei Kinder und sie brauchen Platz.

Familie Teles

Wohnung

Wir haben ein Reihenhaus in Oggersheim, das ist in der Nähe von Mannheim. Wir haben sehr viel Platz: Das Haus hat zwei Stockwerke, es ist 180 qm groß und hat fünf Zimmer. Wir haben einen Sohn. Er ist verheiratet und wohnt jetzt in Stuttgart. Wir suchen auch eine Wohnung in Stuttgart. Drei Zimmer sind genug.

Beata und Nikita Badora

Haus in Dresden

Wir haben ein Haus in Brühl in der Nähe von Köln. Das Haus ist 150 qm groß. Der Garten und die Terrasse sind sehr groß und schön, die Straße ist sehr ruhig. Jetzt arbeiten wir in Dresden und wir brauchen ein Haus in Dresden. Wir haben vier Kinder, wir brauchen sechs Zimmer und einen Garten oder eine Terrasse.

Familie Kunze

	Familie Teles	Herr und Frau Badora	Familie Kunze
Wohnort	Köln		
Kinder			
Zimmer			
Quadratmeter (qm)			

1 b Stellen Sie die Familien vor.

> Familie Teles wohnt in Köln. Sie hat ...

2 Familie Kunze und Herr und Frau Badora suchen ein Haus und eine Wohnung. Welche Anzeige passt? Was denken Sie?

Vermietungen

3 Zi, Stuttgart-Stadtmitte,
Neubau, 88 qm, EG, Kü., Bad, viel Sonne, 600 Euro + 110 Euro NK

Stuttgart, 53 qm im Dachgeschoss,
zentrale Lage, 2 ½ Zi., 360 Euro + NK

EFH in Dresden
125 qm, 4 Zimmer, Garten
Miete 1800 Euro + NK

EFH in Dresden-Südvorstadt
mit Garten, Garage, 158 qm, ruhig,
Miete 930 Euro + 100 Euro NK

3 Ordnen Sie die Abkürzungen zu.

Ü22

1	1. OG	A	Erdgeschoss
2	EFH	B	Küche
3	2 Zi.	C	Nebenkosten
4	EG	D	1. Obergeschoss
5	Kü.	E	Einfamilienhaus
6	NK	F	zwei Zimmer
7	DG	G	Zentralheizung
8	BLK	H	Einbauküche
9	ZH	I	Dachgeschoss
10	EBK	J	Balkon
11	Whg.	K	Quadratmeter
12	qm	L	Wohnung

15 m²

4a Wie sind die Wohnungen? Was passt? Ordnen Sie zu.

kalt – warm   hell – dunkel   groß – klein   laut – ruhig

.... *kalt* ....

....

4b Meine Wohnung. Ergänzen Sie die Lücken. Hören und kontrollieren Sie dann.

1.40

> groß • günstig • dritten Stock • Zimmer • hell

Meine Wohnung ist ...., sie kostet 400 Euro Miete ohne Nebenkosten.

Sie ist 50 qm .... und sehr .... Sie hat zwei

.... : ein Wohnzimmer, ein Schlafzimmer, eine Küche und ein Bad.

Ich wohne im ....

4c Wie ist Ihre Wohnung? Berichten Sie im Kurs.

> *Wie ist Ihre Wohnung?*

> *Meine Wohnung ist ruhig. Das Schlafzimmer ist klein.*

4d Schreiben Sie einen Text wie in 4b: Meine Wohnung.

Wörter sprechen

1a Möbel und Farben. Ein Frage-Antwort-Spiel. Sprechen Sie zu zweit wie im Beispiel.

1b Wie heißt das Gegenteil? Fragen Sie sich gegenseitig.

klein	≠	groß	hell	≠	dunkel
schön	≠	hässlich	teuer	≠	billig
alt	≠	neu oder modern	gemütlich	≠	ungemütlich
kalt	≠	warm	bequem	≠	unbequem
laut	≠	ruhig	interessant	≠	langweilig

Minidialoge sprechen

2a Lesen Sie die Wörter laut.

> die Wohnung • das Zimmer • die Küche • das Bad • der Balkon • die Nebenkosten

🔊 **2b** Hören Sie die Minidialoge und lesen Sie leise mit.
1.41

- Wie ist Ihre Wohnung?
- Meine Wohnung ist klein, aber hell.

- Haben Sie auch einen Balkon?
- Nein, ich habe keinen Balkon.

- Wie viele Zimmer haben Sie?
- Drei Zimmer, eine Küche und ein Bad.

- Was kostet Ihre Wohnung?
- Sie kostet 950 Euro ohne Nebenkosten.

2c Sprechen Sie die Minidialoge zu zweit und variieren Sie die Wörter in Grün.

Grammatik sprechen

3 Akkusativ. Hören Sie und antworten Sie wie in den Beispielen.

> *Ja, aber wir brauchen keinen Tisch.*

Der Tisch ist schön.   Der Schrank ist groß.
Die Lampe ist elegant.   Die Regale sind super.
Das Sofa ist gemütlich.   Die Waschmaschine ist billig.
Die Stühle sind billig.   Das Bett ist toll.

> *Ja, aber wir brauchen keine Lampe.*

> *Ja, aber ...*

4 Fragen üben. Schreiben Sie Fragen. Fragen und antworten Sie.

Name?   Beruf?   Land?

Wohnort?   Wohnung?   Lieblingsfarbe?   Sprachen?

Flüssig sprechen

5 Hören Sie zu und sprechen Sie nach.

VIDEO
Clip 04
Seite 176

Dialogtraining

6a Hören Sie den Dialog. Wie viele Personen sprechen?

6b Hören Sie noch einmal. Wer sagt was? Ergänzen Sie die Namen.

.... Und: Wie findet ihr die Wohnung?
Ich finde sie sehr gemütlich!

.... Gemütlich?? Sie ist klein und
langweilig.

.... Klein? Die Wohnung ist 95
Quadratmeter groß und wir haben vier Zimmer!

.... Ich finde die Wohnung
schön, ...

.... Aber?

.... aber es gibt keinen
Balkon.

Julia   Luis   Antonio   Corinna

.... Ein Balkon ist nicht so wichtig. Das Badezimmer ist furchtbar.

.... Ja, das finde ich auch. Es ist dunkel!

6c Lesen Sie den Dialog zu dritt.

Kommunikation

über Wohnungen und Möbel sprechen

- Wir haben keinen Teppich.
- Aber wir brauchen keinen Teppich. Wir brauchen eine Spülmaschine.

- Was kostet die Wohnung?
- 500 Euro ohne Nebenkosten.
- Wie viele Zimmer haben Sie?
- Drei Zimmer und eine Küche und ein Badezimmer.

über Dinge sprechen

- Ist das ein Tisch?
- Nein, das ist kein Tisch. Das ist eine Lampe.
- Wirklich?
- Der Stuhl ist schön. Ich kaufe den Stuhl.

- Wie findest du die Lampe?
- Ich finde die Lampe elegant.

die Wohnsituation beschreiben

Das Haus ist 125 qm groß. Im Erdgeschoss sind die Küche und das Wohnzimmer, im 1. Stock sind zwei Kinderzimmer und das Schlafzimmer. Wir haben einen Garten.

Ich habe eine 1-Zimmer-Wohnung. Sie ist 35 qm groß und kostet 400 Euro Warmmiete. Die Wohnung ist klein, aber sie ist hell und hat einen Balkon.

Grammatik

haben

ich	habe
du	**hast**
er/es/sie	**hat**
wir	haben
ihr	habt
sie/Sie	haben

Artikel und Pronomen

De**r** Herd ist neu. E**r** ist modern.
Da**s** Bild ist neu. E**s** ist hässlich.
Di**e** Küche ist alt. **Sie** ist gemütlich.
Di**e** Blumen sind rosa. **Sie** sind sehr schön.

Nominativ und Akkusativ:
bestimmter Artikel, unbestimmter Artikel und negativer Artikel

	m	n	f	Plural
Nominativ Das ist/sind …	der Tisch ein Tisch kein Tisch	das Regal ein Regal kein Regal	die Küche eine Küche keine Küche	die Stühle – Stühle keine Stühle
Akkusativ Ich habe …	de**n** Tisch eine**n** Tisch keine**n** Tisch			

Ja/Nein-Fragen

		Ist	der Sessel bequem?
Ja,	er	ist	sehr bequem.
		Brauchen	Sie eine Lampe?
Nein,	ich	brauche	keine Lampe.

Familienleben

meine Großmutter, mein Großvater

ich

meine Mutter, mein Vater

mein Bruder

meine Schwester

Sie lernen

- über die Familie sprechen
- eine Stadtbesichtigung planen
- über Freizeitaktivitäten sprechen
- Possessivartikel im Singular
- Verben mit Vokalwechsel
- *haben* und *sein* im Präteritum

1 **Sehen Sie die Fotos an und ergänzen Sie.**

Meine Großeltern: ...., ...

Meine Eltern: *mein Vater*, ...

Meine Geschwister: ...., ...

2 **Nina erzählt. Wer ist wer? Hören und ergänzen Sie.**

1.45

Tobias: *Bruder* .... Brigitte: .... Peter: ....

Lisa: .... Sabine: .... Thomas: ....

3 **Wie groß ist Ihre Familie? Berichten Sie im Kurs.**

Ü1-2

Meine Familie ist klein.
Ich habe nur einen
Bruder, ...

Meine Familie ist sehr groß.
Ich habe viele Verwandte: ...

Verwandte		
Großeltern:	Großvater, Großmutter	
Eltern:	Vater, Mutter	Onkel, Tante
Geschwister:	Schwester, Bruder	Cousin, Cousine
Kinder:	Sohn, Tochter	Neffe, Nichte
Enkelkinder:	Enkel, Enkelin	

1a Hören und lesen Sie und ordnen Sie die Fotos dem Dialog zu.

1.46 Ü3-6

● Haben Sie Fotos dabei?

● Ja, hier ☐, das ist meine Schwester.
Und das sind ihre Töchter, Sara und Rebecca.

● Und der Mann? Ist das ihr Mann?

● Ja, das ist Thomas, ihr Mann.
Haben Sie auch Familienfotos?

● Ja, hier ☐ sind mein Bruder und seine Frau.
Er hat auch einen Sohn, hier ☐ ist sein Sohn.
Er ist zwei Jahre alt.

● Oh, der ist aber süß.

1b Lesen Sie den Dialog zu zweit.

1c Der Possessivartikel. Lesen Sie den Dialog in 1a und ergänzen Sie die Tabelle.

Possessivartikel

	der Bruder	das Kind	die Schwester	die Kinder
ich		mein		meine
du	dein	dein	deine	deine
er/es		sein		seine
sie		ihr	ihre	
Sie	Ihr	Ihr	Ihre	Ihre

2 *sein-* oder *ihr-*? Ergänzen Sie den Dialog. Lesen Sie ihn dann zu zweit.

Ü7

● Das ist meine Schwester.

Und das ist .... Mann und das ist

.... Sohn.

● Hat sie auch eine Tochter?

● Ja, aber .... Tochter wohnt nicht mehr zu
Hause.
Sie studiert schon. Hast du auch Fotos dabei?

● Ja, hier. Das ist mein Freund Luka. Er kommt aus
Kroatien. Er ist verheiratet und hat zwei Kinder.

.... Frau, ... Tochter und

.... Sohn wohnen noch in Kroatien.
Die Kinder sind noch sehr klein.

3a Formell oder informell? Ergänzen Sie.
Ü8-9

formell	informell
1 Woher kommen ....?	1 Woher kommst ....?
2 Wo wohnen .... Eltern?	2 Wo wohnen .... Eltern?
3 Wo wohnt .... Familie?	3 Wo wohnt .... Familie?
4 Haben .... Kinder?	4 Hast .... Kinder?
5 Wie heißen .... Kinder?	5 Wie heißen .... Kinder?
6 Ist .... Familie groß?	6 Ist .... Familie groß?

3b Arbeiten Sie zu zweit. Entscheiden Sie: formell oder informell? Fragen und antworten Sie.

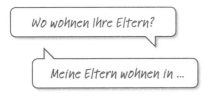

Wo wohnen Ihre Eltern?

Meine Eltern wohnen in ...

Wo wohnen deine Eltern?

Meine Eltern wohnen in ...

4 Das Mein-dein-Spiel. Spielen Sie im Kurs.

Luisa, sind das deine Bücher?

Olga, ist das deine Uhr?

Nein, das ist seine Uhr.

1a Sehen Sie die Fotos an und lesen Sie den Text. Was ist falsch? Korrigieren Sie.

Ü10-13

Der Sonntag bei Familie Fischer ist oft sehr ruhig. Alle faulenzen, niemand spricht. Tobias Fischer schläft. Katharina liest ein Buch. Herr Fischer isst Schokolade und sieht einen Film. Frau Fischer fährt nach Potsdam. Sie nimmt die S-Bahn. In Potsdam trifft sie eine Freundin.

1   *Herr Fischer* schläft.

2   .... isst Schokolade.

3   .... sieht einen Film.

4   .... liest.

5   .... fährt nach Potsdam.

6   .... nimmt die S-Bahn.

7   .... trifft in Potsdam eine Freundin.

1b Markieren Sie in 1a die folgenden Verben und machen Sie eine Liste wie im Beispiel.

> schlafen • treffen • sehen • fahren • lesen • nehmen • essen • sprechen

sprechen – er/es/sie spricht
schlafen – er/es/sie

Verben mit Vokalwechsel

	e → i	e → ie	a → ä
	sprechen	lesen	schlafen
ich	spreche	lese	schlafe
du	sprichst	liest	schläfst
er/es/sie	spricht	liest	schläft
wir	sprechen	lesen	schlafen
ihr	sprecht	lest	schlaft
sie/Sie	sprechen	lesen	schlafen

! nehmen – er/es/sie ni**mm**t

1c Fragen Sie sich gegenseitig.

2 Was macht Katharina? Schreiben Sie Sätze.

> den Bus nehmen • Pizza essen • Lea treffen • einen Film sehen • nach Hause fahren

1.47 Ü14 **3** Verwandte besuchen. Hören Sie und ordnen Sie den Dialog.

□ • Ja, ich habe jetzt Zeit und komme gerne nach Berlin.

□ • Ja, super! Ich habe viele Ideen. In Berlin gibt es viele Sehenswürdigkeiten.

□ • Ich komme am Wochenende und bleibe zwei Tage. O.k.? Was machen wir?

□ • Hallo, Alberto, hier ist Elena. Kommst du bald nach Berlin?

□ • Das ist schön. Wann kommst du?

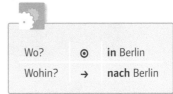

Wo?	⊙	in Berlin
Wohin?	→	nach Berlin

4a Ü15 Was machen Elena Salvador und ihr Bruder? Ordnen Sie zu.

> eine Radtour machen • Lebensmittel im Supermarkt kaufen • Sehenswürdigkeiten besichtigen • ein Straßenfest besuchen • zu Mittag essen • einen Kaffee trinken

A □

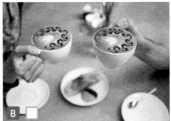
B □

C □

....

D □

E □

F □

....

1.48 **4b** Hören Sie und bringen Sie die Fotos in die richtige Reihenfolge.

4c Was machen Elena und ihr Bruder? Schreiben Sie.

> *Zuerst kaufen sie Lebens-*
> *mittel im Supermarkt.*
> *Dann ...*

zuerst → dann → danach

Sie	kaufen	zuerst	Lebensmittel im Supermarkt.
Zuerst	kaufen	**sie**	Lebensmittel im Supermarkt.

5 a
Ü16-19

Welche Sehenswürdigkeiten gibt es in Berlin, Hamburg und München? Was kennen Sie schon? Sehen Sie die Plakate an und sprechen Sie im Kurs.

In Hamburg gibt es den Hafen. Man kann eine Hafenrundfahrt machen.

Ich kenne den Marienplatz in München.

5 b
1.49

Marek besucht Anna. Hören Sie den Dialog. Wo wohnt Anna?

5 c

Hören Sie noch einmal: Was machen Marek und Anna? Schreiben Sie.

1 Zuerst _machen sie einen Stadtbummel._

2 Dann _besichtigen sie_

3 Danach _____

★ 6

Projekt: Was gibt es in Ihrer Stadt? Sammeln Sie und präsentieren Sie im Kurs.

Kennt ihr?

Nein, das kenne ich nicht.

In ... gibt es ...

!

www.meinestadt.de ist eine Internetseite für viele Städte in Deutschland. Hier finden Sie Informationen zu Ihrer Stadt.

C Familien früher

1a Hermine Müller erzählt. Hören Sie den Text und kreuzen Sie an: Richtig oder falsch?

1.50 Ü20-22

	R	F
1 Ihr Großvater hatte sechs Kinder.	☐	☐
2 Ihr Vater war Arzt.	☐	☐
3 Ihre Mutter war auch Ärztin.	☐	☐
4 Die Kindheit von Frau Müller war langweilig.	☐	☐

1b Lesen Sie die Sätze in 1a noch einmal und unterstreichen Sie die Verben.

1c Hermines Familie früher. Lesen Sie den Grammatikkasten und ergänzen Sie den Text.

1.51   Kontrollieren Sie dann mit der CD.

> war • war • war • war • waren • waren •
> waren • hatte • hatte • hatte • hatte •
> hatten • hatten

	haben	sein
ich	hatte	war
du	hattest	warst
er/es/sie	hatte	war
wir	hatten	waren
ihr	hattet	wart
sie/Sie	hatten	waren

Früher _____ alles anders. Die Familien in Deutschland _____ groß, eine Familie _____ oft fünf, sechs oder mehr Kinder. Auf dem Foto sind meine Großeltern und ihre Kinder. Meine Großeltern _____ sechs Kinder. Meine Mutter sitzt vorne in der Mitte. Mein Großvater _____ Arzt von Beruf, mein Vater _____ auch Arzt. Meine Mutter _____ keinen Beruf. Sie _____ viel Arbeit im Haus. Wir _____ drei Geschwister. Wir _____ natürlich keinen Computer und kein Smartphone. Wir _____ viel draußen. Das _____ schön. Ich _____ keine langweilige Kindheit.

Hermine Müller, 81

1d Fragen zum Text. Ordnen Sie zu und antworten Sie.

1	Wie viele Geschwister	**A**	von Beruf?
2	Was war ihr Vater	**B**	viel Arbeit?
3	Wie viele Kinder hatten	**C**	hatte Hermine?
4	Hatte ihre Mutter	**D**	ihre Großeltern?

2 Ihre Großeltern. Fragen und antworten Sie.

> Wie viele Geschwister hatten Ihre Großeltern?

> Was war Ihr Großvater von Beruf?

Wörter sprechen

1 a 🔊 1.52   Was passt zusammen? Hören Sie und sagen Sie das passende Wort.

die Mutter
die Nichte
die Tochter
die Schwester
die Tante
die Cousine
die Großmutter

der Vater   der Großvater   der Sohn

der Onkel   der Cousin

der Bruder   der Neffe

1 b   Sprechen Sie Rätselaufgaben für Ihren Partner.

> Tochter und Mutter ist wie Sohn und ...?

> Tochter und Mutter ist wie Sohn und Vater.

2 a   Welche Verben sehen Sie? Sprechen Sie.

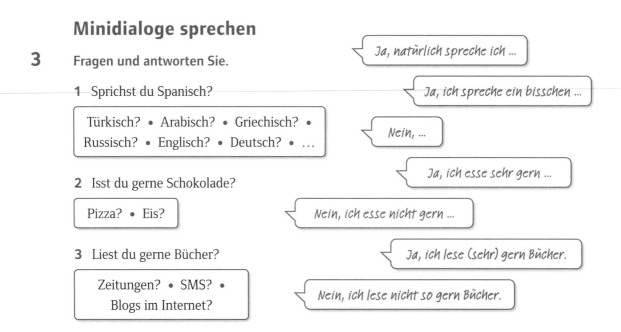

2 b 🔊 1.53   Hören Sie die Verben, sprechen Sie nach und kontrollieren Sie.

Minidialoge sprechen

3   Fragen und antworten Sie.

1 Sprichst du Spanisch?

> Ja, natürlich spreche ich ...

> Ja, ich spreche ein bisschen ...

Türkisch? • Arabisch? • Griechisch? •
Russisch? • Englisch? • Deutsch? • ...

> Nein, ...

2 Isst du gerne Schokolade?

> Ja, ich esse sehr gern ...

Pizza? • Eis?

> Nein, ich esse nicht gern ...

3 Liest du gerne Bücher?

> Ja, ich lese (sehr) gern Bücher.

Zeitungen? • SMS? •
Blogs im Internet?

> Nein, ich lese nicht so gern Bücher.

Grammatik sprechen

4 Zeigen Sie und sprechen Sie wie im Beispiel.

Ich glaube, das ist ihre Tasche.

Nein, das glaube ich nicht. Ich glaube, ...

Flüssig sprechen

5 Hören Sie zu und sprechen Sie nach.
1.54

VIDEO

Clip   05
Seite 177

Dialogtraining

6a Hören und lesen Sie den Dialog. Ergänzen Sie die Wörter.
1.55

● Und, was machen wir morgen?

● Wir sehen einen Film! Oder wir ....
und essen Pizza!

● Ich habe eine Idee. Wir .... die
S-Bahn und fahren nach Potsdam. Potsdam ist sehr
schön. Die Stadt hat viele Sehenswürdigkeiten.

● Gut. Wir .... morgen nach Potsdam.
● Und was machen wir jetzt?

● Jetzt .... ich noch einen Kaffee und dann kaufen wir Lebensmittel im
Supermarkt.

● Prima! .... wir auch Pizza?

6b Sprechen Sie den Dialog zu dritt. Wie geht es vielleicht weiter?

Kommunikation

über die Familie sprechen

Meine Familie ist groß. Ich habe fünf Geschwister: vier Schwestern und einen Bruder. Und ich habe vier Tanten und fünf Onkel, zwei Cousins und zwei Cousinen.

über Vergangenes sprechen

Früher waren die Familien groß. Meine Groß-eltern hatten sieben Kinder. Mein Großvater war Arzt von Beruf.

eine Stadtbesichtigung planen

Zuerst kaufen wir Lebensmittel, dann essen wir zu Mittag. Danach machen wir eine Rad-tour. Dann machen wir einen Stadtbummel und danach besuchen wir ein Straßenfest.

über Freizeitaktivitäten sprechen

- Liest du gerne Bücher?
- Nein, ich lese nicht so gerne Bücher. Ich lese gerne Internet-Blogs.

Grammatik

Possessivartikel

	m	n	f	Plural
ich	mein Bruder	mein Kind	meine Schwester	meine Eltern
du	dein Bruder	dein Kind	deine Schwester	deine Eltern
er/es	sein Bruder	sein Kind	seine Schwester	seine Eltern
sie	ihr Bruder	ihr Kind	ihre Schwester	ihre Eltern
Sie	Ihr Bruder	Ihr Kind	Ihre Schwester	Ihre Eltern

Verben mit Vokalwechsel

	e ↛ i	e ↛ ie	a ↛ ä
	sprechen	**lesen**	**schlafen**
ich	spreche	lese	schlafe
du	sprichst	liest	schläfst
er/es/sie	spricht	liest	schläft
wir	sprechen	lesen	schlafen
ihr	sprecht	lest	schlaft
sie/Sie	sprechen	lesen	schlafen

! nehmen – er/es/sie nimmt

- Nimmst du den Bus?
- Nein, ich nehme die S-Bahn.

sein und *haben* im Präteritum

	sein	haben
ich	war	hatte
du	warst	hattest
er/es/sie	war	hatte
wir	waren	hatten
ihr	wart	hattet
sie/Sie	waren	hatten

Wörter im Satz

Sie	kaufen	zuerst	Lebensmittel.
Zuerst	kaufen	sie	Lebensmittel.
Sie	trinken	danach	einen Kaffee.
Danach	trinken	sie	einen Kaffee.

Kommunikation

🔊 1 **Hören Sie die Dialoge und ordnen Sie die Fragen zu.**
1.56
- Entschuldigen Sie, können Sie das bitte wiederholen?   Dialog ☐
- Kann ich heute 20 Minuten früher gehen? Ich habe einen Termin.   Dialog ☐
- Ja, was ist der Unterschied von *wo* und *woher*?   Dialog ☐
- Können Sie bitte noch einmal erklären: Was ist *Plural*?   Dialog ☐

2 **Wer sagt was? Was sagen beide? Kreuzen Sie an.**

	Teilnehmer/in	Lehrer/in
1 Wie heißt das auf Deutsch?	☐	☐
2 Sprechen Sie bitte nicht so schnell!	☐	☐
3 Ich habe eine Frage.	☐	☐
4 Wir machen weiter auf Seite 53 im Kursbuch.	☐	☐
5 Das verstehe ich noch nicht richtig.	☐	☐
6 Hausaufgabe ist die Nummer 4 im Arbeitsbuch.	☐	☐
7 Können Sie den Satz bitte an die Tafel schreiben?	☐	☐

🔊 3a **Hören Sie zu und lesen Sie dann den Dialog zu zweit.**
1.57
- Samuel Matip.
- Hallo, Samuel, hier ist Igor.
- Hallo, Igor, wo warst du heute?
- Ich bin ein bisschen krank. Haben wir Hausaufgaben?
- Ja, im Arbeitsbuch die Übungen 1 und 2 auf Seite 25.
- Vielen Dank. Morgen komme ich wieder.
- Dann bis morgen und gute Besserung!
- Danke.

3b **Variieren Sie den Dialog.**
- **A** Hausaufgaben: Dialog im Arbeitsbuch hören, Seite 37
- **B** Hausaufgaben: Arbeitsbuch: Seite 17, Übung 4–6
- **C** Hausaufgaben: drei Sätze über die Wohnung schreiben
- **D** Sie haben keine Hausaufgaben.

Drei in einer Reihe

Spielregeln

1 Zwei oder vier Personen spielen zusammen.
2 Sie brauchen neun Spielsteine, zum Beispiel Münzen.
3 Wählen Sie eine Aufgabe aus. Sie beantworten eine Frage richtig.
   Dann legen Sie eine Münze auf das Feld.
4 Haben Sie drei Felder in einer Reihe? Dann haben Sie gewonnen.

Zählen Sie bis zehn. 10 5 3 1 9 7 8 6 4 2 0	**Wie heißen die Farben?**	**Was passt nicht?** das Haus das Papier das Heft das Wörterbuch	**Wie ist Ihre Adresse?**
Ist das ein Stuhl?	**Wie heißt das Gegenteil?** groß ≠ ... kalt ≠ ... hell ≠ ...	**Welche Sprachen sprechen Sie?**	**Buchstabieren Sie Ihren Namen.**
Was sind Sie von Beruf?	**Wie heißt der Plural?** das Buch das Foto der Lehrer der Tisch	**Woher kommen Sie?**	**Brauchen Sie einen Fernseher?**
Wie groß ist Ihre Wohnung?	**Was bedeuten die Abkürzungen?** Zi. Kü. EG	**Wie groß ist Ihre Familie?**	**Lesen Sie die Zahlen.** 597 143 865
Wie heißt der Singular? die Hefte die Häuser die Handys die Fenster	**Berufe. Ergänzen Sie.** der Arzt – die Ärztin der Friseur – die ... der Lehrer – die ... der Altenpfleger – die ...	**Nennen Sie drei Länder.**	**Was passt? Ergänzen Sie.** die Tochter – der Sohn die Tante – der ... der Bruder – die ... der Großvater – ...

Der Tag und die Woche

1 grillen

2 ein Bild malen

3 tanzen

6 joggen

7 im Internet surfen

8 Fußball spielen

4 schwimmen

5 Musik hören

Sie lernen

- über Freizeit und Hobbys sprechen
- die Uhrzeit sagen
- einen Tagesablauf beschreiben
- einen Wochenplan beschreiben
- sich verabreden
- trennbare Verben
- Zeitangaben im Satz
- temporale Präpositionen

🔊 **1a** Sehen Sie die Fotos an. Hören Sie die Geräusche und sagen
1.58 Ü1 Sie das Hobby.

1b Was machen die Personen auf den Fotos?
Sprechen Sie im Kurs.

> Foto 8: Der Mann spielt Fußball.

> Der Mann auf Foto 2 malt ein Bild.

2 Was machen Sie gerne? Was machen Sie nicht gerne? Fragen und antworten Sie.
Ü2

> Was ist Ihr Hobby?

> Was machen Sie gerne?

> Ich surfe gerne im Internet.

A Wie spät ist es?

1a Uhrzeiten. Fragen und antworten Sie.
Ü3

neun Uhr   halb zehn   Viertel vor zehn   Viertel nach zehn

zwanzig nach zehn   fünf vor halb elf   fünf nach halb elf   zwanzig vor elf

Entschuldigen Sie, wie spät ist es?

Es ist neun Uhr.

1b Wie spät ist es? Ergänzen Sie die Reihen.

1 Es ist elf Uhr. Es ist fünf nach elf. Es ist zehn nach elf. Es ist …
2 Es ist zwölf Uhr. Es ist Viertel nach zwölf. Es ist halb eins. Es ist …
3 Es ist ein Uhr. Es ist halb zwei. Es ist …

2 Hören Sie. Wie spät ist es jetzt? Kreuzen Sie an.
1.59 Ü4

1 ☐ ☐   3 ☐ ☐

2 ☐ ☐   4 ☐ ☐

3a Hören Sie den Dialog und lesen Sie mit.
1.60 Ü5

● Entschuldigung, eine Frage: Wann beginnt der Kurs?
● Der Kurs beginnt um Viertel nach neun.
● Danke.

3b Ihr Deutschkurs. Fragen und antworten Sie.

1 Wann beginnt der Kurs?
2 Wann kommen Sie?
3 Um wie viel Uhr beginnt die Pause?
4 Wann endet die Pause?
5 Wann endet der Kurs?
6 Wann gehen Sie nach Hause?

Der Kurs beginnt um …

Ich komme um …

Uhrzeiten
Wann?
Um wie viel Uhr?

Um acht Uhr.

◀))
1.61

4a Uhrzeiten offiziell. Hören Sie und ordnen Sie die Fotos zu.

A ☐ Gleis 3   14:19
HAMBURG–ALTONA ICE 72

B ☐
LO 2476 London [LHR]   13:15
SU 327   Singapur   13:25
KM 1309 Catania   13:30
LH 714   Tokio [NRT]   13:40 13:3
LH 113   Frankfurt / Main 13:50
QI 4546 Billund   13:55
LX 1105 Zürich   14:05
JP 159   Liubljana   14:10
CA 962   Peking   14:15
LH 2072 Hamburg   14:30

C ☐ Parkett links
EUR 67,70
inkl. aller Gebühren
Freitag
08. Mrz.
20:00 Uhr

E ☐ ANKUNFTSZEIT
P

D ☐ 6:01

4b Ordnen Sie zu und lesen Sie die Sätze laut.

Der Zug fährt		zwanzig Uhr.
Das Konzert beginnt		fünf Uhr dreißig oder um siebzehn Uhr dreißig.
Der Radiowecker klingelt	um	vierzehn Uhr neunzehn.
Das Flugzeug startet		dreizehn Uhr fünfzig.
Die Parkzeit beginnt		sechs Uhr eins.

5
Ü6

Uhrzeiten offiziell und nicht offiziell. Sprechen Sie die Uhrzeiten zu zweit wie im Beispiel.

offiziell:

Es ist acht Uhr dreißig.
Es ist zwanzig Uhr dreißig.

nicht offiziell:

Es ist halb neun.

6
Ü7

Lesen Sie den Dialog und variieren Sie dann die Wörter in Grün.

● Wann beginnt der Englischkurs?
● Um 18 Uhr.
● Um 18 Uhr? Also um sechs?
Und bis wann geht der Kurs?
● Bis 20 Uhr.
● Der Kurs geht also von sechs bis acht?
● Ja, genau.

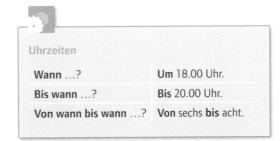

Uhrzeiten	
Wann ...?	**Um** 18.00 Uhr.
Bis wann ...?	**Bis** 20.00 Uhr.
Von wann bis wann ...?	**Von** sechs **bis** acht.

(das) Fußballspiel	15.30–17.15 Uhr	(der) Computer-Kurs	19.00–21.00 Uhr
(der) Englischkurs	18.00–20.00 Uhr	(die) Tanzparty	20.00–23.30 Uhr
(der) Deutschkurs	18.15–21.00 Uhr	(der) Krimi	21.15–22.00 Uhr

5

B Was macht Frau Costa am Samstag?

1a Ein ganz normaler Samstag bei Frau Costa. Ordnen Sie die Bilder den Sätzen zu.
Ü8-9

1 ☐ Um halb zwölf **ruft** sie eine Freundin **an**. *anrufen*

2 ☐ Der Film im Kino fängt um neun Uhr an.

3 ☐ Um halb sieben sieht sie fern.

4 ☐ Frau Costa steht um halb neun auf.

5 ☐ Sie räumt ihre Küche auf.

6 ☐ Sie kauft Lebensmittel ein.

7 ☐ Sie nimmt eine Zeitung mit.

8 ☐ Um Viertel nach acht geht Frau Costa aus.

9 ☐ Zwei Freundinnen kommen mit.

10 ☐ Der Film hört spät auf.

1b Markieren Sie die Verben in den Sätzen in 1a. Ordnen Sie dann die Infinitive zu.

> anfangen + aufhören + aufstehen + mitkommen + aufräumen +
> fernsehen + ~~anrufen~~ + einkaufen + mitnehmen + ausgehen

1c Schreiben Sie Sätze wie im Beispiel.

1 Frau Costa — *steht* — um halb neun Uhr — *auf*.

2 Sie — — Lebensmittel — .

3 Um Viertel nach zwei — — sie die Küche — .

4 Sie — — um halb sieben — .

5 Sie — — um halb zwölf eine Freundin — .

2 **Wann macht Frau Costa was?**
Ü10-11 **Fragen und antworten Sie.**

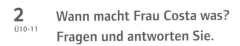

Wann steht Frau Costa auf?

Sie steht um halb neun Uhr auf.

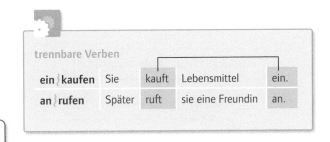

trennbare Verben				
ein | **kaufen**	Sie	kauft	Lebensmittel	ein.
an | **rufen**	Später	ruft	sie eine Freundin	an.

3 **Der Deutschkurs. Schreiben Sie Sätze.**

1 ausfallen – der Unterricht – heute
2 aufhören – wir – um zwölf Uhr
3 mitnehmen – jeden Tag – ich – die Bücher
4 anfangen – um neun Uhr – wir
5 übermorgen – stattfinden – der Kurs

Der Unterricht
fällt heute aus.

4a **Was machen Sie am Wochenende? Erzählen Sie.**
Ü12

wegfahren

chillen

die Eltern anrufen

einkaufen gehen

einen Ausflug machen

spazieren gehen

Ich gehe oft einkaufen.

Ich auch.

Ich fahre am Wochenende weg.

Wohin?

Ich fahre nach ...

einkaufen gehen

Ich gehe am Wochenende oft einkaufen.

4b **Was machen Sie jeden Tag? Schreiben Sie einen Text.**

Ich stehe um sieben Uhr auf. Dann ...

1a Wann lernt Frau Joona Deutsch? Fragen und antworten Sie.
Ü13-15

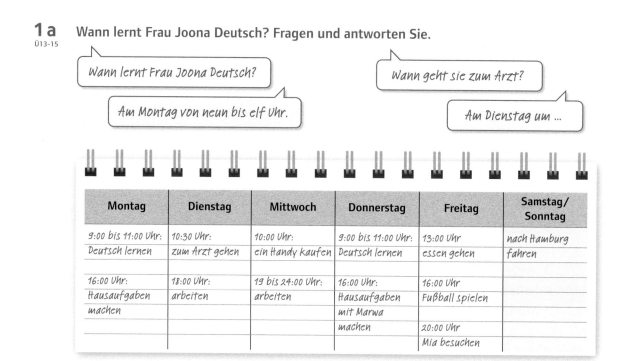

> Wann lernt Frau Joona Deutsch?

> Am Montag von neun bis elf Uhr.

> Wann geht sie zum Arzt?

> Am Dienstag um ...

Montag	Dienstag	Mittwoch	Donnerstag	Freitag	Samstag/ Sonntag
9:00 bis 11:00 Uhr: Deutsch lernen	10:30 Uhr: zum Arzt gehen	10:00 Uhr: ein Handy kaufen	9:00 bis 11:00 Uhr: Deutsch lernen	13:00 Uhr essen gehen	nach Hamburg fahren
16:00 Uhr: Hausaufgaben machen	18:00 Uhr: arbeiten	19 bis 24:00 Uhr: arbeiten	16:00 Uhr: Hausaufgaben mit Marwa machen	16:00 Uhr Fußball spielen 20:00 Uhr Mia besuchen	

1b Der Wochenplan von Frau Joona. Schreiben Sie.

am Morgen   am Vormittag   am Mittag   am Nachmittag   am Abend   in der Nacht

> Montag: Am Vormittag lernt Frau Joona Deutsch. Am Nachmittag ...
> Dienstag: ...

2 Hören Sie den Text und markieren Sie: Richtig oder falsch?
1.62 Ü16-17

        R   F

1 Michael arbeitet jeden Tag in der Woche. ☐ ☐
2 Am Montag repariert Michael sein Fahrrad. ☐ ☐
3 Am Dienstagvormittag kommen Freunde. ☐ ☐
4 Am Wochenende kauft er eine Fahrkarte. ☐ ☐
5 Er besucht am Wochenende seine Schwester. ☐ ☐

> ❗ am Montag + Vormittag
> = am Montagvormittag
>
> am Freitag + Abend
> = am Freitagabend

3a Schreiben Sie Ihren Wochenplan. Sie finden einen leeren Wochenplan auf Seite 158.
Ü18

3b Fragen Sie Ihren Partner / Ihre Partnerin und machen Sie Notizen.

> Was machst du am Donnerstag?

> Was machst du am Dienstagabend?

3c Berichten Sie über Ihren Lernpartner / Ihre Lernpartnerin im Kurs.

D Hast du Zeit?

1a Eine Verabredung. Hören Sie den Dialog und beantworten Sie die Fragen.

1.63 Ü19

1 Was macht Sandip am Dienstag?

2 Wann spielen Sandip und Leonidas Schach?

Leonidas Kolidis

Sandip Kumar

1b Hören Sie noch einmal und ordnen Sie den Dialog.

☐ Leonidas: Ja, das geht. Um drei Uhr habe ich Zeit.

☐ Leonidas: Bis Mittwoch. Tschüss!

☐ Leonidas: Hallo Sandip, hier ist Leonidas. Spielen wir zusammen Schach? Vielleicht am Dienstagnachmittag?

☐ Leonidas: Gut, dann komme ich um fünf. Ich bringe mein Schachspiel mit.

☐ Sandip: Sandip Kumar, ja bitte?

☐ Sandip: Ja, gerne, aber nicht am Dienstag, da machen wir einen Ausflug nach Stuttgart. Hast du am Mittwoch Zeit?

☐ Sandip: Sehr gut. Dann bis Mittwoch.

☐ Sandip: Geht es auch später? Am Mittwochnachmittag habe ich einen Zahnarzttermin.

2a Hören und lesen Sie die Dialoge.

1.64 Ü20-22

- Gehen wir heute Abend tanzen? Was meinst du?
- Nein, ich habe keine Lust.

- Gehen wir am Samstag ins Kino?
- Sehr gerne.

- Hast du am Mittwoch Zeit?
- Nein, das geht nicht. Wie ist es am Freitag?
- Ja, das geht.

- Hast du heute Abend Zeit?
- Nein, leider nicht.

2b Schreiben Sie die Tabelle ins Heft und ergänzen Sie die Fragen und Antworten aus 2a.

Frage	Antwort ☺	Antwort 😐	Antwort ☹
Spielen wir zusammen Schach?	Ja, gerne.	Ja, aber nicht am Dienstag. Geht es auch später?	Ich habe leider keine Zeit.

2c Sammeln Sie weitere Situationen und spielen Sie Dialoge.

- zusammen kochen – Samstag
- keine Zeit – nach Nürnberg fahren
- ausgehen
- Samstagabend?

Wörter sprechen

1 a Ordnen Sie die Tageszeiten den Uhren zu und lesen Sie Tageszeiten und Uhrzeiten laut.

> am Nachmittag • am Mittag • in der Nacht • am Morgen •
> am Vormittag • am Abend

`07:00` `10:00` `13:00` `16:00` `20:00` `01:00`

1 b Was machen Sie gerne wann? Erzählen Sie.

> Deutsch lernen • fernsehen • schlafen • arbeiten •
> spazieren gehen • einkaufen gehen

Am Nachmittag gehe ich gerne spazieren.

Minidialoge sprechen

2 a Arbeiten Sie zu zweit. Partner/in A schreibt einen Wochenplan für Georg, Partner/in B für Dana. Ergänzen Sie die Aktivitäten und Uhrzeiten. Den Plan für Dana finden Sie auf Seite 159.

> schwimmen gehen • Deutsch lernen • Verwandte besuchen •
> Hausaufgaben machen • Freunde treffen • essen gehen • nach München fahren

Der Wochenplan für Georg:

Montag	Dienstag	Mittwoch	Donnerstag	Freitag	Samstag/ Sonntag
			16:00 Uhr: Verwandte besuchen		

2 b Fragen Sie Ihren Partner / Ihre Partnerin, tragen Sie seine/ihre Antworten in den Kalender ein und vergleichen Sie.

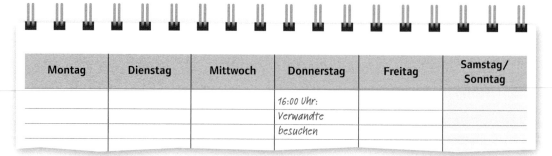

Wann besucht Georg Verwandte? — *Am Donnerstagnachmittag um 16.00 Uhr.*

Wann besucht Dana Verwandte? — *Am Freitagabend.*

Grammatik sprechen

3 a Sätze verlängern. Arbeiten Sie zu zweit. Sprechen Sie die Sätze abwechselnd wie im Beispiel.

1 einkaufen – Justin – am Samstag – Lebensmittel

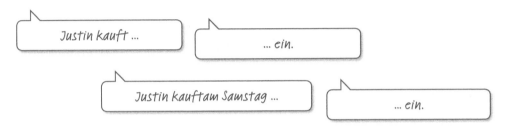

> *Justin kauft ein.* *Justin kauft am Samstag ein.* *Justin kauft am Samstag Lebensmittel ein.*

2 anrufen – ich – Martin – morgen
3 aufstehen – Ulrike – am Morgen – um 7.00 Uhr
4 ausgehen – wir – am Wochenende – gerne

3 b Sprechen Sie die Sätze noch einmal zu zweit wie im Beispiel.

> *Justin kauft …* *… ein.*

> *Justin kauft am Samstag …* *… ein.*

Flüssig sprechen

1.65

4 Hören Sie zu und sprechen Sie nach.

VIDEO

Clip 07
Seite 178

Dialogtraining

1.66

5 a Hören Sie den Dialog. Ordnen Sie dann die Sätze und schreiben Sie den Dialog ins Heft.

> Dann ist draußen alles noch ganz ruhig. • Furchtbar! • Ich gehe joggen. Kommst du mit? • Oh, wie schön! Aber nein. Nein danke. • Um sechs Uhr. • Wann stehst du morgen auf? • Wie bitte? Um sechs Uhr?!

5 b Wer sagt was? Markieren Sie mit Farben: Mutter (rot) oder Tochter (gelb). Lesen Sie dann den Dialog zu zweit.

5 c Sprechen Sie den Dialog dreimal: als Vater und Sohn, als Freund und Freundin, als Bruder und Schwester.

Kommunikation

über Freizeit und Hobbys sprechen

- Was ist Ihr Hobby?
- Was machen Sie gerne?

- Ich tanze gerne.
- Ich sehe nicht gerne fern.
- Mein Hobby ist Tanzen.

die Uhrzeit sagen

- Wie spät ist es? / Wie viel Uhr ist es?
- Es ist jetzt Viertel vor sieben.

- Wann fängt der Film an?
- Um zwanzig Uhr dreißig.

einen Tagesablauf beschreiben

Am Vormittag habe ich einen Deutschkurs. Er fängt um neun an und geht bis halb eins. Am Nachmittag gehe ich einkaufen.

einen Wochenplan beschreiben

Am Montag arbeite ich lange. Am Dienstag habe ich einen Sprachkurs. Am Mittwoch …

sich verabreden / auf Fragen positiv oder negativ reagieren

- Gehen wir zusammen schwimmen?
- Sehr gerne. Wann?
- Am Dienstag?
- Ja, gerne.

- Hast du heute Abend Zeit?
- Nein, leider nicht. Geht es auch morgen?
- Ja, das geht.

Grammatik

trennbare Verben

mit ⟩ bringen	Sie	bringt	eine Zeitung	mit.
auf ⟩ stehen	Ich	stehe	um sieben Uhr	auf.
ein ⟩ kaufen	Am Nachmittag	kauft	sie Lebensmittel	ein.

gehen + Infinitiv

einkaufen gehen	Er	geht	später	einkaufen.

Zeitangaben im Satz

Am Montag	spiele	ich	Fußball.
Ich	spiele	am Montag	Fußball.
Um halb sieben	fängt	der Film	an.
Der Film	fängt	um halb sieben	an.

temporale Präpositionen

⊙	um	Der Film beginnt **um** 20 Uhr.
→	bis	Er geht **bis** 22 Uhr.
↔	von … bis	Der Film geht **von** 20 Uhr **bis** 22 Uhr.

Guten Appetit!

Sie lernen

- Einkaufsdialoge führen
- sagen, was man gerne isst und trinkt
- einen Text über Essgewohnheiten in Deutschland verstehen
- Imperativ
- das unpersönliche Pronomen *man*

1
Ü1

Lebensmittel. Was ist was? Ordnen Sie zu.

☐ Äpfel   ☐ Kaffee   ☐ Salat

☐ Bananen   ☐ Kartoffeln   ☐ Schokolade

☐ Brot   ☐ Käse   ☐ Tee

☐ Butter   ☐ Milch   ☐ Fisch   ☐ Wein

☐ Hähnchen   ☐ Nudeln   ☐ Tomaten   ☐ Wurst

☐ Joghurt   ☐ Reis   ☐ Wasser   ☐ Zwiebeln

2 a
Ü2

Was essen Sie wie oft? Notieren Sie die Lebensmittel auf einem Zettel.

nie   selten   manchmal   oft

⟵————|————————|————————|————————|——⟶

....   *Brot,* ....

2 b

Mischen Sie die Zettel, verteilen Sie sie und erzählen Sie. Wer ist das?

Meine Person isst nur selten Fleisch.
Sie isst oft Obst, sie isst täglich Obst.

Das ist Anne.

A Der Einkaufszettel

1.67 Ü4-7 **1a** Hören Sie und kreuzen Sie an: Was braucht Familie Kroos?

Haben wir noch Milch?

☐ Milch
☐ Butter
☐ Eier
☐ Zucker
☐ Salat
☐ Brot
☐ Orangen
☐ Hähnchen
☐ Äpfel
☐ Reis
☐ Mais
☐ Kaugummi
☐ Schokolade

1b Hören Sie das Gespräch noch einmal. Was passt zusammen? Verbinden Sie.

1	Kauf	A	die Eier nicht!
2	Vergiss	B	doch zum Bäcker!
3	Hol	C	doch bitte Butter!
4	Geh	D	das Brot bitte nicht im Supermarkt!

1	Kommt,	A	Laura und Marie, wir gehen!
2	Wartet	B	auch noch Kaugummis mit!
3	Vergesst	C	noch einen Moment!
4	Bringt	D	den Einkaufszettel nicht!

Imperativ informell

du	(D̶u̶ g̶e̶h̶s̶t̶ zum Bäcker.) **Geh (doch) zum Bäcker!** (Du vergisst die Eier nicht.) .... **die Eier nicht!**
ihr	(I̶h̶r̶ holt zwei Dosen Mais.) **Holt zwei Dosen Mais!** (Ihr bringt Kaugummis mit.) .... **Kaugummis** ....!

1c Lesen Sie die Sätze laut.

1d Ergänzen Sie den Grammatikkasten.

Ü8 **2** Sätze verlängern. Sprechen Sie im Kurs wie im Beispiel.

Ich gehe einkaufen.

Kauf doch bitte Brot und Milch!

Kauf doch bitte Brot!

Kauf doch bitte Brot, Milch und ...

1 Ich gehe einkaufen.
   Kauf doch bitte Brot!
   Kauf doch bitte Brot und …!

2 Wir gehen einkaufen.
   Bringt bitte Reis mit!
   Bringt bitte Reis und … mit!

3 Ich habe Durst.
   Trink doch einen Apfelsaft!
   Trink einen Apfelsaft oder …!

4 Wir haben Hunger.
   Esst doch ein Brot!
   Esst ein Brot oder …!

🔊 **3a** Hören Sie die Ansagen im Supermarkt und ergänzen Sie die Lebensmittel. Lesen Sie
1.68 Ü5-8 dann die Anzeigen vor.

1 Sonderangebot: Früchte aus Südamerika, zum Beispiel .... ,
das Kilo 1,20 €. Kaufen Sie Früchte aus Südamerika!

2 Nur heute: .... im Angebot. Nehmen Sie drei Becher und bezahlen Sie zwei!

3b Lesen Sie den Grammatikkasten und schreiben
Sie Sätze im Imperativ.

1 kaufen / Birnen aus Deutschland
2 probieren / Salami aus Frankreich
3 essen / Oliven aus Spanien
4 trinken / Wein aus Italien

> **Imperativ formell**
>
> Sie   (Sie kaufen Schokolade.)
> **Kaufen Sie Schokolade.**

3c Schreiben Sie Ansagen für
den Supermarkt und lesen
Sie sie im Kurs laut vor.

> *Nehmen Sie ...   Probieren Sie ...   Kaufen Sie ...*

4 Verpackungen. Ordnen Sie die Lebensmittel zu.
Ü9-11

> Joghurt • Wasser •
> Schokolade • Butter •
> Erbsen • Spaghetti •
> Wein • Marmelade •
> Chips • Wurst

eine Packung   ein Becher   eine Dose   eine Flasche

....

vier Scheiben   eine Tafel   ein Kasten   eine Tüte   ein Stück   ein Glas

....

5 Einkaufszettel. Was brauchen Sie? Arbeiten Sie zu zweit
und berichten Sie.

A ... für ein Picknick am Wochenende?
B ... für ein Abendessen mit Freunden?

> *Picknick*
>
> – *Essen: 10 Brötchen, 400 g Wurst, ...*
> – *Getränke: Bier, Saft, ...*

Mengenangaben	
1 g	1 Gramm
1 kg	1 Kilogramm
1 Pfd.	1 Pfund (= 500 g)
1 l	1 Liter

B Einkaufen

1a Wo kaufen Sie was? Fragen und antworten Sie.
Ü12-15

> Wurst • Fisch • Obst • Gemüse • Wein • Käse • Salat •
> Schokolade • Brot • Kaugummi • Brötchen • Hähnchen

☐ am Kiosk

☐ im Supermarkt

☐ in der Metzgerei

☐ auf dem Markt

☐ in der Bäckerei

☐ an der Tankstelle

> *Wo kaufen Sie Kaugummis?*

> *Kaugummis kaufe ich an der Tankstelle.*

1b Hören Sie. Zu welchem Foto passt der Dialog? Kreuzen Sie an.
1.69

1c Schreiben Sie den Dialog. Hören Sie dann noch einmal und kontrollieren Sie mit der CD.

Verkäuferin
● Das macht zusammen 7,70 Euro. Haben Sie es passend?
● Dann bekommen Sie 2,30 Euro zurück.
● Das Kilo kostet 2,90 Euro.
● ~~Guten Tag, was möchten Sie?~~
● Drei Kilo Kartoffeln, bitte sehr. Haben Sie noch einen Wunsch?
● Gerne. – Möchten Sie noch etwas?

Kunde
● Dann nehme ich ein Kilo.
● Einen Moment … Nein, leider nicht. Ich habe nur zehn Euro.
● Ich hätte gerne drei Kilo Kartoffeln.
● Ja, was kosten die Tomaten?
● Danke, das ist alles.

> *Verkäuferin: Guten Tag, was möchten Sie?*
> *Kunde: Ich …*
> *Verkäuferin: …*

möchten	
ich	möchte
du	möchtest
er/es/sie	**möchte**
wir	möchten
ihr	möchtet
sie/Sie	möchten

1d Lesen Sie den Dialog zu zweit.

2a Preise. Lesen Sie die Preise laut.
Ü16

| 1,30 € | 1,80 € | 3,99 € | 0,59 € |

Preise	
1,99 €	ein Euro neunundneunzig / eins neunundneunzig
0,85 €	fünfundachtzig Cent

2b Welcher Preis ist richtig?
1.70

Hören Sie und kreuzen Sie an.

1 Ein Kilo Tomaten kostet ☐ 1,60 €. ☐ 1,80 €.
2 Eine Flasche Wein kostet ☐ 4,29 €. ☐ 4,99 €.
3 Ein Stück Butter kostet ☐ 0,89 €. ☐ 0,99 €.
   Ein Liter Milch kostet ☐ 1,25 €. ☐ 1,35 €.

3a Spielen Sie Einkaufsdialoge.
Ü17-18

Auf dem Markt

HEUTE
Äpfel 2,00/kg
Kartoffeln 1,30/kg
Zwiebeln 1,30/Pfund

1 Kilo Äpfel
2 Kilo Kartoffeln
1 Pfund Zwiebeln

In der Metzgerei

HEUTE
Schinken 1,80/100 g
Fleischwurst 1,70/100 g
Hackfleisch 9,90/kg

200 g Schinken
100 g Fleischwurst
300 g Hackfleisch

In der Bäckerei

HEUTE
Brötchen 0,30/St.
Weißbrot 1,80/St.
Käsekuchen 1,60/St.

4 Brötchen
1 Weißbrot
Käsekuchen
(2 Stück)

3b Schreiben Sie mit Ihrem Partner / Ihrer Partnerin einen Einkaufszettel und spielen Sie die Einkaufsdialoge.

A Sie möchten einen Salat machen.
B Sie möchten eine Spezialität aus Ihrem Land machen.

Was brauchen wir?

Wir brauchen ...

C Das mag ich

1a Was mag Susanna? Erzählen Sie.

mögen	
ich	mag
du	magst
er/es/sie	mag
wir	mögen
ihr	mögt
sie/Sie	mögen

> Susanna mag Wurst, aber sie mag keinen Käse.

1b Was isst/trinkt sie nicht gerne? Variieren Sie die Sätze.

> Susanna mag keinen Käse.

> Sie isst nicht gerne Käse.

kein- und *nicht*
Ich mag **keinen Kaffee**.
(*kein-* + Nomen)
Ich trinke **nicht** gerne Kaffee.

2a Was essen oder trinken Sie nicht so gerne?

Ü22

Was mögen Sie? Machen Sie eine Liste.

Das mag ich. 👍	Das esse/trinke ich nicht (so gerne). 👎
Schokolade	Bier

2b Fragen und antworten Sie im Kurs.

sagen, was man gerne isst und trinkt
Fragen
Was magst du?
Was isst du gerne / nicht gerne?
Isst du gerne Schokolade?
Magst du Käse?

Antworten
Ich mag …
Ich esse gerne … / nicht gerne …
Ich trinke gerne … / nicht gerne …
Ja, … / Nein, …

D Essen in Deutschland

1a
Ü23

Lesen Sie den Blog und ordnen Sie zu.

> Frühstück • Mittagessen • Abendessen • Kaffee und Kuchen

DEUTSCHLAND-BLOG

Essenszeiten in Deutschland *von Anna Maria*

Man frühstückt in Deutschland oft zwischen 7.00 und 8.00 Uhr, am Wochenende auch später. Zum Frühstück trinkt man Kaffee oder Tee, Kinder trinken oft Milch oder Kakao. Viele Deutsche essen Brot mit Honig, Marmelade, auch Käse oder Wurst. Auch Müsli mit Obst ist zum Frühstück beliebt.

Das Mittagessen ist in Deutschland warm und man isst es oft zwischen 12.00 und 14.00 Uhr. Viele Leute essen in der Kantine oder an einem Imbiss und Schüler essen oft in der Schulkantine. Zum Mittagessen gibt es zum Beispiel Suppe, Spaghetti oder Fleisch mit Kartoffeln und Salat. Zum Nachtisch isst man gerne Pudding oder Eis.

Abendessen gibt es in Deutschland oft um 18.00 oder 19.00 Uhr und es ist oft kalt. Es gibt zum Beispiel Brot, eine Käse- und Wurstplatte, Tomaten und Gurken, manchmal auch eine Dose Fisch. Viele Deutsche trinken zum Abendessen gerne Bier oder auch Tee. Kinder bekommen oft Apfelsaft oder Orangensaft.

Am Sonntagnachmittag besuchen viele Leute in Deutschland gerne Freunde und Verwandte. Dann sitzt man zusammen, trinkt Kaffee und isst Kuchen mit Sahne. Manchmal backt man den Kuchen selbst und manchmal kauft man den Kuchen in der Bäckerei oder Konditorei.

1b

Lesen Sie noch einmal und beantworten Sie die Fragen.

1 Was isst und trinkt man in Deutschland oft zum Frühstück?
2 Was essen die Leute zum Mittagessen?
3 Was essen die Deutschen am Abend?
4 Wann isst man in Deutschland oft Kuchen?

> *man*   (= viele Leute oder alle)
>
> er/es/
> sie/**man**   isst/trinkt

2
Ü24

Was essen Sie zum Frühstück, zum Mittagessen und zum Abendessen? Was isst man in Ihrem Heimatland? Fragen und antworten Sie.

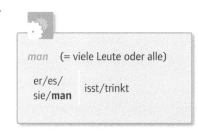

> *Zum Frühstück esse ich …*

> *In Spanien isst man oft …*

Wörter sprechen

1 Was kauft Herr Paoletti? Was kauft Frau Luis? Arbeiten Sie zu zweit. Den Einkaufswagen von Frau Luis (Partner/in B) finden Sie auf Seite 159. Fragen und antworten Sie.

Minidialoge sprechen

2 Bestellen Sie im Café.

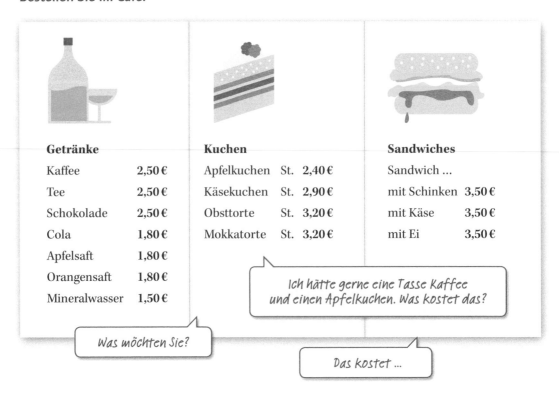

Getränke		Kuchen			Sandwiches	
Kaffee	2,50 €	Apfelkuchen	St.	2,40 €	Sandwich ...	
Tee	2,50 €	Käsekuchen	St.	2,90 €	mit Schinken	3,50 €
Schokolade	2,50 €	Obsttorte	St.	3,20 €	mit Käse	3,50 €
Cola	1,80 €	Mokkatorte	St.	3,20 €	mit Ei	3,50 €
Apfelsaft	1,80 €					
Orangensaft	1,80 €					
Mineralwasser	1,50 €					

Grammatik sprechen

3 Geben Sie Tipps.

1	Ich habe Durst.	trinken – einen Apfelsaft
2	Wir haben keinen Kaffee.	gehen – einkaufen
3	Ich mag keinen Tee.	trinken – Kaffee
4	Ich habe Hunger.	essen – ein Müsli
5	Ich hatte kein Mittagessen.	kochen – eine Suppe
6	Heute ist kein Markt.	gehen – zum Supermarkt

> Ich habe Durst.

> Dann trink doch einen Apfelsaft!

Flüssig sprechen

🔊 1.71

4 Hören Sie zu und sprechen Sie nach.

VIDEO Clip 08 Seite 179

Dialogtraining

🔊 1.72

5 a Hören Sie. Was braucht Daniel? Kreuzen Sie an.

☐ Reis	☐ Tomaten	☐ Butter
☐ Gurke	☐ Zwiebeln	☐ Chips
☐ Kuchen	☐ Bier	☐ Joghurt
☐ Wasser	☐ Milch	☐ Brot
☐ Hackfleisch	☐ Saft	☐ Orangen

5 b Hören Sie noch einmal und lesen Sie den Dialog mit.

- Guten Tag, was möchten Sie?
- Guten Tag! Ich hätte gerne ein Kilo Tomaten.
- Ein Kilo Tomaten … Haben Sie sonst noch einen Wunsch?
- Ja, zwei Orangen.
- Sehr gern! … Sonst noch etwas?
- Ja, ich brauche noch zehn Zwiebeln. Und das ist dann alles.
- Vielen Dank. Das macht zusammen 4 Euro und 3 Cent.
- Ich habe es leider nicht passend.
- Haben Sie vielleicht 3 Cent?
- Einen Moment … Ich habe nur 5 Cent.
- Das ist auch gut. Danke! So – und dann bekommen Sie 16 Euro und 2 Cent zurück.

5 c Sprechen Sie den Dialog zu zweit: zuerst ruhig, dann laut, dann sehr laut.

Kommunikation

Einkaufsdialoge führen

Verkäufer/Verkäuferin

- Was möchten Sie?
- 1 Pfund kostet 1,20 €.
- Sonst noch etwas?
- Das macht zusammen 12 €.
- Haben Sie es passend?

Kunde/Kundin

- Ich hätte gerne zwei Kilo Tomaten.
- Was kosten die Tomaten?
- Nein danke, das ist alles.
- Was macht das?
- Nein, leider nicht.

sagen, was man isst und trinkt

Ich esse oft Reis. Ich esse selten Kartoffeln. Ich esse nie Fleisch.

Ich mag keinen Wein. Ich trinke gerne Tee, aber ich trinke nicht gerne Kaffee.

Zum Frühstück esse ich manchmal Müsli. Zum Mittagessen esse ich gerne Spaghetti.

Zum Abendessen trinke ich gerne ein Bier.

In Deutschland isst man zum Frühstück oft Brot mit Marmelade oder Brot mit Käse oder Wurst.

Grammatik

Imperativ

		du-Form	ihr-Form	Sie-Form
gehen	~~du~~ geh~~st~~ …	Geh …	Geht …	Gehen Sie …
mitbringen	~~du~~ bring~~st~~ … mit	Bring … mit	Bringt … mit	Bringen Sie … mit
vergessen	~~du~~ vergiss~~t~~	Vergiss …	Vergesst …	Vergessen Sie …
(!) fahren	~~du~~ fähr~~st~~	Fahr …	Fahrt …	Fahren Sie …
(!) sein	~~du bist~~	**Sei** …	Seid …	**Seien** Sie …

gerne, *nicht gerne* und *kein*

Ich mag Käse, aber ich mag **keine** Wurst.
Ich esse **nicht gerne** Wurst.
Ich trinke **gerne** Tee
Ich trinke **nicht gerne** Kaffee.

unpersönliches Pronomen *man*

man = viele Leute oder alle
Das Verb steht im Singular.

er/sie/es/**man**	isst/trinkt

In Deutschland isst **man** das Mittagessen oft zwischen 12.00 und 14.00 Uhr.

mögen und *möchten*

	mögen	(möchten)
ich	**mag**	möchte
du	**magst**	möchtest
er/es/sie/man	**mag**	möcht**e**
wir	mögen	möchten
ihr	mögt	möchtet
sie/Sie	mögen	möchten

- Mögen Sie Käse?
- Ja, ich mag Käse, ich esse gerne Käse.
- Möchten Sie ein Stück Käse?
- Danke, nein. Jetzt möchte ich keinen Käse. Ich habe keinen Hunger.

Arbeit und Beruf

Altenpflegerin

Hausmeister

Programmiererin

Kranführer

Hubschrauberpilotin

Reinigungskraft

Ingenieur

Autowerkstatt

RESTAURANT

BANK

Kfz-Mechaniker

Koch

Bankkauffrau

Kellner

Briefträgerin

Taxifahrerin

Sie lernen

* über Berufe und Arbeit sprechen
* ein Überweisungsformular ausfüllen
* einen Tagesablauf beschreiben
* die Modalverben *können, müssen, wollen*
* Präpositionen mit Dativ

🔊)) **1** **Sehen Sie das Bild an. Hören Sie die Geräusche und sagen**
1.73 Ü1 **Sie den Beruf.**

2 **Wer arbeitet wo? Fragen und antworten Sie.**
Ü2

> auf der Baustelle • in der Werkstatt •
> in der Bank • im Restaurant •
> im Haus • im Büro •in der Wohnung
> von Patienten

Wo arbeitet der Ingenieur?

Er arbeitet auf der Baustelle.

3 **Was sind Sie von Beruf? Arbeiten Sie mit dem Wörterbuch und berichten Sie.**

Ich arbeite als Kellner.

Ich bin Krankenpfleger von Beruf.
Ich arbeite im Krankenhaus.

Ich suche eine Arbeit als ....

1 a Lesen Sie die Magazintexte. Ergänzen Sie dann die Tabelle auf Seite 73.
Ü3

Treffpunkt Arbeitsplatz

Vier Menschen stellen ihren Arbeitsplatz in Deutschland vor.

Sebastian Suazo, 36

Ich bin Krankenpfleger. Ich bereite Operationen vor, unterstütze die Ärzte bei den Operationen und muss nach den Operationen aufräumen. Meine Frau ist Krankenschwester. Sie hat Schichtdienst und arbeitet immer eine Woche am Vormittag und dann eine Woche am Nachmittag. Manchmal hat sie auch Nachtschicht und sie muss oft am Wochenende arbeiten. Ich habe keinen Schichtdienst. Ich arbeite immer von 7.30 bis 16.00 Uhr.

Ich bin Buchhalter von Beruf, aber ich kann noch nicht so gut Deutsch und deshalb kann ich keine Stelle als Buchhalter finden. Jetzt arbeite ich in einem Restaurant als Kellner. Ich arbeite meistens am Abend ab 17.00 Uhr. Ich bereite die Getränke für die Gäste vor und dann bringe ich die Getränke. Leider verdiene ich nicht viel und die Arbeit ist anstrengend. Ich will auch mehr verdienen und will jetzt eine andere Arbeit suchen.

Igor Alexandrov, 41

Martina Wagner, 34

Ich bin Bankkauffrau und arbeite bei der Volksbank. Meine Arbeitszeit ist am Montag, Dienstag und Freitag von 9.00 bis 17.00 Uhr, am Donnerstag bis 18.00 Uhr. Oft muss ich auch länger bleiben. Am Mittwoch haben wir nur am Vormittag bis 12.30 Uhr geöffnet. Ich habe viel Kontakt mit den Kunden: Ich berate die Kunden, ich wechsle Geld und ich helfe bei Problemen mit Überweisungen. Ich kontrolliere die Kasse und muss Formulare bearbeiten und unterschreiben.

Ich bin Sekretärin bei der Sprachschule Becker. Ich mache die Kurslisten und nehme die Anmeldungen an. Die Teilnehmer haben viele Fragen: Sie wollen die Kurstermine und die Preise wissen. Viele können noch nicht so gut Deutsch verstehen. Dann muss ich sehr langsam sprechen und viel erklären. Ich kann auch Englisch sprechen. Ich arbeite von 9.00 bis 16.00 Uhr, am Samstag habe ich frei. Das ist gut, denn am Wochenende will ich nicht arbeiten.

Helene Deck, 43

12 Info Berufe 2015

	Herr Suazo	Herr Alexandrov	Frau Wagner	Frau Deck
Beruf	Krankenpfleger			
Aufgaben		Getränke bringen	Geld wechseln	
Arbeitszeit				Montag–Freitag, 9–16 Uhr
Arbeitsort	Krankenhaus			

1 b Was? Wo? Wann? – Notieren Sie Fragen. Fragen und antworten Sie dann.

> Was macht Herr Suazo?

> Wann arbeitet Frau Deck?

> Wo arbeitet Frau Wagner?

> Er bereitet Operationen vor.

> Sie arbeitet bei …

1 c Was sagt Frau Deck? Lesen Sie den Text noch einmal und ergänzen Sie die Sätze.

1 Die Teilnehmer .... die Kurstermine ....

2 Viele .... noch nicht so gut Deutsch ....

3 Ich .... sehr langsam ....

2 Ich .... auch Englisch ....

3 Am Wochenende .... ich nicht ....

2 *Können, wollen* oder *müssen*? Ergänzen Sie die Sätze.
Ü4

> kann • kann • muss • muss • will • will

1 Er hat Hunger und .... essen,

aber er .... zuerst kochen.

2 Er .... gut Autos reparieren.

3 Sie .... noch schlafen, aber sie

.... heute nicht lange schlafen.

Sie .... früh aufstehen.

können
1. Ich kann Englisch (sprechen).
2. Ich kann heute Abend kommen. Ich habe Zeit.

3 Markieren Sie die Formen von *können*, *müssen* und *wollen* in den Texten auf Seite 72. Ergänzen Sie dann die Tabelle.

Ü5–11

Modalverben

	können	müssen	wollen
ich			
du	kannst	musst	willst
er/es/sie/man	kann		will
wir	können	müssen	wollen
ihr	könnt	müsst	wollt
sie/Sie		müssen	

4 Sätze verlängern. Sprechen Sie die Sätze im Kurs.

> Er muss arbeiten.
>
> Er muss manchmal am Wochenende viel arbeiten.
>
> Er muss manchmal arbeiten.
>
> Er muss manchmal am Wochenende arbeiten.

1 arbeiten   Ich muss …   oft • alleine • am Computer
2 einkaufen   Wir wollen …   morgen • auf dem Markt • Obst und Gemüse
3 tanzen   Sie kann …   noch nicht • gut • Walzer

5 Ihr Beruf. Was ist für Sie wichtig? Schreiben Sie Sätze und erzählen Sie dann.

Ü12–15

> Ich will nicht zu Hause arbeiten.   Ich kann gut …   Ich muss oft …

über Beruf und Arbeit sprechen

im Team arbeiten	mit den Händen arbeiten	viel reisen
um 6.00 Uhr morgens aufstehen	auch am Abend arbeiten	draußen/drinnen arbeiten
viel verdienen	zu Hause arbeiten	im Büro arbeiten
am Wochenende arbeiten	viele Kontakte haben	am Computer arbeiten
alleine arbeiten	Karriere machen	viel schreiben

B   Rund ums Geld

1
Ü16

Sehen Sie die Fotos an und ordnen Sie die Wörter zu.

A der Geldautomat

B die EC-Karte

C die Kontonummer

D der Kontoauszug

E die IBAN

F das Überweisungsformular

2a
1.74 Ü17

Hören Sie das Telefongespräch und kreuzen Sie an: Richtig oder falsch?

		R	F
1	Herr Beeger telefoniert mit der Bank.	☐	☐
2	Er will den Mitgliedsbeitrag für den Basketballverein überweisen.	☐	☐
3	Er weiß die Kontonummer nicht.	☐	☐

2b
1.75

Hören Sie ein weiteres Telefongespräch und ergänzen Sie die Information.

● Sprachschule Becker, hier spricht Helene Deck.

● Guten Tag, mein Name ist Matteo Bernardini. Ich möchte die Gebühr für den B2-Abend-kurs überweisen, aber ich kann Ihre Bankverbindung nicht finden.

● Unsere IBAN ist .... bei der VR Bank Bamberg.

● Vielen Dank und auf Wiederhören.

2c   **Variieren Sie den Dialog. Die Informationen für Partner/in B finden Sie auf Seite 160.**

> Partner/in A
>
> Situation 1: Sie sprechen mit dem Reisebüro Wolters. Sie wollen Geld für eine Busreise nach Hamburg überweisen.
>
> Situation 2: Sie arbeiten für den Fußballverein SV Assenheim. Bankverbindung: Postbank Karlsruhe, IBAN: DE18 3601 0043 5722 8412 09

1a Lesen Sie die Sätze 1–6 und bringen Sie die Bilder in die richtige Reihenfolge.
Ü18

1 Frau Stein geht um acht Uhr aus dem Haus. Sie bringt vor der Arbeit ihren Sohn zur Kita.

2 Dann fährt sie mit dem Zug zur Arbeit.

3 Die Bank öffnet um neun Uhr. Am Vormittag bedient sie die Kunden.

4 Um halb eins hat sie Mittagspause. Dann geht sie mit ihren Kolleginnen essen.

5 Nach der Pause hat sie einen Termin beim Chef.

6 Um halb fünf kommt Frau Stein von der Arbeit und fährt mit ihrem Sohn zum Supermarkt.

1b Markieren Sie in 1a die Präpositionen *aus*, *bei*, *mit*, *nach*, *von*, *vor* und *zu* mit den Nomen wie im Beispiel.

2 Ergänzen Sie die Sätze mit dem Dativ.
Ü19-21

1 Frau Stein geht zur Post. (die Post)

2 Sie hat um 11 Uhr einen Termin

   bei............................. (der Friseur)

3 Sie kommt aus .... (das Büro)

4 Nach .... besuche ich einen Freund. (die Arbeit)

5 Sie kommt von .... (der Kindergarten)

6 Vor .... haben wir wenig Zeit.

   Nach .... können wir essen gehen. (das Konzert 2x)

7 Firas fährt zu............................. (das Fußballtraining)

8 Sie geht mit .... essen. (die Nachbarn)

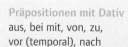

Präpositionen mit Dativ
aus, bei mit, von, zu,
vor (temporal), nach

der Chef	mit dem Chef
das Haus	aus dem Haus
die Chefin	bei der Chefin
die Kinder (Pl.)	mit den Kindern.

zu dem	→	zum	zu der	→	zur
bei dem	→	beim	von dem	→	vom

3a Wo? Wohin? Woher? Schreiben Sie Sätze mit Präpositionen wie im Beispiel.

Ü22-23

Wo ist Frau Stein (nicht)?

1 der Bäcker   *Frau Stein ist nicht beim Bäcker.*

2 die Chefin   ....

3 der Friseur   ....

Wohin geht Lisa Stein (nicht)?

1 die Schule   *Lisa geht zur Schule.*

2 der Kindergarten   ....

3 die Freunde   ....

Woher kommt Herr Stein (nicht)?

1 der Markt   *Herr Stein kommt vom Markt.*

2 die Haltestelle   ....

3 das Reisebüro   ....

3b Wo waren Sie gestern? Wohin gehen Sie heute?
Fragen und antworten Sie.

Wo waren Sie gestern?

Wohin gehen Sie heute?

Chef •
Friseur • Bäcker •
Arbeit

Bank •
Kita • Chef •
Supermarkt

Wo? – Wohin? – Woher?

Wo?	beim Arzt / bei der Chefin
Wohin?	zum Arzt / zur Schule
Woher?	vom Arzt / von der Chefin

Wo?	→ zu Hause
Wohin?	→ nach Hause
Woher?	→ von zu Hause

4 Sie wollen mit Ihrem Partner / Ihrer Partnerin einen Termin machen. Wann haben Sie Zeit? Den Terminplan für Partner/in B finden Sie auf Seite 160.

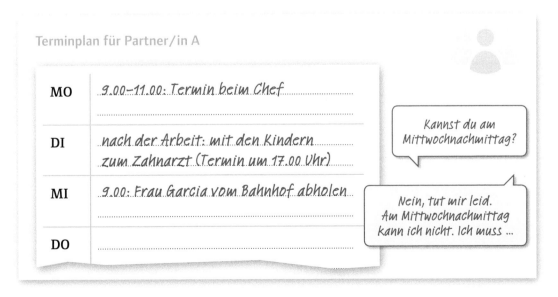

Terminplan für Partner/in A

MO	*9.00–11.00: Termin beim Chef*
DI	*nach der Arbeit: mit den Kindern zum Zahnarzt (Termin um 17.00 Uhr)*
MI	*9.00: Frau Garcia vom Bahnhof abholen*
DO	

Kannst du am Mittwochnachmittag?

Nein, tut mir leid. Am Mittwochnachmittag kann ich nicht. Ich muss ...

Grammatik sprechen

1 Wo sind die Leute, wohin gehen oder fahren sie und woher kommen sie?
Beschreiben Sie das Bild.

> sein • kommen • fahren • gehen • nach Hause gehen • zu Hause sein •
> von zu Hause kommen • der Friseur • die Haltestelle • der Bäcker

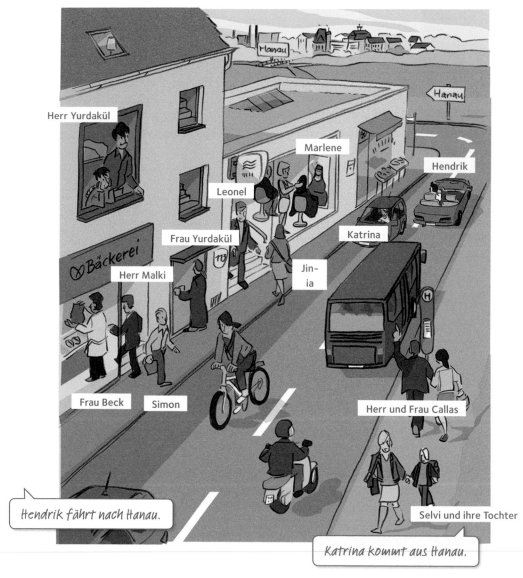

Minidialoge sprechen

2 Kannst du …? Musst du …? Willst du …? Fragen und antworten Sie.

> Kannst du Auto fahren?   Ja, das kann ich.

können Auto fahren? • schwimmen? • bald Urlaub machen? • den Akkusativ
erklären?

wollen Freunde besuchen? • zusammen grillen? • zusammen Hausaufgaben machen?

müssen viel arbeiten? • am Abend arbeiten? • am Wochenende arbeiten?

Wörter sprechen

3 a 🔊 1.76 Berufe. Hören Sie zu, achten Sie auf den Wortakzent und sprechen Sie nach.

der Ingenieur	der Bankkaufmann	die Altenpflegerin
die Köchin	die Programmiererin	die Reinigungskraft
die Taxifahrerin	die Briefträgerin	die Hausmeisterin
der Sekretär	die Krankenschwester	der Kellner

3 b Wer ist das? Arbeiten Sie zu zweit. Sprechen und raten Sie.

> Kaffee und Kuchen bringen • Essen kochen P im Büro arbeiten •
> am Wochenende arbeiten • am Computer arbeiten •
> Kunden nach Hause fahren • Geld wechseln • auf der Baustelle arbeiten

Die Person wechselt Geld.

Das ist der Bankkaufmann oder die Bankkauffrau.

Richtig!

Flüssig sprechen

4 🔊 1.77 Hören Sie zu und sprechen Sie nach.

VIDEO

Clip 09
Seite 180

Dialogtraining

5 a Lesen Sie den Dialog und ergänzen Sie die Modalverben.

● Findest du deine Arbeit gut?

● Ja, die Arbeit ist wirklich interessant.

● .... du auch mit den Kunden sprechen?

● Nein, das macht der Chef. Er hat den Kontakt zu den Kunden.

● .... du dann nicht zu Hause arbeiten?

● Doch, das geht schon. Ich brauche ja nur

einen Computer und das Internet. Aber ich .... nicht alleine arbeiten. Ich arbeite gern im Team.

5 b 🔊 1.78 Hören Sie den Dialog und kontrollieren Sie.

5 c Sprechen Sie den Dialog zu zweit und ergänzen Sie eine Frage mit Antwort.

Kommunikation

über Berufe und Arbeit sprechen

Eine Sekretärin muss viel telefonieren.
Die Arbeitszeit bei der Bank ist von
9.00 bis 17.00 Uhr.
Ein Krankenpfleger hat oft Schichtdienst

sagen, was man kann, will oder muss

Ich kann gut Englisch sprechen.
Ich kann am Wochenende lange schlafen.
Wir wollen Deutsch lernen.
Wir müssen morgen früh aufstehen.

ein Überweisungsformular ausfüllen

- Ich möchte die Gebühr für den Kurs überweisen. Wie ist Ihre IBAN?
- Meine IBAN ist DE 58 6137 0000 0005 3833 07.

einen Tagesablauf beschreiben

Ich komme heute schon um 16 Uhr von der Arbeit.
Ich gehe zum Arzt.
Gestern war ich beim Friseur.

Grammatik

Modalverben

	können	müssen	wollen
ich	kann	muss	will
du	kannst	musst	willst
er/es/sie/man	kann	muss	will
wir	können	müssen	wollen
ihr	könnt	müsst	wollt
sie/Sie	können	müssen	wollen

Satzklammer bei Modalverben

Ich	kann	gut Deutsch	lesen.
Er	muss	früh	aufstehen.
Sie	wollen	nach Italien	fahren.
	Können	Sie heute	kommen?
	Musst	du morgen	arbeiten?
	Wollt	ihr	mitkommen?

Präpositionen mit Dativ

aus, bei, mit, nach, von, vor (temporal), **zu**
zu de**m** → **zum**, zu de**r** → **zur**, bei de**m** → **beim**, von de**m** → **vom**

Sie kommt **von der** Arbeit und geht **mit ihren** Kindern **zum** Friseur. Jetzt ist sie **beim** Friseur. **Vor dem** Abendessen muss sie noch einkaufen und **nach dem** Essen will sie fernsehen.

Artikel im Dativ

		bestimmter Artikel	unbestimmter Artikel
m	der Supermarkt	Sie geht aus dem Supermarkt.	aus einem Supermarkt
n	das Kind	Er spielt mit dem Kind.	mit einem Kind
f	die Schule	Sie kommt von der Schule.	von einer Schule
Pl.	die Freunde	Er fährt zu den Freunden.	zu Freunden

Der Dativ Plural hat immer **-n**.
Ausnahme: Nomen mit **s**-Plural: die Auto**s** – mit den Auto**s**

Der Possessivartikel und der negative Artikel haben die gleiche Endung wie der unbestimmte Artikel: zu mein**em** Deutschkurs, von mein**er** Schule, zu mein**en** Freund**en**

Dialoge spielen

1 Acht Situationen. Arbeiten Sie zu zweit. Wählen Sie drei Situationen aus, machen Sie Notizen und spielen Sie die Dialoge mit Ihrem Partner / Ihrer Partnerin.

 Fragen Sie nach der Uhrzeit.

2 Sie wollen mit einem Freund / einer Freundin zusammen einen Ausflug machen. Machen Sie einen Termin.

Montag	Dienstag	Mittwoch	Donnerstag
9:00 bis 11:00 Uhr: Deutsch lernen	10:30 Uhr: zum Arzt gehen	10:00 Uhr: ein Handy kaufen	9:00 bis 11:00 Uhr: Deutsch lernen

 Sie sind auf dem Markt und wollen Gemüse kaufen. Spielen Sie einen Dialog.

4 Sie wollen den Mitgliedsbeitrag für den Fußballverein überweisen. Rufen Sie an und fragen Sie nach der Bankverbindung.

 Was wollen Sie am Wochenende machen? Machen Sie gemeinsam Pläne und erzählen Sie.

6 Sie wollen heute Abend kochen. Machen Sie mit Ihrem Partner / Ihrer Partnerin die Einkaufsliste.

 Sie bekommen am Wochenende Besuch von einem Freund / einer Freundin. Machen Sie gemeinsam Pläne.

8 Was ist für Sie wichtig im Beruf? Machen Sie ein Interview mit Ihrem Partner / Ihrer Partnerin.

Spiel und Spaß

2a Bilden Sie zwei Gruppen. Ordnen Sie die Wörter den vier Wortfeldern zu. Diskutieren Sie, wo die Wörter passen. Welche Gruppe ist schneller?

ARBEIT/BERUF

GELD/BANK

der Ausflug

die Arbeitszeit

die IBAN

die EC-Karte

das Büro

die Bäckerei

die Bankverbindung

das Frühstück

der Hausmeister

der Markt

das Computerspiel

der Imbiss

der Kontoauszug

das Kino

das Hobby

das Ei

FREIZEIT

das Konto

ESSEN

die Mittagspause

das Konzert

die Überweisung

die Karriere

2b Lesen Sie die Wörter in 2a. Sie haben zwei Minuten Zeit. Schließen Sie dann das Buch. Wie viele Wörter können Sie mit Artikel aufschreiben?

2c Bilden Sie im Kurs vier Gruppen. Jede Gruppe macht ein Lernplakat mit weiteren Wörtern und Wortgruppen zu einem Wortfeld. Vergleichen Sie dann im Kurs.

Geld verdienen

Geld wechseln.

GELD

zur Bank gehen

einen Mitgliedsbeitrag überweisen

3 Berufe raten. Fragen und raten Sie im Kurs.

Arbeitest du im Büro?

Bist du Friseur von Beruf?

Nein.

Ja, ich bin Friseur.

Gute Besserung!

Dr. Schavan
Kinderärztin

Mo–Do: 9.00–18.00
Fr: 8.00–13.00

Dr. Rizou
Augenärztin

Mo/Di/Fr: 10.00–16.00
Mi: 8.00–12.00
Do: 8.00–18.00

Zahnarzt
Dr. Rahman

Mo u. Do: 8.00–12.00
Di u. Fr: 13.00–18.00
Sa: 10.00–12.00

Dr. Arslan
Hausarztpraxis
Alle Kassen

Sprechzeiten:
Mo u. Mi: 8.00–13.00
Do u. Fr: 8.00–18.00
Di: nach Vereinbarung

Zahnarzt

Augenärztin

Kinderärztin

Hausarzt

Sie lernen

- über Krankheiten und Ärzte sprechen
- einen Termin beim Arzt machen
- eine Entschuldigung schreiben
- einen Notruf tätigen
- Pronomen im Akkusativ
- Modalverb *sollen*

1 a Wo waren Sie schon in Deutschland beim Arzt?
Ü1

> Ich war in Deutschland schon beim Augenarzt.

1 b Ordnen Sie die Praxisschilder den Fotos zu. Wann haben die Ärzte Sprechzeiten?
Ü2 Fragen und antworten Sie.

> Wann hat der Zahnarzt am Montag Sprechzeit?

> Der Zahnarzt hat am Montag von acht bis zwölf Uhr Sprechzeit.

2 Zu welchem Arzt? Sprechen Sie Dialoge und variieren Sie die Wörter in Grün.
Ü3

Zahnschmerzen   Halsschmerzen   Probleme mit   Bauchschmerzen   Rückenschmerzen
                                  den Augen

- Wie geht es dir?
- Mir geht es nicht gut. Ich habe Zahnschmerzen.
- Oh nein, dann geh doch zum Zahnarzt.

A Ein Besuch beim Arzt

◄))) 2.02 Ü4 **1a** Hören Sie und kreuzen Sie an: Wann hat Frau Zarda einen Termin?

☐ **A** heute um 9.00 Uhr   ☐ **B** am Montag um 9.00 Uhr   ☐ **C** morgen um 9.00 Uhr

1b Hören Sie noch einmal und lesen Sie mit.

- Praxis Dr. Arslan, Müller am Apparat, guten Tag.
- Guten Tag, mein Name ist Zarda. Ich hätte gern einen Termin.
- Waren Sie schon einmal hier?
- Ja, vor vier Monaten war ich schon einmal bei Ihnen.
- Gut, können Sie am nächsten Montag um 9 Uhr?
- Am Montag? Ja, das geht.
- Sagen Sie bitte noch einmal Ihren Namen.
- Viktoria Zarda, also Z A R D A.
- Gut, Frau Zarda. Dann bis Montag.
- Danke, auf Wiederhören.
- Auf Wiederhören.

1c Lesen Sie den Dialog zu zweit und variieren Sie die Wörter in Grün.

◄))) 2.03-04 Ü5 **2** Hören Sie zwei weitere Dialoge und notieren Sie die Namen und die Termine.

Dialog 1   Frau .... hat den Termin am .... um .... Uhr.

Dialog 2   Herr .... hat den Termin am .... um .... Uhr.

◄))) 2.05 Ü6 **3a** Körperteile. Hören Sie und zeigen Sie die Körperteile auf dem Bild.

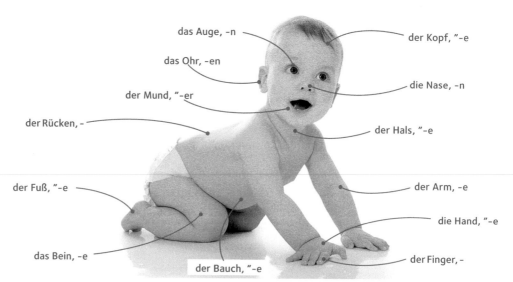

das Auge, –n
das Ohr, –en
der Mund, "–er
der Rücken, –
der Fuß, "–e
das Bein, –e
der Bauch, "–e
der Kopf, "–e
die Nase, –n
der Hals, "–e
der Arm, –e
die Hand, "–e
der Finger, –

3b Zeigen Sie auf einen Körperteil, der/die andere sagt das Wort.

Was ist das?

Das ist dein Rücken.

4a Im Sprechzimmer. Hören Sie zu. Was fehlt Herrn Hristov?

2.06   Ü7-8

● Guten Tag, Herr Hristov.
Was fehlt Ihnen denn?

● Mir geht es schlecht. Ich bin erkältet, ich
habe Husten und Schnupfen und mein
Kopf tut weh. Und ich habe auch etwas
Fieber. Vielleicht habe ich eine Grippe?

● Dann wollen wir mal sehen. Machen Sie
bitte den Mund auf. Ihr Hals ist rot. Sie
haben eine Erkältung, aber keine Grippe.
Trinken Sie viel, am besten Tee, und nehmen Sie Halstabletten und Vitamin C.
Bleiben Sie im Bett und schlafen Sie viel.
Am Freitag kommen Sie bitte noch
einmal zur Kontrolle.

● Vielen Dank, Frau Doktor.

● Auf Wiedersehen und gute Besserung!

4b Lesen Sie den Dialog. Was sagt die Ärztin?
Sammeln Sie im Kurs.

Trinken Sie viel Tee.

4c Herr Hristov kommt nach Hause und berichtet seiner
Frau. Schreiben Sie Sätze wie im Beispiel.

Ü9-10

> 1. Die Ärztin sagt, ich soll viel Tee trinken.
> 2. Die Ärztin sagt, ich soll ...

sollen	
ich	soll
du	sollst
er/es/sie/man	soll
wir	sollen
ihr	sollt
sie/Sie	sollen

Ich soll viel Tee trinken.

5 Probleme. Hören Sie das Beispiel. Sprechen Sie dann zu
dritt und variieren Sie die Wörter in Grün.

2.07

● Ich habe Rückenschmerzen. Was soll ich machen?

● Nimm doch Tabletten.

● Was sagt sie?

● Du sollst Tabletten nehmen.

● Ach so, danke. Ja, das mache ich.

1   Rückenschmerzen: Gymnastik machen – nicht schwer tragen – schwimmen gehen
2   Kopfschmerzen: eine Kopfschmerztablette nehmen – Wasser trinken – ruhig im Bett
     liegen – das Zimmer dunkel machen
3   Bauchschmerzen: wenig essen – im Bett bleiben – Tee trinken

1 a Lesen Sie die Erklärungen 1–5. Welches Bild passt? Ordnen Sie zu.

Ü11

1 ☐ Der Zahnarzt trägt die Zahnkontrollen in das Bonusheft ein. Viele Zahnbehandlungen zahlen die
Krankenkassen nicht komplett, aber für die regelmäßige Zahnkontrolle einmal pro Jahr geben sie
einen Bonus, das heißt, sie geben mehr Geld.

2 ☐ Die Gesundheitskarte brauchen Sie für den Besuch
beim Arzt. Sie bekommen die Karte von der
Krankenkasse.

3 ☐ Der Arzt gibt Ihnen eine Krankschreibung. Das Ori-
ginal schicken Sie an Ihre Krankenkasse und die
Kopie ist für Ihren Arbeitgeber oder die Schule.

4 ☐ Der Hausarzt schreibt eine Überweisung für das
Krankenhaus oder den Facharzt.

5 ☐ Für viele Medikamente brauchen Sie ein Rezept.
Mit dem Rezept gehen Sie in die Apotheke. Für die
Medikamente müssen Sie oft etwas bezahlen.

1 b Lesen Sie die Sätze. Was ist richtig? Korrigieren Sie die falschen Aussagen.

1 Die Gesundheitskarte bekommt man vom Arzt.
2 Mit einem Rezept bekommt man Medikamente.
3 Das Bonusheft braucht man beim Hausarzt.
4 Das Krankenhaus schreibt die Überweisungen für den Hausarzt.
5 Die Krankschreibung gebe ich in der Apotheke ab.

✦ **2** **Projekt: Suchen Sie im Telefonbuch oder im Internet einen Hausarzt, einen Zahnarzt
und einen Augenarzt in Ihrer Nähe und präsentieren Sie Ihre Ergebnisse.**

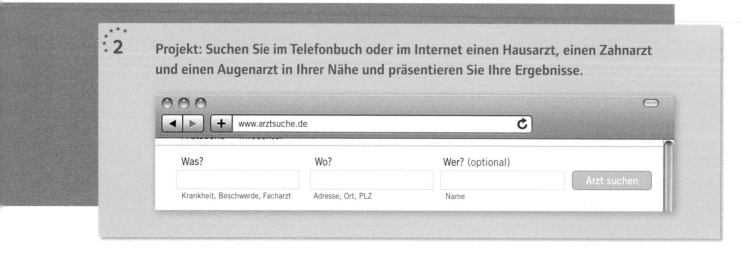

1 a Sehen Sie das Foto an. Wer ist krank?

🔊 **1 b** Hören Sie und kreuzen Sie an.
2.08   Was ist richtig?

1 Was hat Lena?
   A ☐ Sie hat Kopfschmerzen.
   B ☐ Der Hals tut weh.
   C ☐ Der Bauch tut weh.

2 Was macht sie heute?
   A ☐ Sie geht später zur Schule.
   B ☐ Sie geht nicht zur Schule.
   C ☐ Lena und ihre Mutter gehen sofort zum Arzt.

3 Was macht die Mutter?
   A ☐ Sie holt das Fieberthermometer und misst Fieber.
   B ☐ Sie macht den Fernseher an.
   C ☐ Sie gibt Medikamente.

> **❗ Krankschreibung**
> Ein Kind fehlt drei Tage oder länger in der Schule: Sie brauchen eine Krankschreibung vom Kinderarzt.

4 Was hat Lena vielleicht?
   A ☐ Eine Erkältung.
   B ☐ Eine Grippe.
   C ☐ Scharlach.

5 Was macht Alexis?
   A ☐ Er macht einen Tee.
   B ☐ Er nimmt die Entschuldigung in die Schule mit.
   C ☐ Er ruft den Arzt an.

2 Ergänzen Sie die Entschuldigung für die Schule.
Ü12

entschuldigen • Grüßen • Fieber • zum Unterricht • Tochter

> Sehr geehrter Herr Nolte,   Stuttgart, 08.10.2015
>
> meine .... Lena kann heute leider nicht ....
> kommen. Sie hat ...., Bitte .... Sie das
> Fehlen von Lena.
>
> Mit freundlichen ....
>
> Maria Papadaki

3 Ihr Kind ist krank. Was machen Sie? Erzählen Sie im Kurs.
Ü13-15

D Im Krankenhaus

1a Lesen Sie den Text und bringen Sie die Bilder in die richtige Reihenfolge.
Ü16-17

☐   ☐   ☐   ☐

1 Herr Huth hat Bauchschmerzen. Ein Kollege bringt ihn zum Arzt. Der Hausarzt untersucht ihn: „Sie haben eine Blinddarmentzündung. Sie müssen sofort ins Krankenhaus."

2 Die Ärzte im Krankenhaus untersuchen ihn noch einmal und sagen: „Wir müssen Sie sofort operieren."

3 Am nächsten Tag geht es Herrn Huth schon besser. Seine Familie besucht ihn.

4 Nach fünf Tagen kann Herr Huth wieder nach Hause gehen. Er ruft seine Frau an: „Holst du mich morgen ab?" „Ja, klar. Wann soll ich dich abholen?" „Am besten um elf Uhr."

Personalpronomen

Nominativ	Akkusativ
ich	
du	
er	
es	es
sie	sie
wir	uns
ihr	euch
sie	sie
Sie	

1b Lesen Sie den Text noch einmal und beantworten Sie die Fragen.

1 Was hat Herr Huth?
2 Wann operieren ihn die Ärzte?
3 Wer besucht ihn?
4 Wann kann er nach Hause gehen?

1c Ergänzen Sie den Grammatikkasten mit den markierten Pronomen im Text.

2 Frau Huth ruft ihren Mann im Krankenhaus an. Sprechen Sie die Minidialoge wie im Beispiel.
Ü18-20

1 anrufen • meinen Chef • meine Eltern (Pl.) • meine Schwester • mich jeden Tag

> Rufst du meinen Chef an?

> Ja, rufe _ihn_ an.

2 brauchen • dein Tablet • deine Uhr • deinen Laptop • deinen Kalender • deine Hausschuhe (Pl.)

> Brauchst du dein Tablet?

> Nein, ich brauche _es_ nicht.

3 mitbringen • den Bademantel • die Tabletten (Pl.) • die Zahnbürste • dein Buch • die Zahnpasta

> Soll ich deinen Bademantel mitbringen?

> Ja, bitte bring _ihn_ mit.

◀)) **1a** Lesen Sie das Merkblatt für einen Notruf. Hören Sie dann den Dialog und ordnen Sie
2.09 Ü21-22 die Fragen zu.

☐1 ● Mein Name ist Petrow.

☐ ● Es gibt hier einen Unfall.

☐ ● Wo sind Sie?
● Ich bin in der Bahnhofstraße, Ecke Schillerstraße.

☐ ● Wie viele Personen sind verletzt?
● Ich glaube, drei Personen: zwei Frauen und ein Kind.

☐ ● Wie sind die Personen verletzt?
● Entschuldigung, ich spreche nicht gut Deutsch. Ich kann es nicht erklären. Bitte kommen Sie schnell, es ist dringend.
● Ich schicke einen Notarzt. Er kommt in wenigen Minuten.

☐ ● Bitte legen Sie nicht auf. Sagen Sie mir noch einmal Ihren Namen.
● Petrow.
● Und der Vorname?

Merkblatt

Wichtige Regeln für einen Notruf:

Jede/r muss helfen und einen Notruf machen.
Sprechen Sie langsam und deutlich. Sprechen Sie nach dem folgenden Schema:

1. Wer ruft an?
2. Was ist passiert?
3. Wo ist der Notfall?
4. Wie viele Personen sind verletzt?
5. Wie ist die Situation?
6. Warten Sie auf Rückfragen!

1b Sprechen Sie den Dialog zu zweit. Variieren Sie die Wörter in Grün.

◀)) **2a** Hören Sie einen weiteren Notrufdialog. Welcher Text und welches Bild passen?
2.10

☐ In einem Haus gibt es Feuer. Es sind keine Personen mehr im Haus, die Hausbewohner stehen auf der Straße. Die Feuerwehr soll schnell kommen.

☐ In einem Haus gibt es Feuer. Man sieht eine Frau, vielleicht sind noch mehr Personen im Haus. Die Feuerwehr, ein Krankenwagen und ein Notarzt sollen schnell kommen.

2b Hören Sie noch einmal und kreuzen Sie an: Richtig oder falsch?

		R	F
1	Das Feuer ist im vierten Stock.	☐	☐
2	Die Adresse ist Bergstraße 15.	☐	☐
3	Herr Hill wohnt im Nachbarhaus.	☐	☐

Wörter sprechen

🔊 **1** Ordnen Sie zu. Hören Sie dann zur Kontrolle und sprechen Sie nach.
2.11

> das Bonusheft • die Sprechzeiten • die Gesundheitskarte •
> die Tabletten • das Rezept • die Apotheke

....

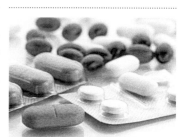

....

Minidialoge sprechen

🔊 **2a** Hören Sie und ordnen Sie einen passenden Tipp zu.
2.12

☐ Mach doch Gymnastik.   ☐ Nimm eine Kopfschmerztablette.
☐ Trink viel Wasser oder Tee.   ☐ Geh doch zum Zahnarzt.

2b Hören Sie noch einmal und reagieren Sie.

2c Sprechen Sie zu zweit Minidialoge. Die Wörter im Kasten helfen.

> Probleme mit den Ohren haben • Husten haben • Fieber haben • schlecht sehen

🔊 **3** Textkaraoke. Ein Notruf. Hören Sie und sprechen Sie die 👄-Rolle im Dialog.
2.13

👂 …   👂 …

👄 Es gibt hier einen Unfall.   👄 Ich glaube, zwei Personen: ein Mann
                                                   und ein Kind.
👂 …
                                                   👂 …
👄 Ich bin in der Rheinstraße, Ecke
Schillerstraße.   👄 …

Grammatik sprechen

4 Arbeiten Sie zu zweit. A fragt, B antwortet.

1 • Hast du den Kuli?   • Nein, ich habe ihn nicht.
2 • Hast du das Heft?   • Nein, ich habe es nicht.
3 • Hast du die Tasche?   • Nein, ich habe sie nicht.
4 • Hast du die Hausaufgaben?   • Nein, ich habe sie nicht.
5 • Brauchst du den Laptop?   • …
6 • Brauchst du das Buch?   • …
7 • Brauchst du die Uhr?   • …
8 • Brauchst du die Zettel?   • …

5 Modalverben üben. Arbeiten Sie zu dritt. Würfeln Sie und sagen Sie die richtige Form. Sprechen Sie dann einen Satz.

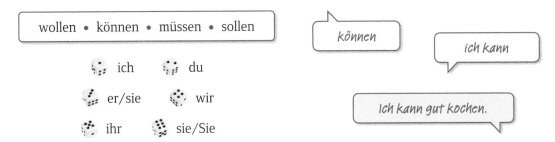

wollen • können • müssen • sollen

ich   du
er/sie   wir
ihr   sie/Sie

können

ich kann

Ich kann gut kochen.

Flüssig sprechen

🔊 2.14 **6** Hören Sie zu und sprechen Sie nach.

VIDEO

Clip 10
Seite 181

Dialogtraining

🔊 2.15 **7a** Hören Sie den Dialog. Was hat Julia?

• Alles okay?
• Nein. Mir geht es nicht gut. Ich habe Kopfschmerzen.
• Oje. Soll ich einen Tee kochen?
• Ja, bitte.
• Hast du die Kopfschmerzen schon lange?
• Ja, gestern Abend schon.
• Willst du eine Tablette nehmen?
• Ja, vielleicht. Ich glaube, ich muss heute im Bett bleiben.
• Sag mal, hast du Fieber?
• Ja, das kann sein. Und mein Hals tut auch weh.

Corinna   Julia

7b Sprechen Sie den Dialog zu zweit. Variieren Sie die Wörter in Grün.

Kommunikation

über Krankheiten sprechen

- Was fehlt Ihnen?
- Ich bin erkältet und habe Halsschmerzen.
- Sie müssen im Bett bleiben und viel Tee trinken.

- Meine Tochter ist krank. Sie hat Fieber und der Kopf tut weh.
- Das tut mir leid. Gute Besserung!

einen Termin beim Arzt machen

- Ich hätte gerne einen Termin.
- Können Sie am nächsten Montag um neun Uhr?
- Ja, das geht.

- Ich habe Zahnschmerzen und möchte schnell einen Termin.
- Kommen Sie heute Nachmittag um 17 Uhr.

eine Entschuldigung schreiben

> Sehr geehrter Herr Müller,   Köln, 15.04.2015
>
> meine Tochter Sarafina kann heute leider nicht zum Unterricht kommen.
> Sie ist krank. Bitte entschuldigen Sie das Fehlen von Sarafina.
> Mit freundlichen Grüßen
>
> Stella Lutter

Grammatik

Modalverb *sollen*

	sollen
ich	soll
du	sollst
er/es/sie/man	soll
wir	sollen
ihr	sollt
sie/Sie	sollen

Der Arzt sagt, ich	soll	viel Tee	trinken.
Der Arzt sagt, ich	soll	im Bett	bleiben.
Wann	soll	ich die Tabletten	nehmen?
	Sollst	du zu Hause	bleiben?

Personalpronomen

Nominativ	Akkusativ
ich	mich
du	dich
er	ihn
es	es
sie	sie
wir	uns
ihr	euch
sie/Sie	sie/Sie

Die Ärzte untersuchen den Patienten.
Die Ärzte untersuchen ihn.

Brauchst du das Handy?
Brauchst du es?

Ich nehme die Tasche mit.
Ich nehme sie mit.

Brauchst du die Hausschuhe?
Brauchst du sie?

Wege durch die Stadt

9

das Motorrad

die S-Bahn

die U-Bahn

die Straßenbahn

der Bus

der Fußgänger

das Fahrrad

das Schiff

das Auto

das Flugzeug

der Zug

Sie lernen

- über Verkehrsmittel sprechen
- Wege beschreiben und nach dem Weg fragen
- Verkehrsregeln beschreiben
- lokale Präpositionen
- das Modalverb *dürfen*

1 Sehen Sie die Fotos an. Welche Verkehrsmittel benutzen Sie nie, selten, manchmal, meistens, oft?
Ü1-2

> Ich gehe selten zu Fuß.

> Ich fliege manchmal.

> Ich fahre oft mit dem Fahrrad.

mit + Dativ
Ich fahre **mit dem** Zug.
      mit dem Auto.
      mit der Straßenbahn.
Ich gehe **zu** Fuß.

2a Ordnen Sie die Adjektive den Verkehrsmitteln zu.
Ü3

> teuer • billig • bequem • unbequem • schnell • langsam • praktisch • gesund

2b Lesen Sie den Dialog und variieren Sie die Wörter in Grün.

- Fahren Sie gern mit dem Fahrrad?
- Nein, das Fahrrad ist unbequem. Und Sie?
- Ich fahre gerne mit dem Fahrrad. Fahrradfahren ist gesund.

🔊 1a Hören Sie. Welcher Dialog passt zu welcher Person?
2.16 Ü4-5

1b Wege zur Arbeit. Lesen Sie die Texte und ergänzen Sie die Tabelle.

A Mein Name ist Daniel Schmidt. Ich wohne in Peine und arbeite bei der Post in Hannover. Ich brauche morgens fast eine Stunde. Ich gehe zu Fuß zum Bahnhof. Ich fahre zuerst mit dem Zug nach Hannover und dann fahre ich mit der Straßenbahn zum Büro.

B Ich heiße Peter Kim. Ich wohne und arbeite in Berlin. Ich brauche nur 20 Minuten zur Arbeit. Zuerst fahre ich mit dem Fahrrad zur S-Bahn. Dann fahre ich zehn Minuten mit der S-Bahn zur Firma.

	Herr Schmidt	Herr Kim
wohnt in ...	Peine	
arbeitet in ...		
fährt mit ...		
braucht ...		

🔊 2a Der Weg zur Arbeit von Frau Sander und Herrn Hoppe. Hören Sie und kreuzen Sie an.
2.17-18

Frau Sander benutzt

Herr Hoppe benutzt

2b Hören Sie noch einmal. Wie lange brauchen die beiden Personen zur Arbeit?

3 Ihre Wege. Wie fahren Sie? Wie lange brauchen Sie? Fragen und antworten Sie.
Ü6

das Schwimmbad der Kindergarten das Rathaus die Bibliothek der Supermarkt

Wie kommen Sie zum Schwimmbad?

Ich brauche eine halbe Stunde. Ich gehe zu Fuß zur U-Bahn, dann ...

1 a 🔊 2.19 Ü7-10   **Mit der U-Bahn fahren. Hören Sie den Dialog und ergänzen Sie die Informationen.**

- Entschuldigung, wie komme ich zum Theaterplatz?
- Das ist weit. Sie müssen die U-Bahn nehmen. Hier ist die U-Bahn-Station.
- Ja, und wie muss ich fahren?
- Nehmen Sie die Linie .... Richtung Zoo. Fahren Sie .... Stationen bis zum Hauptbahnhof, dann steigen Sie um. Nehmen Sie die Linie .... Richtung Flughafen. Dann sind es noch .... Stationen und Sie sind am Theaterplatz.
- Danke schön.
- Bitte.

U-Bahn-Station Schillerstraße

1 b **Lesen Sie den Dialog und zeichnen Sie den Weg in den U-Bahn-Plan ein.**

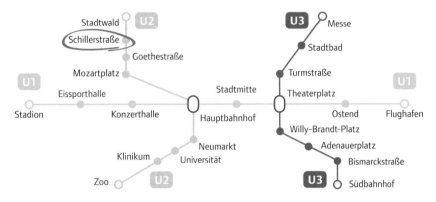

1 c **Den Weg beschreiben. Sprechen Sie den Dialog in 1a zu zweit und variieren Sie die Wörter in Grün.**

1 (vom) Klinikum → (zur) Stadtmitte
2 (vom) Stadtbad → (zum) Zoo
3 (von der) Eissporthalle → (zur) Bismarckstraße

2 **Projekt: Sammeln Sie Informationen über Ihre Stadt und erzählen Sie.**

Welche Verkehrsmittel gibt es?

Wo kann man Fahrkarten kaufen?

Was kostet eine Fahrkarte?

Was kostet eine Monatskarte?

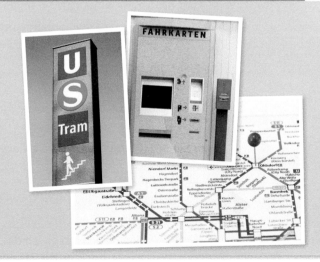

3a Wo? Sehen Sie das Bild an, lesen Sie den Grammatikkasten und ergänzen Sie die Sätze.
Ü11-14

hinter dem Café
neben dem Kino
Sprach-schule
über der Post
zwischen den Bäumen
auf dem Platz
vor dem Café
unter dem Baum
an der Haltestelle
im Bus

1 .... der Post ist eine Sprachschule.
6 .... den Bäumen sitzt ein Hund.

2 .... dem Café ist ein Spielplatz.
7 .... der Haltestelle warten Leute.

3 .... dem Platz ist ein Brunnen.
8 .... dem Café ist eine Terrasse.

4 .... Bus sind viele Fahrgäste.
9 .... dem Kino ist eine Drogerie.

5 .... dem Baum steht eine Bank.

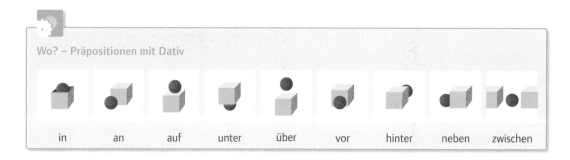

Wo? – Präpositionen mit Dativ

in   an   auf   unter   über   vor   hinter   neben   zwischen

3b Beantworten Sie die Fragen.

> auf der Straße • im Café • in der Werkstatt • im Supermarkt • auf dem Park-
> platz • vor dem Supermarkt • an der Ampel • in der Sprachschule

1 Wo ist der Bus?
4 Wo kaufen die Leute ein?

2 Wo trinken die Leute Kaffee?
5 Wo parken die Autos?

3 Wo arbeitet der Kfz-Mechaniker?
6 Wo kann man Deutsch lernen?

4 Lesen Sie den Dialog zu zweit. Variieren Sie die Wörter in Grün.

in dem = im
an dem = am

- Hallo, Martin, wo seid ihr?
- Wir stehen vor dem Supermarkt. Wo bist du?
- Ich bin mit Laura auf dem Spielplatz.
- Ach so. Ich komme, ich bin gleich da.

5a Einladung. Hören Sie den Dialog und kreuzen Sie an: Was möchten Gabrielle, Anton und Sebastian machen?

2.20 Ü15-16

A ☐ Kaffee trinken und Kuchen essen
B ☐ am Fluss spazieren gehen
C ☐ Kaffee trinken und im Park spazieren gehen

5b Hören und lesen Sie noch einmal und zeichnen Sie den Weg in den Plan.

● Wo wohnst du?
● Gleich hier in der Nähe, das könnt ihr ganz einfach finden. Geht hier von der Sprachschule die Straße nach links, immer geradeaus. Die zweite Straße geht ihr nach rechts bis zur nächsten Kreuzung, dann sofort wieder nach links. Mein Haus ist auf der linken Seite, gleich rechts neben der Bäckerei und gegenüber vom Bahnhof.

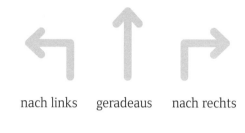

nach links   geradeaus   nach rechts

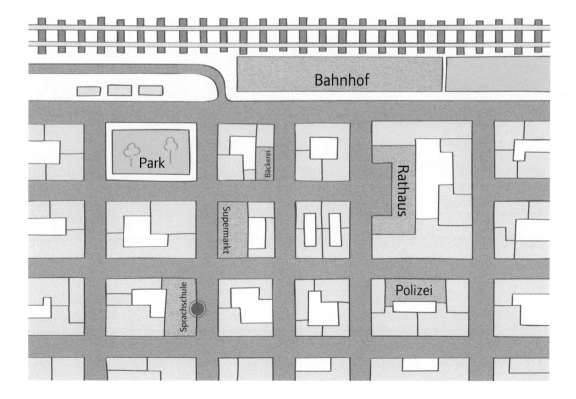

5c Hören Sie die Dialoge und zeichnen Sie die Wege in den Plan.

2.21-22

6 Zeichnen Sie ein Haus in den Plan. Beschreiben Sie den Weg. Ihr Partner / Ihre Partnerin zeichnet den Weg in den Plan.

Besuch mich doch mal.

Ja, gern. Wo wohnst du?

C Der Führerschein

1 a Lesen Sie den Text und korrigieren Sie die Sätze 1–3.

Anerkennung ausländischer Führerscheine

- Sie sind nur für kurze Zeit in Deutschland, zum Beispiel als Tourist für vier Wochen? Dann dürfen Sie mit dem Führerschein aus Ihrem Heimatland in Deutschland Auto fahren.

- Sie leben in Deutschland und kommen aus einem anderen EU-Staat? Dann dürfen Sie Ihren Führerschein in Deutschland weiter benutzen.

- Sie kommen zum Beispiel aus Brasilien, Indien oder China? Dann dürfen Sie maximal sechs Monate mit dem Führerschein aus Ihrem Heimatland in Deutschland Auto fahren. Danach müssen Sie die theoretische und die praktische Führerscheinprüfung machen. Dann dürfen Sie in Deutschland weiter Auto fahren.

1 Touristen dürfen in Deutschland nicht Auto fahren.
2 EU-Bürger dürfen in Deutschland ohne Führerschein fahren.
3 Die Behörden in Deutschland erkennen Führerscheine aus Brasilien, Indien oder China an.

dürfen	
ich	darf
du	darfst
er/es/sie/man	darf
wir	dürfen
ihr	dürft
sie/Sie	dürfen

Ich darf hier Auto fahren.

1 b Haben Sie einen Führerschein? Dürfen Sie in Deutschland Auto fahren? Erzählen Sie.

Ich darf jetzt noch nicht Auto fahren.
Ich muss noch …

2 a Wer darf zuerst fahren? Lesen Sie den Dialog.
Ü17-20
Was ist richtig? Kreuzen Sie an.

- Wer darf zuerst fahren?
- ☐ Ich glaube, der Traktor hat Vorfahrt. Er kommt von rechts.
- ☐ Nein, die Straßenbahn und ich haben Vorfahrt. Wir haben ein Vorfahrtschild. Die Straßenbahn darf zuerst fahren, dann darf ich fahren. Der Traktor muss warten.

2b Schilder. Was darf man hier (nicht), was muss man tun? Schreiben Sie Sätze.

Ü20

> parken • anhalten • rechts abbiegen • links abbiegen •
> geradeaus fahren • hupen • weiterfahren • 30 fahren • blinken •
> um die Ecke fahren • langsam fahren • Vorfahrt achten

> *Bei Schild vier darf man nicht geradeaus fahren.*
> *Man muss rechts abbiegen.*

2c Wer hat Vorfahrt? Wer darf zuerst fahren? Fragen und antworten Sie.

> das Auto • der Bus • das Fahrrad • das Motorrad • der Lkw

> *Wer hat Vorfahrt?*
> *Was meinst du?*

> *Ich glaube, das Auto …*

🔊 2.23

3 Kinder im Straßenverkehr. Lea hatte heute in der Schule Verkehrsunterricht. Hören Sie das Gespräch und ergänzen Sie die Zahlen.

1 Kinder bis .... Jahre müssen auf dem Bürgersteig fahren.

2 Kinder mit .... Jahren dürfen auf dem Bürgersteig fahren.

3 Kinder mit .... Jahren dürfen auf der Straße fahren.

4 Kinder ab .... Jahren müssen auf der Straße fahren.

Wörter sprechen

🔊 2.24 **1a** Hören Sie, sprechen Sie nach und zeigen Sie das passende Foto.

1b *Oft, manchmal, selten, nie.* Arbeiten Sie zu zweit. Sprechen Sie wie im Beispiel.

> Foto 3.

> Ich fahre oft mit der S-Bahn. Foto 5.

> Ich fliege selten ...

Minidialoge sprechen

2 Fragen und antworten Sie. Variieren Sie die Dialoge.

> der Zoo • der Bahnhof • das Rathaus • das Schwimmbad

> nach rechts • nach links • geradeaus

- Entschuldigung, ich suche den Bahnhof.
- Der Bahnhof ist nicht weit. Gehen Sie immer geradeaus.
- Vielen Dank.

- Entschuldigung, wo ist der Zoo?
- Das weiß ich leider auch nicht.

3 Was bedeuten die Schilder? Sprechen Sie wie im Beispiel.

> parken • geradeaus fahren • links abbiegen • Eis essen • 50 fahren • mit dem Handy telefonieren • rechts abbiegen • mit dem Fahrrad fahren • zu Fuß gehen

   (traffic signs)

> Darf ich hier parken?

> Ja, Sie dürfen hier parken.

Grammatik sprechen

4 Wer oder was ist wo? Arbeiten Sie zu zweit. Fragen und antworten Sie wie im Beispiel.

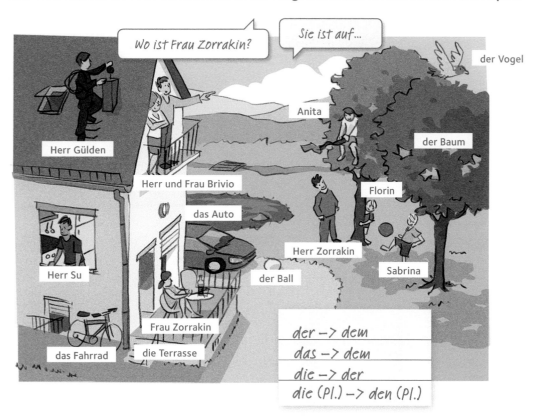

> Wo ist Frau Zorrakin?
>
> Sie ist auf...
>
> der Vogel
> Anita
> der Baum
> Herr Gülden
> Herr und Frau Brivio
> Florin
> das Auto
> Herr Su
> Herr Zorrakin
> Sabrina
> der Ball
> Frau Zorrakin
> das Fahrrad
> die Terrasse

> der -> dem
> das -> dem
> die -> der
> die (Pl.) -> den (Pl.)

Flüssig sprechen

2.25

5 Hören Sie zu und sprechen Sie nach.

VIDEO

Clip 13
Seite 182

Dialogtraining

Daniel Elena

2.26

6a Hören Sie den Dialog und lesen Sie mit.

- ● Kennst du den Thailänder auf der Hagenauer Straße?
- ● Nein.
- ● Das ist nicht weit. Das kannst du ganz einfach finden. Wie kommst du? Zu Fuß?
- ● Nein, ich nehme das Fahrrad.
- ● Ja, das ist gut, dann brauchst du nur 10 Minuten. Du fährst die Hufelandstraße bis zur Greifswalder Straße. Dort fährst du an der Kreuzung rechts und dann die nächste Straße links. Dann bist du in der Christburger Straße. Dann fährst du geradeaus. An der vierten oder fünften Kreuzung ist auf der rechten Seite eine Bäckerei. Da stehe ich und warte.
- ● Alles klar. Ich komme!

6b Sprechen Sie den Dialog zu zweit. Variieren Sie dreimal.

A Sie sind 25 Jahre alt.   **B** Sie sind 65 Jahre alt.   **C** Sie sind 15 Jahre alt.

Kommunikation

den Weg zur Arbeit beschreiben

- Wie kommen Sie zur Arbeit?
- Ich fahre mit dem Bus zur Arbeit.
  Ich brauche eine halbe Stunde.
- Ich gehe zu Fuß zur U-Bahn, dann
  fahre ich zehn Minuten mit der U-Bahn.

Regeln im Straßenverkehr

Der Bus hat Vorfahrt.
Hier darf man nicht parken.
Kinder bis zehn Jahre dürfen nicht mit
dem Fahrrad auf der Straße fahren.
Mit einem Führerschein aus China darf man
in Deutschland sechs Monate Auto fahren.

den Weg beschreiben und nach dem Weg fragen

- Entschuldigung, wie komme ich zum Krankenhaus?
- Nehmen Sie die U-Bahn Linie 1 Richtung Flughafen.
  Fahren Sie drei Stationen bis zum Hauptbahnhof.
  Dann müssen Sie in die Linie 2 Richtung Zoo umsteigen.
  Dann sind es noch drei Stationen und Sie sind am Krankenhaus.

- Wie komme ich zur Schlossstraße?
- Geh die Straße nach links / nach rechts / geradeaus.
  An der ersten/zweiten/dritten Kreuzung nach links / nach rechts.
  Dann (sofort) wieder nach rechts / nach links.

Grammatik

mit + Dativ

Ich fahre **mit dem** Auto, **mit dem** Bus,
mit der U-Bahn, **mit dem** Schiff.
Ich fliege **mit dem** Flugzeug.
(!) Ich gehe **zu** Fuß.

Wo? – Präpositionen mit Dativ:
in, an, auf, unter, über, vor, hinter, neben, zwischen

Im Bus sind viele Fahrgäste.
Die Sprachschule ist **über der** Post.
Auf dem Platz sind Bäume.

in dem → im   an dem → am

Modalverb *dürfen*

dürfen	
ich	darf
du	darfst
er/es/sie/man	darf
wir	dürfen
ihr	dürft
sie/Sie	dürfen

Hier	dürfen	Sie nicht	parken.
Der Bus	darf	zuerst	fahren.
Kinder	dürfen	nicht auf der Straße	fahren.

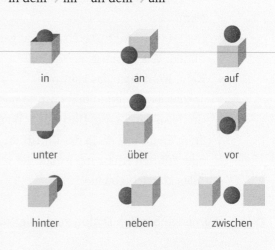

Mein Leben

1 die Großstadt

2 die Kleinstadt

3 Familie Schmidt

4

5

6

Sie lernen

- über Ihr Leben früher sprechen
- über Alltagsaktivitäten sprechen
- von einer Reise erzählen
- Jahreszahlen
- Perfekt
- Präposition *seit* + Dativ

1 a Das Leben von Familie Schmidt. Vermuten Sie. Wo lebt die Familie? Welchen Beruf hat Frau Schmidt?

> Foto 1 ist vielleicht eine Großstadt in Asien. Die Familie lebt vielleicht in ...

> Früher war Frau Schmidt in einer Groß-stadt. Heute ist sie ...

◀)) 2.27

1 b Was war früher, was ist heute? Hören Sie das Interview und vergleichen Sie mit Ihren Vermutungen.

2 Und Sie? Was war früher? Was ist heute? Sammeln Sie im Kurs.

Ü1-3

keine Kinder / Kinder

verheiratet/ledig/geschieden

in meiner Heimat / im Ausland

früher/heute

Führerschein / kein Führerschein

Arbeit / keine Arbeit

> Früher war ich Zahnarzt. Jetzt bin ich ...

> Früher hatte ich kein Auto. Jetzt habe ich ein Auto.

A Gestern und heute

1a Lesen Sie die Sätze und ordnen Sie sie den Bildern zu.

Ü4

1 Heute räumt er zu Hause auf.
2 Gestern hat sie vom Urlaub geträumt.
3 Heute kaufen sie zusammen auf dem Markt ein.
4 Gestern hat Frau Schmidt alleine gekocht.
5 Gestern hat Herr Schmidt das Büro aufgeräumt.
6 Gestern hat Herr Schmidt im Büro gearbeitet.
7 Gestern hat Frau Schmidt im Supermarkt eingekauft.
8 Heute arbeitet er nicht.
9 Heute kochen sie zusammen.
10 Heute suchen sie im Internet Reiseangebote.

1b Gestern oder heute? Machen Sie eine Tabelle und ordnen Sie die Sätze.

gestern	heute
Gestern hat Herr Schmidt im Büro gearbeitet.	Heute arbeitet ...

1c Hören Sie und vergleichen Sie mit der Tabelle. Lesen Sie dann die Sätze zu zweit.

2.28

2
Ü5

Lesen Sie den Grammatikkasten und ergänzen Sie die Partizipien aus 1a.

Perfekt				regelmäßige Partizipien	
Was	**hat**	Frau Schmidt gestern	gemacht?	ge...(e)t	...ge...t
Gestern	**hat**	sie im Supermarkt	eingekauft.	**ge**träumt	ein**ge**kauft
				....	....
				....	

3
Ü6

Regelmäßige Partizipien. Ergänzen Sie die Partizipien und dann die Sätze.

Infinitiv	Partizip				
lernen	*gelernt*	Ich	*habe*	gestern viel	*gelernt*
spielen	....	Ihr	....	gestern Fußball	....
reden	....	Wir	....	viel	....
hören	....	Sie	....	am Wochenende viel Musik	....
abholen	....		....	Sie die Kinder vom Kindergarten	....................?
kochen	....		....	ihr schon das Abendessen	....................?
machen	....		....	du die Hausaufgaben	....................?

🔊
2.29

4a
Ü7

Hören Sie und sprechen Sie nach.

Ich habe eingekauft.
Ich habe gestern eingekauft.
Ich habe gestern im Supermarkt eingekauft.
Ich habe gestern im Supermarkt Obst und Gemüse eingekauft.

4b

Sprechen Sie Sätze wie in 4a.

Ich habe gekocht.   vor drei Tagen • mit einer Freundin • Reis und Gemüse
Er hat gespielt.   am Wochenende • mit seinen Kindern • Karten

5
Ü8

Fragen und antworten Sie.

eingekauft • gearbeitet •
mit den Kindern gespielt •
Musik gehört • Karten gespielt •
Sport gemacht • Essen gekocht •
Radio gehört •
die Wohnung aufgeräumt •
mit Freunden geredet

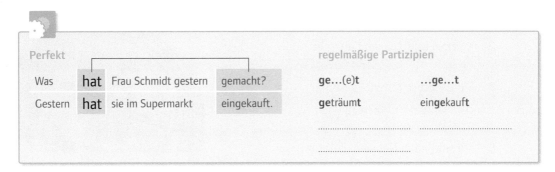

Hast du gestern gearbeitet?

Nein, ich habe nicht ...

Haben Sie gestern eingekauft?

Ja, ich habe ...

1 Lesen Sie die Sätze und die Postkarte. Kreuzen Sie an: richtig oder falsch?

	R	F
1 Simone ist in Wien.	☐	☐
2 Markus und Lea sind auch in Wien.	☐	☐
3 Sie haben schon viel gesehen.	☐	☐
4 An den ersten Tagen sind sie früh aufgestanden.	☐	☐
5 Sie sind nach Neusiedl gefahren.	☐	☐

Liebe Claudia,

viele Grüße aus Wien. Ich bin mit Lea zu meinem Bruder gefahren. Markus ist leider nicht mitgekommen. Er muss arbeiten. Wir haben schon viel gemacht. Wir haben den Prater gesehen, wir sind mit dem Schiff auf der Donau gefahren und wir sind spazieren gegangen. Lea ist immer spät eingeschlafen und am Morgen sind wir schon um 7.00 Uhr aufgestanden. Gestern sind wir zu Hause geblieben: Wir waren müde. Lea hat lange geschlafen und auch ich bin erst spät aufgewacht. Dann haben wir bei meinem Bruder gemütlich gegessen und Kaffee getrunken. Morgen wollen wir einen Ausflug nach Neusiedl machen.

Liebe Grüße
Simone

45

Claudia Novak

Alte Poststraße 17

94036 Passau

🔊 2.30

2 Hören Sie die Nachricht auf dem Anrufbeantworter und ergänzen Sie die Sätze.

> im Moment nicht zu Hause • den Autoschlüssel nicht finden •
> nach Wien kommen und den Schlüssel mitbringen • zu Hause an

1 Simone ruft ....

2 Sie kann ....

3 Markus ist ....

4 Markus soll ....

3 a
Ü9–11
Perfekt mit *haben* oder *sein*. Markieren Sie das Perfekt auf der Postkarte und schreiben Sie die Sätze in eine Tabelle im Heft.

Perfekt mit (sein)	Perfekt mit (haben)
Ich *bin* mit Lea zu meinem Bruder *gefahren*.	Wir *haben* viel *gemacht*.
Markus *ist* leider ...	Wir *haben* schon ...

3 b Lesen Sie den Grammatikkasten. Machen Sie eine Liste mit den Verben mit *sein* im Perfekt.

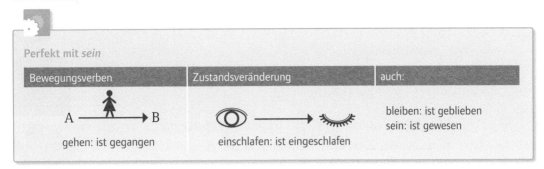

Perfekt mit *sein*

Bewegungsverben	Zustandsveränderung	auch:
A ——→ B		bleiben: ist geblieben
gehen: ist gegangen	einschlafen: ist eingeschlafen	sein: ist gewesen

3 c Unregelmäßige Partizipien. Wie heißt der Infinitiv? Ergänzen Sie.

trinken .... getrunken   .... gefahren   .... gesehen

.... gegessen   .... gegangen   .... mitgebracht

.... geschlafen   .... geblieben   .... mitgekommen

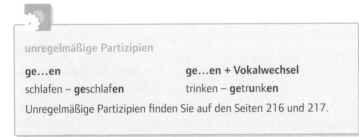

unregelmäßige Partizipien

ge...en   **ge...en + Vokalwechsel**
schlafen – **ge**schlaf**en**   trinken – **ge**trunk**en**
Unregelmäßige Partizipien finden Sie auf den Seiten 216 und 217.

4
Ü13

Schreiben Sie die Sätze im Perfekt.

1 Markus • kommen / Autoschlüssel mitbringen
2 Sie • zusammen nach Neusiedl • fahren
3 Sie • das Schloss in Wien • sehen
4 zum Hotel Sacher • gehen / Sachertorte • essen
5 Simone und Markus • im Kaffeehaus • Kaffee trinken

5 Üben Sie die Partizipien zu zweit.

arbeiten • essen • fahren • gehen •
lesen • lernen • machen • bleiben

gehen

Ich bin gegangen.

6
Ü14

Was haben Sie am letzten Wochenende gemacht? Erzählen Sie.

Ich habe ...		Ich bin ...	
mit der Familie	gegessen	ins Kino	
bei Freunden	getrunken	in einen Club	
auf dem Markt	eingekauft	nach Hause	gefahren
einen Film	gesehen	zu Freunden	gegangen
Karten	gespielt	nach ...	

C Mein Leben früher und heute

1 a
Ü15

Stationen im Leben von Herrn Soto. Lesen Sie den Text und orden Sie die Fotos zu.

Im Porträt heute: Santiago Soto

☐ Mein Name ist Santiago Soto. Ich komme aus Costa Rica und bin 2004 nach Deutschland gekommen. In Costa Rica habe ich in meiner Kindheit auf dem Land gelebt. Das war sehr schön, aber wir waren sehr arm. Dann habe ich sechs Jahre in der Stadt Miguel gelebt. Ich habe da auf einem Markt Fisch verkauft und dann meinen Beruf (Automechaniker) gelernt.

☐ 2004 bin ich nach Deutschland gekommen. Ich habe zuerst in Stuttgart gewohnt. Am Anfang war es schwer. Ich war allein und meine Frau war noch in Costa Rica. Aber dann habe ich Deutsch gelernt. Ich bin zur Volkshochschule Stuttgart gegangen und habe ein Jahr Deutsch gelernt.

☐ Dann habe ich Arbeit als Taxifahrer gefunden und meine Frau ist auch nach Deutschland gekommen. Jetzt geht es uns gut. Wir haben zwei Kinder und wohnen in einer Kleinstadt in der Nähe von Stuttgart. Ich habe jetzt mein eigenes Taxiunternehmen mit sechs Angestellten und verdiene sehr gut. Meine Frau hat auch eine Arbeit gefunden. Seit zwei Jahren haben wir ein eigenes Haus.

☐ Ich fliege einmal im Jahr zusammen mit meiner Familie nach Costa Rica. Ich möchte meine Familie sehen und meine Kinder sollen unsere Heimat und ihre Verwandten kennen. Das ist sehr wichtig für mich.

1 b Lesen Sie noch einmal und beantworten Sie die Fragen.

1 Wo hat Herr Soto in Costa Rica gelebt?
2 Wann ist er nach Deutschland gekommen?
3 Wo hat er in Deutschland zuerst gewohnt?

4 Welche Arbeit hat Herr Soto zuerst gemacht?
5 Seit wann hat er sein Haus?
6 Wie oft fliegt er nach Costa Rica?

2a Schreiben Sie die Jahreszahlen.
Ü16

1978 ....

1986 ....

1996 .... 2005 ....

2000 .... 2014 ....

> **!**
>
> Jahreszahlen lesen
> 1989 neunzehnhundertneunundachtzig
> 2001 zweitausendeins

2b Hören Sie und sprechen Sie nach.
2.31

3a Hören Sie das Interview. Wie findet Frau Soto das Leben in Deutschland?
2.32

3b Hören Sie noch einmal und ergänzen Sie
Ü17 die Jahreszahlen.

> *seit* + Dativ
> **Seit wann** ist Herr Soto in Deutschland?
> Er ist **seit** 2004 in Deutschland.
> Ich bin **seit** einem Jahr in Deutschland.

1 Frau Soto kennt ihren Mann seit

....

2 Herr und Frau Soto haben .... geheiratet.

3 Frau Soto ist seit .... in Deutschland.

4 Sie hat von .... bis .... Deutschkurse gemacht.

5 Sie arbeitet seit .... in einem Supermarkt.

3c Berichten Sie über das Leben von Frau Soto.

4a Ein Interview. Was passt zusammen? Schreiben Sie Fragen. Es gibt viele Möglichkeiten.

	sind Sie nach Deutschland gekommen?
Haben Sie	auf dem Land oder in der Stadt gelebt?
Wo	haben Sie Deutsch gelernt?
Wann	haben Sie früher gelebt?
Wie lange	in Deutschland schon gearbeitet?
Seit wann	wohnen Sie hier in …?
	sind Sie zuletzt in Ihr Heimatland gefahren?

4b Machen Sie ein Interview mit Ihrem Partner / Ihrer Partnerin und berichten Sie im Kurs.

> *Er hat in einer Kleinstadt gelebt. Die Stadt heißt …*

Wörter sprechen

1 a Welche Verben passen? Sprechen Sie den Infinitiv und das Partizip.

> hat gekocht • hat aufgeräumt • hat geträumt • ist gegangen • hat gehört •
> hat gelesen • hat getrunken • ist eingeschlafen • hat gegessen •
> hat ferngesehen • hat eingekauft • ist gefahren

1 b Hören Sie zur Kontrolle und sprechen Sie nach.

2.33

1 c Sprechen Sie mit jedem Verb einen Beispielsatz im Perfekt.

Minidialoge sprechen

2 Wissen Sie es? Kreuzen Sie an. Fragen und antworten Sie dann.

1 Wann waren die ersten Olympischen Spiele in der Neuzeit?
☐ 1892 ☐ 1896 ☐ 1904

> *Wann waren die ersten Olympischen Spiele?*

> *Ich glaube, das war...*

2 Seit wann gibt es die Bundesrepublik Deutschland?
☐ seit 1949 ☐ seit 1958 ☐ seit 1974

3 Wann war die erste Mondlandung?
☐ 1947 ☐ 1961 ☐ 1969

4 Wann war die erste Fußball-Weltmeisterschaft?
☐ 1924 ☐ 1930 ☐ 1938

die Olympischen Spiele

5 Seit wann benutzt man in Deutschland das Telefon?
☐ seit1881 ☐ seit 1911 ☐ seit 1924

6 Wann war Deutschland Fußball-Weltmeister?
☐ 1954, 1974, 1994 ☐ 1958, 1974, 1996, 2014
☐ 1954, 1974, 1990, 2012

die Mondlandung

Grammatik sprechen

3 Fragespiel. Richtig oder falsch? Was hat Tereza gestern gemacht? Arbeiten Sie zu zweit.
Die richtigen Informationen findet Partner/in B auf Seite 161.

Partner/in A
Das sagt Tereza:

am Morgen um acht Uhr: die Wohnung aufräumen
am Vormittag: auf dem Markt einkaufen
um 13 Uhr: ein Essen kochen
um 15 Uhr: Wörter lernen
um 16 Uhr: mit dem Fahrrad zu einem Café fahren
im Café: nur einen Kaffee trinken
am Abend: einen Film sehen

> Tereza sagt, sie hat morgens um acht Uhr die Wohnung aufgeräumt.

> Das stimmt nicht. Sie hat um acht Uhr geschlafen.

Flüssig sprechen

4 2.34 Hören Sie zu und sprechen Sie nach.

VIDEO
Clip 15
Seite 183

Dialogtraining

5a 2.35 Hören Sie den Dialog. Sammeln Sie im Kurs Informationen zu Maria.

Corinna   Ernst

● Wohnen Sie allein hier?
● Ja, ich wohne allein. Früher habe ich hier mit meiner Familie gewohnt. Meine Frau lebt leider nicht mehr. Sie war sehr krank.
● Haben Sie denn Kinder?
● Ja, ich habe eine Tochter. Sie heißt Maria. Sie hat in Berlin studiert. Dann ist sie nach Spanien gegangen. Sie lebt jetzt in Madrid.
● In Madrid? Die Stadt ist ja toll. Wir sind vor zwei Jahren nach Madrid gefahren. Das war sehr interessant. Wir haben viel gesehen. Besuchen Sie Ihre Tochter manchmal?
● Ja, ich fahre nach Madrid. Bald!

5b Sprechen Sie den Dialog zu zweit.

5c Schreiben Sie den Dialog neu: Maria ist jetzt ein junger Mann und heißt Thomas.

Kommunikation

über Ihr Leben früher sprechen

Früher habe ich in einem Dorf gelebt.
Meine Familie hatte ein Haus.
Das Leben war sehr schwer.
Dann habe ich in einer Stadt gelebt.
Das war sehr interessant.

von einer Reise erzählen

Wir sind nach Wien gefahren.
Wien ist toll. Wir haben viele Ausflüge
gemacht und haben viel gesehen.

über Alltagsaktivitäten sprechen

- Was hast du gestern gemacht?
- Gestern habe ich lange geschlafen.
  Dann habe ich auf dem Markt
  eingekauft.
  Ich habe zu Hause aufgeräumt.
  Am Abend bin ich ins Kino gegangen.

einen Brief oder eine Postkarte schreiben (informell)

Anrede: Liebe Eva, / Lieber Martin,
Text: ...
Gruß: Viele Grüße / Liebe Grüße
Unterschrift: Simone

Grammatik

Perfekt: *haben/sein* + Partizip

Er	hat	in einer Großstadt	gelebt.
Wann	sind	Sie nach Deutschland	gekommen?
Ich	bin	2002 nach Deutschland	gekommen.
	Haben	Sie gestern auf dem Markt	eingekauft?

Perfekt mit *sein*

Bewegungsverben	Zustandsveränderung	auch:
A ——→ B gehen: ist gegangen	einschlafen: ist eingeschlafen	bleiben: ist geblieben sein: ist gewesen

regelmäßige Partizipien

ge...(e)t: gemacht, gelernt, gespielt, gearbeitet, gelebt ...
...ge...(e)t: abgeholt, eingekauft, aufgeräumt ...

Die unregelmäßigen Partizipien (*gegangen, gefahren* ...) finden Sie auf den Seiten 216 und 217.

Präposition *seit* + Dativ

seit ... → **heute**
Er ist **seit einem** Jahr in Deutschland. Sie wohnt schon **seit** 1995 hier.

Bundesagentur für Arbeit

Standesamt

Antrag auf Kindergeld

Anzahl der beigefügten „Anlage Kind":

Familienkasse

Warteraum

Kfz-Zulassungsstelle

Sie lernen

- Fragen stellen und etwas erklären
- sich bedanken
- um Hilfe bitten und auf Bitten reagieren
- das Datum
- Personalpronomen im Dativ
- Präposition *für* + Akkusativ

1a Was kann man hier tun? Schreiben Sie.

Ü1-2

> das Auto anmelden und abmelden •
> eine Berufsberatung bekommen • Kindergeld
> beantragen • heiraten

bei der Bundesagentur für Arbeit: ....

bei der Familienkasse: ....

bei der Kfz-Zulassungsstelle: ....

beim Standesamt: ....

1b Wo ist das? Hören Sie die Dialoge und ordnen Sie sie den Fotos zu.

2.36

2 Welche Behörden kennen Sie in Ihrem Wohnort? Sprechen Sie im Kurs.

> Für mich ist das Bürgeramt
> sehr wichtig.

> Ich habe im Ausländeramt mein Visum verlängert.
> Das ist hier in Unterrode im Rathaus.

🔊 2.37   Ü3   **1 a**   **Hören Sie das Telefongespräch. Was soll Herr Lopez machen? Kreuzen Sie an.**

A ☐ ein Formular im Bürgeramt abholen

B ☐ ein Formular aus dem Internet herunterladen

C ☐ ein Formular aus Saarbrücken mitbringen

1 b   **Lesen Sie erst die Sätze und dann das Formular. Was ist richtig? Kreuzen Sie an.**

1 ☐ Herr Lopez hat früher in Saarbrücken gewohnt.

2 ☐ Herr Lopez ist 1973 geboren.

3 ☐ Herr Lopez ist in Deutschland geboren.

4 ☐ Herr Lopez ist Spanier.

www.unterrode.de/meldestelle/anmeldebestätigung/formular

Anmeldebestätigung

Neue Wohnung			Alte Wohnung		
Tag des Einzugs 1.9.15			Straße, Hausnummer Mainzer Straße 53		
Straße, Hausnummer Knollstraße 15			Gemeinde Saarbrücken		
Gemeinde Osnabrück			Familienname Lopez		
Vermieter Wohnungsbau GmbH Osnabrück			Vorname Diego		
Die Wohnung ist	Hauptwohnung	X	Geburtsort Madrid, Spanien		
	Nebenwohnung				
Familienstand ledig			männl.	X	Geburtsdatum 12.10.79
			weibl.		
berufstätig	ja	X	Staatsangehörigkeit spanisch		
	nein				

1 c   **Wichtige Informationen in Formularen. Ergänzen Sie die Sätze.**

> Tag des Einzugs • ~~Geburtsdatum~~ • Vermieter • Familienstand • Gemeinde • Hauptwohnung • Staatsangehörigkeit • Geburtsort

1 Ich bin in Madrid geboren. Das ist mein ....

2 Ich bin am 12.10.1979 geboren. Das ist mein *Geburtsdatum* ....

3 Ich bin nicht verheiratet, ich bin ledig. Das ist mein ....

4 Meine .... ist spanisch.

5 Meine Wohnung ist in der Knollstraße 15 in Osnabrück. Das ist meine .... Ich habe keine andere Wohnung.

6 Ich habe die Wohnung gemietet. Die Wohnungsbau GmbH ist mein ....

7 Ich wohne seit dem 1.9.2015 in der Wohnung. Das ist der ....

8 Eine Stadt oder ein Dorf nennt man auch ....

2a Das Datum. Lesen Sie den Satz laut.

Ü4-5

am   zwanzigsten   Zehnten   neunzehnhundertneunundsiebzig

Diego Lopez ist am 20.10.1979 geboren.

2b Ergänzen Sie.

1–19 + *ten*

am 1. – am **ersten**

am 2. – am zwei**ten**

am 3. – am **dritten**

am 4. – am vier ....

am 7. – am **siebten**

am 8. – am **achten**

am 9. – am neun ....

am 10. – am zehn ....

am 16. – am **sech**zehn ....

am 19. – am neunzehn ....

ab 20 + *sten*

am 20. – am zwanzig**sten**

am 21. – am einundzwanzig ....

am 22. – am zweiundzwanzig ....

am 23. – am dreiundzwanzig ....

am 30. – am dreißig ....

am 31. – am einunddreißig ....

3 Wann sind die Personen geboren? Fragen und antworten Sie.

Ü6-7

Tim Hof: 27.3.2006

Tina Abt: 28.1.1996

Andi Roshi: 19.2.1978

Anna Süß: 17.6.1932

4 Frau Müller zieht um. Was macht sie wann? Sprechen Sie.

Wann ist der Umzug von Frau Müller?

Am 31.3.

Wann ...

Montag 26.03.	Dienstag 27.03.	Mittwoch 28.03.	Donnerstag 29.03.	Freitag 30.03.	Samstag 31.03.	Sonntag 01.04.
Umzugskartons kaufen			Sachen in der Wohnung packen		14:00 Uhr umziehen	

Montag 02.04.	Dienstag 03.04.	Mittwoch 04.04.	Donnerstag 05.04.	Freitag 06.04.	Samstag 07.04.	Sonntag 08.04.
Bürgeramt: Wohnung anmelden		Kartons auspacken	Wohnung aufräumen	für die Party einkaufen	Party!!	

1
Ü8

Lesen Sie die Internetseite. Welche Angebote hat die Wohnungsbau GmbH?
Sammeln Sie.

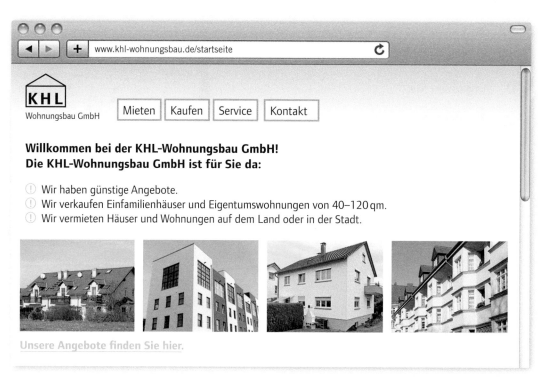

2 a
2.38

Hören Sie den Dialog und kreuzen
Sie an. Was ist richtig?

A ☐   Juan Negredo hat eine neue
          Wohnung gefunden.

B ☐   Yanti Barsales braucht eine
          Wohnung, aber er kann keine
          Wohnung finden.

2 b
2.39

Hören und lesen Sie den Dialog weiter und beantworten Sie die Fragen.

1   Wo hat Juan Negredo früher gewohnt, wo wohnt er jetzt?
2   Wie bekommt man eine Wohnung bei der Wohnungsbau GmbH?
3   Wer hat Juan Negredo bei den Formularen geholfen?

● Früher habe ich in einer Wohnung von der Wohnungsbau GmbH gewohnt.
  Jetzt habe ich eine Eigentumswohnung.
● Eigentumswohnung? Was heißt das?
● Das heißt, es ist meine Wohnung. Sie gehört mir.
● Das ist super. Aber wie bekommt man eine Wohnung bei der Wohnungsbau GmbH?
● Man muss eine Wohnung beantragen.
● Hm, dann muss man Formulare ausfüllen und Formulare verstehe ich oft nicht so gut.
● Das ist kein Problem. Die Sachbearbeiterin bei der Wohnungsbau GmbH hat mir damals
  geholfen. Ich gebe dir auch gern ein paar Tipps. Ich habe auch noch eine Informations-
  broschüre. Die bringe ich dir morgen mit.
● Das ist nett, ich danke dir.

3 a Lesen Sie den Dialog in 2b noch einmal und ergänzen Sie die Verben.
Ü9

1 Die Wohnung .... mir.

2 Die Sachbearbeiterin hat mir

....

3 Ich .... dir gern ein paar

Tipps.

4 Ich .... dir morgen eine

Informationsbroschüre ....

5 Das ist nett. Ich .... dir.

Personalpronomen	
Nominativ	**Dativ**
ich	
du	
wir	uns
ihr	euch
Sie	Ihnen

Wem gehört die Wohnung?
Die Wohnung gehört **mir**.

3 b Markieren Sie die Personalpronomen in 3a und ergänzen
Sie den Grammatikkasten.

4 a Ergänzen Sie.
Ü10

- Hilfst du mir?   ● Ja, ich helfe _dir_ ....

- Hilfst du uns?   ● Ja, ich helfe ....

- Helfen Sie mir?   ● Ja, ich helfe ....

- Hat er dir geholfen?   ● Ja, er hat .... geholfen.

- Hat er euch geholfen?   ● Ja, er hat .... geholfen.

- Hat er Ihnen geholfen?   ● Ja, er hat .... geholfen.

4 b Lesen Sie die Minidialoge zu zweit.

5 Sammeln Sie Gegenstände im Kurs. Wem gehört was? Fragen und antworten Sie.

Wem gehört das Buch?

Nein, das gehört mir nicht!

Das gehört Natalia.

🔊 **1a** **Hören und ergänzen Sie die Dialoge. Lesen Sie dann die Dialoge zu zweit.**
2.40 Ü11-12

> helfen • verstehe • Termin • Zimmer 3 • danke • elf Uhr

Dialog 1

- Entschuldigen Sie bitte, wo finde ich Frau Barth?
- Haben Sie einen .... ?
- Ja, um ....
- Das Büro von Frau Barth ist im Erd-

  geschoss, ...
- Vielen Dank.

Dialog 2

- Verzeihung, können Sie mir .... ?

  Ich .... das Wort *Familien-stand* nicht. Was bedeutet das?
- Sind Sie verheiratet?
- Ja.
- Dann tragen Sie bei Familienstand *verheiratet* ein.
- Ich .... Ihnen.

🔊 **1b** **Hören Sie zwei weitere Dialoge und kreuzen Sie an: Was ist richtig?**
2.41 Ü13

    A ☐ Der Mann kann die Kursgebühr nicht bezahlen.
1 B ☐ Der Mann kann die Anmeldeformulare nicht finden.
    C ☐ Der Mann versteht das Wort *Kursgebühr* nicht.

    A ☐ Wartenummern bekommt man am Informationsschalter.
2 B ☐ Die Frau hat die Wartenummer 61.
    C ☐ Heute muss man lange warten.

2 **Schreiben und spielen Sie Dialoge wie in 1.**

Partner A: Sie sind beim Bürgeramt und Sie suchen das Büro von Frau Dunkel.
Partner B antwortet: im dritten Stock, Zimmer 351

der Nummernautomat

Partner A: Sie sind im Warteraum und suchen die Wartenummern.
Partner B antwortet: am Automaten links neben dem Eingang

Partner A: Sie füllen ein Anmelde-formular aus und verstehen das Wort *berufstätig* nicht.
Partner B antwortet: Haben Sie Arbeit? Dann sind Sie berufstätig.

um Hilfe bitten

Kann ich Ihnen helfen?	Entschuldigen Sie bitte, …	Ich verstehe das Wort … nicht.	Herzlichen Dank.
Ja, bitte?	Verzeihung, …	Können Sie mir das erklären?	Vielen Dank.
Ja, gern.	Können Sie mir helfen?	Wo ist das Büro von …?	Ich danke Ihnen.
	Ich habe eine Frage.		

D Was braucht man für …?

1
Ü14

Ämter und Behörden. Welche Dokumente braucht man? Ergänzen Sie die Sätze.

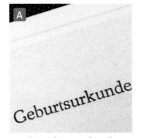

die Geburtsurkunde

der Pass

die Gehaltsabrechnung

das Autokennzeichen

1 Für die Kfz-Zulassung braucht man das ....

2 Für Auslandsreisen braucht man den ....

3 Für einen Kindergeldantrag braucht man die ....

4 Für einen Mietvertrag braucht man manchmal ....

2
Ü15-16

Was braucht man für …? Fragen und antworten Sie.

1 Arztbesuch • Termin
2 Fahrt mit der Straßenbahn • Fahrkarte
3 Deutschkurs • Wörterbuch
4 Einkauf • Tasche, Einkaufszettel
5 Hochzeit • zwei Ringe, Termin beim Standesamt
6 Fest • Getränke, Chips, Musik …

für + Akkusativ	
m	für den / für einen
n	für das / für ein
f	für die / für eine
Pl.	für die / für –

> Was braucht man für einen Arztbesuch?

> Für einen Arztbesuch braucht man einen …

3

Projekt: Behörden in Ihrem Wohnort. Wo ist was? Sammeln Sie Informationen und machen Sie ein Kursplakat. Die Internetseite Ihrer Stadt finden Sie unter www.meine-stadt.de.

Wo ist das Ausländeramt?
Wo meldet man das Auto an?
Wo ist die Agentur für Arbeit?

Welche Formulare kann man aus dem Internet herunterladen?
Wo kann man eine Wohnung anmelden?

Unterrode

Stadtkarte Verkehrsplan Kontakt

Politik Kultur Tourismus Wirtschaft Ämter

suchen

Wörter sprechen

1a Was kann man wo machen? Ordnen Sie zu.

1 bei der Arbeitsagentur	A ☐ heiraten
2 bei der Kfz-Zulassungsstelle	B ☐ Arbeit suchen
3 bei der Familienkasse	C ☐ die Wohnung anmelden
4 beim Standesamt	D ☐ das Auto anmelden und abmelden
5 beim Ausländeramt	E ☐ Kindergeld beantragen
6 bei der Meldestelle	F ☐ ein Visum verlängern

🔊 2.42 **1b** Kontrollieren Sie mit der CD und sprechen Sie nach.

Minidialoge sprechen

2a Schreiben Sie Ihre Daten in das Formular.

Anmeldebestätigung

Neue Wohnung		Alte Wohnung		
Tag des Einzugs		Straße, Hausnummer		
Straße, Hausnummer		Gemeinde		
Gemeinde		Familienname		
Vermieter		Vorname		
Die Wohnung ist	Hauptwohnung ☐	Geburtsort		
	Nebenwohnung ☐			
Familienstand		männl. ☐	Geburtsdatum	
		weibl. ☐		
berufstätig	ja ☐	Staatsangehörigkeit		
	nein ☐			

2b Fragen Sie Ihren Partner / Ihre Partnerin und tragen Sie seine/ihre Daten in das Formular auf Seite 162 ein.

Wo haben Sie früher gewohnt?
Wo wohnen Sie jetzt?
Wann sind Sie geboren?
Wie heißt Ihr Vermieter?
Wann ist der Tag des Einzugs?
Ist die Wohnung Ihre Hauptwohnung?
Was ist Ihre Staatsangehörigkeit?
Sind Sie verheiratet?
Wo sind Sie geboren?

Entschuldigung, bitte wiederholen Sie.

*Wie schreibt man das?
Können Sie bitte buchstabieren?*

Grammatik sprechen

3 Arbeiten Sie zu zweit. Ergänzen Sie die Personalpronomen im Dativ. Sprechen Sie dann die Minidialoge zu zweit.

● Hilfst du ....? ● Ja, ich helfe .... gleich.

● Gehört das Buch ....? ● Nein, es gehört .... nicht.

● Wie geht es ....? ● Danke, es geht .... gut.

● Können Sie .... helfen? ● Ja, ich helfe .... gerne.

● Soll ich .... einen Kaffee mitbringen? ● Das ist nett. Ich danke ....

Flüssig sprechen

🔊 2.43 **4** Hören Sie zu und sprechen Sie nach.

VIDEO   Clip 16 Seite 184

Dialogtraining

🔊 2.44 **5 a** Ergänzen Sie den Dialog und kontrollieren Sie dann mit der CD.

> abholen • ausgefüllt • ausgefüllt • lange • nett • verlängern

● Wie kann ich Ihnen helfen?

● Ich möchte meinen Personalausweis ....

● Haben Sie das Formular schon ....?

● Welches Formular? Nein, ich habe noch kein Formular

.... Ich kann es nicht aus dem Internet herunterladen. Wissen Sie, ich habe keinen Computer und …

● Das ist doch gar kein Problem. Wir füllen das Formular zusammen aus. Ich schreibe alles in den Computer.

Ernst   Daniel

● Gut. Das ist .... Danke.

● So, dann brauche ich noch ein Foto. Und dann müssen Sie hier unten noch unterschreiben.

● Okay. Wann kann ich den Personalausweis ....?

● Sie können ihn in drei Wochen am Informationsschalter hier im Bürgeramt abholen. Wir rufen Sie dann an.

● Drei Wochen? So ....?

5 b Sprechen Sie zu zweit – einmal ganz langsam und einmal sehr schnell.

Kommunikation

um Hilfe bitten und auf Bitten reagieren

- Entschuldigen Sie bitte, darf ich Sie etwas fragen?
- Verzeihung, können Sie mir helfen?
- Ja, gern.
- Ja, bitte?
- Was kann ich für Sie tun?

Fragen stellen und etwas erklären

- Was bedeutet das Wort *berufstätig*? Können Sie mir das erklären?
- *Berufstätig* bedeutet: Man hat Arbeit und verdient Geld.
- Wo muss man das Geburtsdatum eintragen?
- Das Geburtsdatum tragen Sie hier rechts ein.

sich bedanken

- Vielen Dank.
- Herzlichen Dank.
- Ich danke Ihnen.

Personendaten angeben

Mein Geburtsort ist Hannover.

Ich bin am 4. Mai 1981 geboren.

Meine Staatsangehörigkeit ist deutsch.

Grammatik

Personalpronomen

Nominativ	Dativ
ich	mir
du	dir
wir	uns
ihr	euch
Sie	Ihnen

wichtige Verben mit Dativ

helfen	• Können Sie **mir** helfen?
	• Ja, gerne.
danken	• Ich danke **Ihnen**.
	• Gerne.
gehören	• **Wem** gehört das Haus?
	• Das Haus gehört **mir**.

Datum

1–19 + *ten*	ab 20 + *sten*
am 1. – am **ersten**	am 20. – am zwanzig**sten**
am 2. – am zwei**ten**	am 30. – am dreißig**sten**
am 3. – am **dritten**	
am 4. – am vier**ten**	
am 7. – am **siebten**	
am 8. – am **achten**	
am 10. – am zehn**ten**	
am 19. – am neunzehn**ten**	

Wann sind Sie geboren?

Ich bin am zwanzigsten Achten neunzehnhundertneunundsiebzig geboren.

Präposition *für* + Akkusativ

Die Gesundheitskarte braucht man **für den** / **für einen** Arztbesuch.

Man braucht **für die** Behörden oft viele Dokumente.

1 **Wörter finden. Welche Gruppe findet die meisten Wörter mit …?**

Bilden Sie Gruppen mit vier Personen. Der Kursleiter / die Kurseiterin sagt leise das Alphabet. Jemand sagt „Stopp". Danach bekommen Sie drei Minuten Zeit. Schreiben Sie so viele Wörter mit dem Buchstaben wie möglich. Welche Gruppe hat die meisten richtigen Wörter? Vergleichen Sie.

◀)) 2a **Phonetikspiel. Rhythmen hören und sprechen. Welches Wort hören Sie? Kreuzen Sie an.**
2.45

1 ☐ Supermarkt	☐ Bäckerei	**4** ☐ Kontoauszug	☐ Überweisung
2 ☐ Käsekuchen	☐ Marmelade	**5** ☐ Straßenbahn	☐ Motorrad
3 ☐ Zahnarztpraxis	☐ Apotheke	**6** ☐ Formular	☐ Mietvertrag

2b **Sprechen Sie ein Wort aus 2a mit *lalala*, Ihr Partner / Ihre Partnerin muss das Wort raten.**

> Lala_la_,

> Lala_la_, das ist Bäcker_ei_.

> Richtig.

3 **Grammatikspiel: Sätze in Bewegung**

Sie brauchen: Zettel, dicke Stifte und viel Platz

1 Bilden Sie zwei Gruppen. Jede Gruppe schreibt lange Sätze. Schreiben Sie jedes Wort auf einen eigenen Zettel und vermischen Sie dann die Zettel.

2 Jede Gruppe gibt ihren Satz an die andere Gruppe. Bei „Los!" geht's los. Welche Gruppe hat zuerst den richtigen Satz?

Vom Start zum Ziel

Spielregeln

1 Immer zwei bis vier Personen aus dem Kurs spielen zusammen.
2 Sie brauchen eine Münze pro Spieler und einen Würfel pro Gruppe.
3 Sie beantworten die Frage richtig? Sie dürfen zwei Kästchen weiter.
4 Sie beantworten die Frage falsch? Sie müssen zwei Kästchen zurück.
5 Sie sind zuerst am Ziel? Dann haben Sie gewonnen.

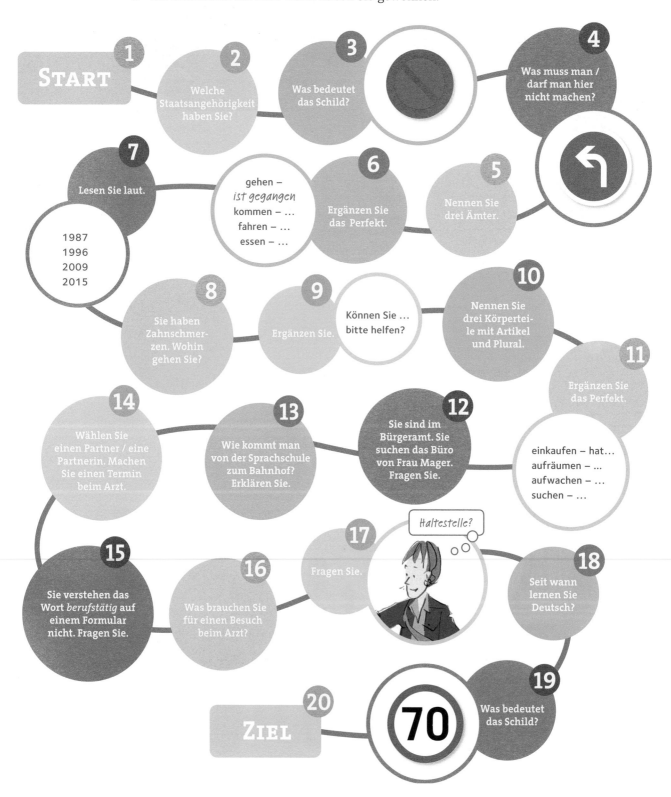

Im Kaufhaus

der Mantel • die Bluse • das Kleid • der Pullover • das Hemd • die Jacke • das T-Shirt • der Anzug • das Sweatshirt • die Jeans • der Rock • die Hose • die Krawatte • die Schuhe (Pl.) • die Socken (Pl.) • die Unterwäsche

Sie lernen

- über Kleidung sprechen
- Einkaufsdialoge im Kaufhaus führen
- über Einkaufsmöglichkeiten sprechen
- sich im Kaufhaus orientieren
- Adjektive vor Nomen mit dem bestimmten Artikel
- das Fragewort *welch-*
- Komposita

🔊 **1** Hören Sie die Wörter und zeigen Sie die Kleidungsstücke
2.46 Ü1 auf dem Bild.

2 Ein Farbenspiel. A sagt ein Kleidungsstück und wirft einen
Ball. B fängt und sagt einen Satz.

> Die Bluse.

> Die Bluse ist weiß.

3 Wie gefällt Ihnen die Kleidung? Fragen und antworten Sie.
Ü2-3

> Gefällt Ihnen die Bluse?

> Nein, sie gefällt mir nicht.
> Ich finde sie altmodisch.

gefallen + Dativ
Die Bluse gefäl**t** mir.
Die Schuhe gefal**len** mir.

über Kleidung sprechen

Wie gefällt Ihnen/dir die Hose?	
Die Hose gefällt mir …	sehr gut – gut – nicht gut – gar nicht – überhaupt nicht
Ich finde die Hose …	schick – bequem – modern – altmodisch – langweilig – komisch

A Kleidung kaufen

◀)) 1a Herr und Frau Gashi kaufen ein. Hören Sie den Dialog: Was kaufen sie?
2.47 Ü4-5

1b Lesen Sie den Dialog zu dritt und ergänzen Sie die Grammatiktabelle.

- ● Kann ich Ihnen helfen?
- ● Ja, gern. Ich suche einen Anzug.
- ● Wie finden Sie den blauen Anzug?
- ● Ja, der ist nicht schlecht. Kann ich ihn anprobieren?
- ● Ja, gern, hier ist die Umkleidekabine.
- ● Der Anzug passt. Haben Sie auch Hemden?
- ● Ja, weiß, grau, blau ... Welche Farbe möchten Sie?
- ● Ich nehme das blaue Hemd und die blaue Krawatte.
- ● Das sieht gut aus, nur die braunen Schuhe passen nicht.
- ● Dann müssen wir auch noch Schuhe kaufen.

Adjektive vor Nomen mit dem bestimmten Artikel

	Nominativ	Akkusativ
m	Der blaue Anzug ist nicht schlecht.	Ich finde den blau..... Anzug gut.
n	Das blaue Hemd ist schick.	Ich nehme das blau....... Hemd.
f	Die rote Krawatte ist elegant.	Ich möchte die rote Krawatte.
Pl.	Die braun..... Schuhe passen nicht.	Ich muss die schwarzen Schuhe anziehen.

◀)) 1c Hören Sie die Sätze aus dem Grammatikkasten und sprechen Sie nach.
2.48

◀)) 2a Hören Sie den Dialog und lesen Sie mit.
2.49 Ü6-8

- ● Kann ich Ihnen helfen?
- ● Ja, ich möchte den gelben und den blauen Pullover anprobieren.
- ● Gerne, bitte, hier ist die Umkleidekabine.
  ...
  Der blaue Pullover sieht gut aus. Möchten Sie nicht auch noch den roten Pullover anprobieren?
- ● Nein danke, ich nehme den gelben und den blauen Pullover. Die gefallen mir.

2b Sprechen Sie den Dialog zu zweit und variieren Sie die Wörter in Grün.

3 a   Wo kaufen die Leute ein? Hören Sie und ordnen Sie zu.

2.50 Ü9

im Secondhandladen

im Supermarkt

auf dem Flohmarkt

im Kaufhaus

im Internet

in einer Boutique

3 b   Wo kaufen Sie gerne ein? Wo kaufen Sie nicht gerne ein? Erzählen Sie.

praktisch • bequem • kompliziert • teuer • günstig • stressig • angenehm

Ich kaufe gern im Internet ein.
Ich finde das praktisch.

Ich kaufe gern im Sommer- oder Winterschlussverkauf ein. Das ist gut und günstig.

4 a   Hören Sie und kreuzen Sie an: Was möchte der Sohn bestellen?

2.51

4 b   Lesen Sie den Dialog und markieren Sie die Endungen von welch- im Dialog.

- ● Welche Hose möchtest du, die weiße oder die schwarze Hose?
- ● Die schwarze Hose gefällt mir.
- ● Und welches T-Shirt findest du gut?

- ● Das schwarze T-Shirt ist gut.
- ● Ganz schwarz, ist das nicht langweilig?
- ● Nein, das ist cool. Alle ziehen das an.

Fragewort welch-

	Nominativ	Akkusativ
m	Welcher Pullover ist günstig?	Welchen Pullover nehmen Sie?
n	Welches T-Shirt ist schön?	Welches T-Shirt findest du gut?
f	Welche Hose ist cool?	Welche Hose möchtest du?
Pl.	Welche Schuhe sind bequem?	Welche Schuhe nimmst du?

5a

Lesen Sie die Grammatikkästen auf Seite 126 und Seite 127 und ergänzen Sie die Endungen.

- Welch...... Kleid findest du gut? Das rot...... Kleid oder das blau...... Kleid?
- Ich mag das blau...... Kleid. Das gefällt mir.

- Welch...... Schuhe findest du gut?
- Mir gefallen die schwarz...... Schuhe besonders gut.

- Welch...... Bluse magst du?
- Ich finde die rot...... Bluse toll.

- Wie findest du den grün...... Rock?
- Welch...... Rock meinst du? Den kurz...... Rock oder den lang...... Rock?
- Ich meine den kurz...... Rock.
- Den finde ich schick.

5b

Lesen Sie die Minidialoge zu zweit.

5c

Fragen und antworten Sie wie in 5a.

Größen

In Deutschland gibt es die Größen XS bis XXL oder auch:

Herren:	46 (=S), 48/50 (=M), 52/54 (=L), 56/58 (=XL), 60/62 (=XXL)
Damen:	32/34 (=XS), 36/38 (=S), 40/42 (=M), 44/46 (=L), 48/50 (=XL)
Bei der Kinderbekleidung gibt man die Körpergröße des Kindes an:	50–176 (cm)

B Im Kaufhaus einkaufen

1 a
Ü13

Lange Wörter (Komposita). Was passt zusammen? Suchen Sie die Wörter auf der Infotafel und verbinden Sie.

1	Computer	A	wäsche
2	Sport	B	spiele
3	Herren	C	schmuck
4	Mode	D	waren
5	Baby	E	artikel
6	Geschenk	F	bekleidung

1 b
Ü14

Lesen Sie den Grammatikkasten und ergänzen Sie die Artikel.

> **Komposita**
> die Dame + **der** Mantel ❷ **der** Damenmantel
> Der Artikel kommt vom 2. Wort.

1 der Herr + die Hose → .... Herrenhose

2 die Dame + der Mantel → .... Damenmantel

3 der Winter + die Jacke → .... Winterjacke

4 der Sport + die Schuhe → .... Sportschuhe

5 der Abend + das Kleid → .... Abendkleid

6 die Mode + der Schmuck → .... Modeschmuck

2 Fragen und antworten Sie. Wo finden Sie was?

> Computerspiele • Sportwaren •
> Bücher • Uhren • Modeschmuck •
> Herrenbekleidung • Geschenkartikel

> *Entschuldigung, wo finde ich Babywäsche?*

> *Im zweiten Stock.*

> *Danke schön.*

Kaufhaus Augustin

3. Stock
DVDs · CDs · Bücher ·
24-Stunden-Bestellservice ·
Fotoalben · Bilderrahmen ·
Computerspiele ·
Computerzubehör

2. Stock
Spielzeug · Kinderbekleidung ·
Babywäsche · Sportwaren ·
Haushaltswaren · Glas/Porzellan ·
Geschenkartikel · Heimtextilien ·
Elektro-Kleingeräte · Damen- und
Herrenfriseur

1. Stock
Damenbekleidung · Marken-
Shops · Young Fashion ·
Accessoires/Modeschmuck ·
Herrenbekleidung

Erdgeschoss
Damenwäsche · Strumpfwaren ·
Lederwaren · Schirme ·
Zeitschriften · Parfümerie ·
Süßwaren · Schreibwaren · Uhren/
Schmuck · Schlüsseldienst ·
Schuhreparatur · Lotto/Toto

Untergeschoss
SUPERMARKT FRISCH

3a Entschuldigung, wo finde ich …? Ordnen Sie die Sätze der Verkäuferinnen zu.
Ü15-17

A Gibt es den Mantel auch in Größe 40? ☐

C Entschuldigung, ich suche den Ausgang. ☐

B Ach bitte, wo kann ich das bezahlen? ☐

D Danke, ich schaue nur. ☐

E Entschuldigung, wo finde ich die Toiletten? ☐

F Wie lange haben Sie geöffnet? ☐

G Haben Sie Computerspiele? ☐

H Kann ich das Kleid mal anprobieren? ☐

Verkäuferinnen:

1 Kann ich Ihnen helfen?
2 Größe 40? Da muss ich nachsehen. Einen Moment, bitte.
3 Ja, in der Multimedia-Abteilung im dritten Stock.
4 Die Kasse ist dort hinten rechts.
5 Bis 20 Uhr.
6 Ja gern, die Umkleidekabinen sind dort hinten links.
7 Den Ausgang? Der ist da vorne links.
8 Die sind im ersten Stock, direkt neben der Rolltreppe.

🔊 **3b** Hören Sie die Minidialoge und kontrollieren Sie.
2.52

3c Spielen Sie weitere Minidialoge. Verwenden Sie die Redemittel aus 3a.

Entschuldigung, ich suche Hosen für Mädchen.

 ?  ?  ?  ?

4a Gespräche im Kaufhaus. Hören Sie und kreuzen Sie an: Was ist richtig?

2.53-54 Ü18-19

1 Was kostet der Mantel?

 59,00 €   A ☐

 59,95 €   B ☐

 95,95 €   C ☐

2 Welche Größe gibt es nicht?

 Größe 68   A ☐

 Größe 74   B ☐

 Größe 86   C ☐

4b Hören Sie die Gespräche noch einmal und beantworten Sie die Fragen.

1 Haben alle Mäntel den gleichen Preis?   **2** Kauft die Frau eine Babyhose?

5a Im Kaufhaus. Wer sagt was? Ordnen Sie zu.

Ich hätte gern ... • Größe 40? Da muss ich nachsehen. • Die Kasse ist dort hinten rechts. • Was kostet ...? • Gibt es ... auch in Größe ...? • Haben Sie auch ...? • In der ...abteilung im ersten/zweiten/... Stock. • Gern, die Umkleidekabinen sind ... • Wo kann ich bezahlen? • Wo finde ich ...? • Kann ich Ihnen helfen? • Kann ich ... anprobieren?   Haben Sie ... auch in Rot/Weiß/...? Einen Moment, bitte. • Entschuldigung, ich suche ... • Tut mir leid, das haben wir leider nicht. • Die Hose ist zu kurz / zu lang. • Danke, ich schaue nur.

Verkäufer/Verkäuferin	Kunde/Kundin
Kann ich Ihnen helfen?	Ich hätte gern ...

5b Spielen Sie Einkaufsdialoge. Die Fragen und Sätze in 5a helfen.

6 Projekt: Sammeln Sie interessante Einkaufsmöglichkeiten. Machen Sie für die anderen Kursteilnehmer/innen eine Liste und geben Sie Einkaufstipps.

(Internet-)Adresse	Was kann man kaufen?	Vorteile	Nachteile
www.ebay.de Outlet ...			

Wörter sprechen

1 Was passt? Ordnen Sie zu. Sprechen Sie dann Minidialoge wie im Beispiel.

> elegant • günstig • teuer • praktisch • bequem • altmodisch

229,– €

....

9,90 €

....

> *Wie findest du das Kleid?*

> *Ich finde, es sieht elegant aus.*

Minidialoge sprechen

🔊 **2 a** Textkaraoke. Hören und reagieren Sie.
2.55

👂 …

👄 Danke, ich schaue nur.

👂 …

👂 …

👄 Haben Sie die Hose auch in Größe 42?

👂 …

👂 …

👄 Ja, kann ich das Kleid mal anprobieren?

👂 …

👂 …

👄 Ja, ich möchte die Bluse kaufen. Wo kann ich die bezahlen?

👂 …

2 b Sprechen Sie die Minidialoge zu zweit.

Grammatik sprechen

3 Arbeiten Sie zu zweit. Fragen und antworten Sie.

1 Welchen Mantel möchten Sie?
2 Welches T-Shirt möchten Sie?
3 Welche Tasche möchten Sie?
4 Welche Schuhe möchten Sie?
5 Welchen Stift möchten Sie?
6 Welches Heft möchten Sie?
7 Welche Uhr möchten Sie?
8 Welche Blumen möchten Sie?

Ich nehme den blauen Mantel.

4 Arbeiten Sie zu zweit. Sprechen Sie wie im Beispiel.

Sieh mal, der elegante Mantel.
Sieh mal, das schicke Kleid!
Sieh mal, die bequemen Schuhe!

Was? Der Mantel ist doch nicht elegant! Ich finde ihn altmodisch.

Flüssig sprechen

5 Hören Sie zu und sprechen Sie nach.
2.56

VIDEO

Clip 17
Seite 185

Dialogtraining

6a Hören Sie den Dialog. Was soll der Mann anziehen? Kreuzen Sie an.
2.57

☐ die blauen Schuhe   ☐ das blaue Hemd   ☐ den blauen Anzug
☐ die braunen Schuhe   ☐ das weiße Hemd   ☐ den braunen Anzug

● Was ziehe ich an?
● Wo triffst du sie? Im Restaurant, im Kino, im Park, bei dir zu Hause?
● Wir gehen essen. Ich habe ein Restaurant gefunden. Das ist sehr schick, aber auch cool. Und jetzt? Jeans oder Anzug? Welches Hemd?
● Ich mag den blauen Anzug. Der sieht richtig gut aus. Und dann das blaue Hemd, aber keine Krawatte.
● Okay … Und welche Schuhe? Die schwarzen oder die braunen? Oder Sportschuhe?
● Nein, Sportschuhe nicht. Nimm die braunen Schuhe.
● Danke! Das hat mir sehr geholfen.

6b Sprechen Sie den Dialog zu zweit.

6c Schreiben Sie den Dialog neu. Jetzt fragt eine Frau: Was ziehe ich an?

Gewusst wie

Kommunikation

über Kleidung sprechen

- Was gefällt Ihnen?
- Wie gefallen Ihnen die Schuhe?
- Wie finden Sie das Kleid?

- Die Hose gefällt mir gut.
- Die Schuhe gefallen mir nicht.
- Ich finde das Kleid nicht so gut.

Einkaufsdialoge im Kaufhaus führen

- Kann ich Ihnen helfen?

- Nein danke, ich schaue nur.
- Ja, ich suche eine Hose.
- Haben Sie auch Hemden?
- Haben Sie die Hose auch in Größe 42 / in Grün?
- Ich nehme den blauen Pullover.

- Kann ich das Kleid anprobieren?
- Wo finde ich Babyhosen?

- Ja, die Umkleidekabinen sind da vorne rechts.
- Bei der Babybekleidung im zweiten Stock.

über Einkaufsmöglichkeiten sprechen

- Ich kaufe gern im Internet ein. Das ist praktisch und geht schnell.
- Ich kaufe lieber im Kaufhaus ein. Da kann ich alles anprobieren.

Grammatik

Adjektive

Adjektive nach einem Nomen haben keine Endung: Der Mantel ist blau.
Adjektive vor einem Nomen haben immer eine Endung: Der blaue Mantel kostet 89 Euro.

Adjektive vor Nomen mit dem bestimmten Artikel

	Nominativ	Akkusativ
m	der grau**e** Anzug	den grau**en** Anzug
n	das blau**e** Hemd	das blau**e** Hemd
f	die rot**e** Bluse	die rot**e** Bluse
Pl.	die braun**en** Schuhe	die braun**en** Schuhe

Fragewort *welch-*

	Nominativ	Akkusativ
m	welch**er** Pullover	welch**en** Pullover
n	welch**es** T-Shirt	welch**es** T-Shirt
f	welch**e** Hose	welch**e** Hose
Pl.	welch**e** Schuhe	welch**e** Schuhe

der Pullover
↓
welcher Pullover

Komposita

Das letzte Wort bestimmt den Artikel: die Dame + **der Mantel** → **der** Damen**mantel**

Auf Reisen

1 Wo ist das? Ordnen Sie die Wörter den Bildern zu.
Ü1

das Meer ☐	der Berg ☐	der Bauernhof ☐
der Fluss ☐	der Strand ☐	der Wald ☐
die Wiese ☐	das Dorf ☐	der See ☐

🔊 **2** Wer ist wo? Hören Sie und ordnen Sie die Dialoge zu.
2.58

☐ in der Stadt   ☐ in den Bergen   ☐ am Strand   ☐ auf dem Bauernhof

3 Wo waren Sie schon? Was haben Sie dort gemacht? Sprechen Sie.
Ü2-3

> Ich war einmal am Meer.
> Ich habe dort Urlaub gemacht.

> Ich war schon oft in München.
> Ich habe dort meine Tante besucht.

über Reisen und Urlaub sprechen

am Meer – am Strand	habe ... besucht – habe eingekauft – bin gewandert –
auf dem Bauernhof – auf dem Land	habe gefaulenzt – bin geschwommen – bin ausgegangen –
in der Stadt – in den Bergen	habe viel gelesen – bin spazieren gegangen – bin Fahrrad gefahren

🔊 **1a** Hören Sie den Dialog. Wohin fährt die Frau?
2.59 Ü4

1b Lesen Sie den Dialog und notieren Sie die Informationen in der Tabelle.

● Ich hätte gern eine Fahrkarte von Bremen nach Stuttgart mit Reservierung.

● Erste oder zweite Klasse?

● Zweite Klasse, bitte.

● Wann möchten Sie abfahren?

● Ich nehme den IC um 9.44 Uhr ab Bremen, Hauptbahnhof. Muss ich umsteigen?

● Nein, der Zug fährt direkt. Sie kommen um 16.22 Uhr in Stuttgart an. Haben Sie eine BahnCard?

● Ja, ich habe eine BahnCard 25.

● Das sind dann mit Reservierung 90,75 €.

Abfahrt	Ankunft	Preis	Klasse

2 Partnerspiel. Lesen Sie die Anzeigetafel. Die Informationen von Partner/in B sind auf Seite 163. Fragen und antworten Sie. Notieren Sie die Informationen.

Partner/in A: München? ● Basel? ● Aachen?

RE	09:45	KÖLN über Essen, Düsseldorf	Gleis 16
ICE	09:48	BERLIN über Bielefeld, Hannover	Gleis 10
IC	10:25	MÜNSTER	Gleis 8

Wann fährt der Zug nach München ab?

Um ...

Von welchem Gleis fährt er ab?

Von Gleis ...

🔊 **3a** Durchsagen. Hören Sie und kreuzen Sie an: Richtig oder falsch?
2.60 Ü5

	R	F
1 Der Zug fährt nach Hamburg.	☐	☐
2 Der ICE hat zehn Minuten Verspätung.	☐	☐
3 Der Zug nach München fährt heute von Gleis drei ab.	☐	☐

3b Am Bahnhof. Wählen Sie eine Situation und spielen Sie Dialoge.
Ü6

1 Sie sind in Dortmund. Sie wollen nach München fahren. Preis für die 2. Klasse: 142 € (mit BahnCard 50: 71 €). Sie haben eine BahnCard 50.

2 Sie sind in Dortmund. Sie wollen nach Wuppertal fahren. Preis für die 2. Klasse: 13,10 €. Sie haben keine BahnCard.

4a
Ü7-9

Eine besondere Zugfahrt. Lesen Sie den Blog und ordnen Sie die Fotos zu.

www.lucaindeutschland.com

SCHWARZWALD-BLOG

☐ Das war eine tolle Fahrt! Gestern Morgen sind wir in Freiburg losgefahren. Schon nach kurzer Zeit sind wir in eine fantastische Landschaft gekommen: das Höllental. Wir sind über viele Brücken gefahren und hatten eine tolle Aussicht. ☺

☐ Immer wieder sind wir durch Tunnel gefahren. Einige Tunnel waren sehr lang, mehr als 100 m. Ich habe sieben kurze und lange Tunnel gezählt!

☐ Am Bahnhof Titisee sind wir kurz ausgestiegen und haben den Ort besichtigt und sind dann auf fast 900 m Höhe weitergefahren. Die Endstation war Seebrugg am Schluchsee. Dort haben wir in einer Pension übernachtet.

☐ Heute haben wir eine Wandertour gemacht. Wir sind einmal um den Schluchsee gelaufen. Das sind ungefähr 18 Kilometer. Mittags sind wir im See geschwommen und am Abend sind wir wieder nach Seebrugg zurückgekommen. Jetzt sitzen wir gemütlich beim Abendessen. Leider müssen wir morgen schon wieder zurück nach Freiburg fahren. ☹

4b
Lesen Sie den Blog noch einmal und beantworten Sie die Fragen.

1 Wann sind Luca, Tanja, Mariem und Leonidas in Freiburg losgefahren?

2 Durch wie viele Tunnel sind sie gefahren?

3 Wo haben sie übernachtet?

4 Sind sie durch den Schluchsee geschwommen?

5 Sind sie um den Schluchsee gegangen?

6 Wollen Sie schnell zurück nach Freiburg fahren?

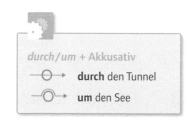

durch/um + Akkusativ

—O→　**durch** den Tunnel

—O→　**um** den See

B Das Wetter

1a Welche Bilder passen zu den Sätzen? Ordnen Sie zu.
Ü10-11

A der Regen B der Schnee C die Sonne D der Wind E die Wolke

☐ Es schneit.   ☐ Es regnet.   ☐ Es ist nass.

☐ Die Sonne scheint.   ☐ Es ist heiß.   ☐ Es ist kalt.

☐ Es ist sonnig.   ☐ Es ist bewölkt.   ☐ Es ist windig.

> es
> **Es** regnet.
> **Es** ist kalt.

1b Wie ist das Wetter heute bei Ihnen? Wie war das Wetter gestern? Wie ist das Wetter vielleicht morgen? Fragen und antworten Sie.

> Heute regnet es. Wie ist es morgen?

> Morgen ist es vielleicht sonnig.

2a Wetterkarte. Lesen Sie den Dialog und variieren Sie die Wörter in Grün.
Ü12-13

- ● Wie ist das Wetter im Nordwesten?
- ○ Im Nordwesten ist das Wetter schlecht. Es ist bewölkt und es regnet.
- ● Wie viel Grad sind es in Berlin?
- ○ In Berlin sind es 19°C (= 19 Grad Celsius).

der Norden
im Norden
N

der Westen
im Westen
W

der Osten
im Osten
O

der Süden
im Süden
S

2b Wo möchten Sie jetzt gerne sein? Erzählen Sie.

🔊 3 Hören Sie zwei Wettervorhersagen und beantworten Sie die Fragen.
2.61-62

1 Sie sind in Dresden. Welche Kleidung brauchen Sie morgen?

2 Sie sind in Köln. Welche Kleidung brauchen Sie am Wochenende?

4a

_{Ü14}

Lübeck oder Freiburg? Lesen Sie und diskutieren Sie: Wo möchten Sie lieber leben?

Früher habe ich in Lübeck gewohnt und jetzt lebe ich in Freiburg. Ich finde beide Städte sehr angenehm. Freiburg ist ungefähr genauso groß wie Lübeck. Aber das Wetter ist immer ein bisschen besser als im Rest von Deutschland.

Im Sommer ist es in Freiburg wärmer als in Norddeutschland und die Sonne scheint ein bisschen mehr. 4,9 Stunden Sonnenschein haben wir durchschnittlich jeden Tag in Freiburg und nur 4,4 in Lübeck. Das ist ein Unterschied von ungefähr 30 Minuten.

Aber Lübeck liegt 600 km nördlicher als Freiburg, deshalb sind die Tage im Sommer in Lübeck länger und es ist heller als in Freiburg.

Im Winter ist es in Lübeck etwas kälter als in Freiburg, aber es gibt in Freiburg mehr Schnee.

TIM JANSEN

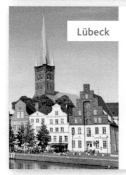

Lübeck

Einwohner: 214 000

durchschnittliche Temperatur im Sommer: 18 Grad

durchschnittliche Anzahl der Sonnenstunden pro Tag: 4,4

Tageslänge im Juni: 17 Stunden

durchschnittliche Temperatur im Winter: 2°C

Freiburg

Einwohner: 220 000

durchschnittliche Temperatur im Sommer: 20,5 Grad

durchschnittliche Anzahl der Sonnenstunden pro Tag: 4,9

Tageslänge im Juni: 16 Stunden

durchschnittliche Temperatur im Winter: 3,5°C

4b

Lesen Sie den Text noch einmal und korrigieren Sie die Sätze.

1 Herr Jansen findet Lübeck angenehmer als Freiburg.
2 In Norddeutschland ist es im Sommer wärmer als in Süddeutschland.
3 In Freiburg scheint die Sonne weniger als in Lübeck.
4 In Freiburg sind die Tage im Sommer länger als in Lübeck.

Komparativ

Adjektiv + -er
interessant – interessant**er**
wenig – wenig**er**

mit Umlaut	Ausnahmen
kalt – k**ä**lt**er**	viel – mehr
groß – gr**öß**er	gut – besser
warm – w**ä**rm**er**	gern – lieber

= Lübeck ist **genauso** groß **wie** Freiburg.
≠ Berlin ist größ**er als** Lübeck.

4c

Lesen Sie den Grammatikkasten und bilden Sie den Komparativ.

schlecht • heiß • nass • sonnig • hell • lang (+Umlaut) • kurz (+Umlaut)

5a

_{Ü15}

Sehen Sie die Wetterkarte in 2a an und vergleichen Sie die Städte.

1 München – Lübeck
2 Dresden – Köln
3 Bremen – Greifswald

5b

Vergleichen Sie Ihren Wohnort mit Ihrer Heimatstadt oder einer anderen Stadt.

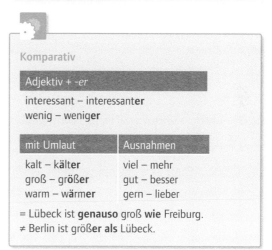

In Madrid ist es wärmer als in Kiel.

In Warschau ist es genauso kalt wie in Berlin.

C Die Jahreszeiten

1a Die Jahreszeiten. Ordnen Sie die Monate zu.
Ü16-18

> April • August • Februar • Juni • November • Januar • Mai • September

Frühling   Sommer   Herbst   Winter

März .... *Dezember* ....

.... *Juli* .... *Oktober* ....

....

1b Vergleichen Sie die Jahreszeiten. Sprechen Sie im Kurs.

Jahreszeiten vergleichen

Im Frühling	sind	die Tage	hell – dunkel – kalt –
Im Sommer		die Abende	warm – lang – kurz – gut –
Im Herbst	ist	der Wind	schlecht – viel – stark
Im Winter		das Wetter	
		die Sonne	

> *Im Sommer sind die Tage länger als im Winter.*

2a Jahreszeiten weltweit. Beantworten Sie die Fragen und machen Sie ein Poster.

1 Wie sind die Jahreszeiten in Ihrem Land? Wie viele Jahreszeiten gibt es?
2 Wann ist es warm, wann ist es kalt, wann regnet oder schneit es?
3 Wann ist es wärmer als in Deutschland?
4 Wann ist es kälter als in Deutschland?
5 Wo regnet es mehr, in Deutschland oder in Ihrem Heimatland?

2b Präsentieren Sie das Poster und berichten Sie.

> *Wie sind die Jahreszeiten in Brasilien?*

> *In Brasilien ist es im August kälter als im Dezember.*

D Urlaub

1 Lesen Sie die Anzeigen und ordnen Sie die Fotos zu.

1 Günstige Städtetouren in alle deutschen Großstädte, zum Beispiel drei Tage Köln: Stadtrundfahrt, Museumsbesuche und eine Fahrt auf dem Rhein. Anreise am Freitag und Abfahrt am Sonntag. Preiswerte Übernachtung in Hostels oder Hotels.

2 Kommen Sie zu uns nach Bayern. Ein Urlaub auf dem Bauernhof ist Spaß und Erholung für die ganze Familie. Sie können Brot backen, Tiere füttern und es gibt viele interessante Erlebnisse auch schon für die ganz Kleinen.

3 Der Spreewald, ein einzigartiges Wasserlabyrinth mit mehr als 500 km Wasserwegen, lädt zu Kanutouren ein. Sie können bequem in Ferienwohnungen oder auf den idyllischen Campingplätzen übernachten.

2a Hören Sie Herrn Meitner, Herrn Nowak und Frau Topal. Wo möchten sie Urlaub machen? Welche Anzeige passt? Notieren Sie.

2.63 Ü19

2b Hören Sie noch einmal und ergänzen Sie dann die Sätze.

> Aktivurlaub • auf dem Bauernhof •
> viel Platz zum Spielen • eine Kanutour machen •
> Großstädte besichtigen • Konzerte besuchen

> *für + Akkusativ*
> Das ist wichtig
> **für mich**.

Herr Meitner möchte .... Urlaub machen. Dort haben

seine Kinder ....

Herr Nowak möchte .... machen. Er möchte ....

Frau Topal möchte .... Sie möchte ....

3 Und Sie? Was finden Sie gut? Was ist für Sie wichtig? Was möchten Sie im Urlaub machen? Was macht man in Ihrem Heimatland im Urlaub? Berichten Sie im Kurs.

Wörter sprechen

1 Hören Sie den Plural und schreiben Sie den Singular mit dem passenden Artikel. Lesen Sie dann die Wörter laut.

1 *das Meer*   2 ....   3 ....   4 ....

5 ....   6 ....   7 ....   8 ....

2a Markieren Sie den Wortakzent und lesen Sie die Jahreszeiten und Monate laut.

der Frühling: März – April – Mai   **der Sommer:** Juni – Juli – August

der Herbst: September – Oktober – November   **der Winter:** Dezember – Januar – Februar

2b Jahreszeiten und Freizeitaktivitäten. Fragen und antworten Sie.

Ski fahren • schwimmen gehen • Radtouren machen • grillen • joggen • wandern • zu Hause bleiben und Musik hören • spazieren gehen

Was kann man im Frühling gut machen?

Im Frühling kann man gut spazieren gehen.

Grammatik sprechen

3a Hören Sie die Beispiele und sprechen Sie nach.

1 • Ist es morgen kalt?   • Ja, kälter als heute!
2 • Ist es morgen sonnig?   • Ja, sonniger als heute!

3b Arbeiten Sie zu zweit. Fragen und antworten Sie wie in 3a.

1 Ist es morgen windig?   4 Schneit es morgen viel?
2 Regnet es morgen viel?   5 Ist es morgen heiß?
3 Ist das Wetter morgen gut?   6 Ist es morgen bewölkt?

4a Schreiben Sie Antworten. Es gibt mehrere Möglichkeiten.

1 Ich spreche so schlecht Deutsch.
2 Meine Arbeit ist so langweilig.
3 Ich habe so viel Arbeit.
4 Ich habe wenig Zeit.
5 Meine Wohnung ist sehr klein.

Nein, du sprichst doch genauso gut Deutsch wie ich.

4b Arbeiten Sie zu zweit. Fragen und antworten Sie.

Minidialoge sprechen

5   Ordnen Sie zu und sprechen Sie dann die Minidialog zu zweit.

1 ● Möchten Sie eine Reservierung?   ☐ ● Muss ich umsteigen?
2 ● Wann möchten Sie abfahren?   ☐ ● Nein, danke.
3 ● Haben Sie eine BahnCard?   ☐ ● Nein, heute von Gleis 3.
4 ● Sie können um 9.05 Uhr ab Hauptbahnhof   ☐ ● Ich muss um 13 Uhr ankommen.
    fahren. Um 12.45 Uhr sind Sie in München.   ☐ ● Nein, ich habe keine.
5 ● Fährt der Zug nach Hamburg von Gleis 24?

Flüssig sprechen

◀)) **6**   Hören Sie zu und sprechen Sie nach.
2.66

VIDEO

Clip 18
Seite 186

Dialogtraining

◀)) **7 a**   Hören Sie den Dialog. Was hat die Familie im Urlaub gemacht? Kreuzen Sie an.
2.67

☐ eine Stadtrundfahrt   ☐ einen Umzug   ☐ eine Flugreise

● In der Schule reden bestimmt alle vom
  Urlaub. Was soll ich dann sagen?
● Du kannst sagen: Wir sind von Mannheim
  nach Berlin gefahren – mit ganz vielen
  Möbeln.
● Hört mal, das war wirklich eine einzigartige
  Städtetour. Der Lkw war so bequem – viel
  bequemer als ein Flugzeug.
● Die Anreise war etwas anstrengend. Wir ha-
  ben alle unsere Kleidung in Umzugskartons
  mitgenommen. Und wir haben sie selbst getragen.

● Im Reisebüro heißt das Aktivurlaub! Das ist teurer als Erholung!
● Wir hatten eine tolle Ferienwohnung mit einer fantastischen Aussicht. Sie war wirklich
  idyllisch. Und sie war so preiswert. Deshalb wohnen wir da immer noch! Jetzt schon zwei
  seit Wochen!
● Ja. Und das Wetter war auch gut. Wir hatten viel Sonne und angenehme Temperaturen.
  Hier und da war mal eine Wolke, aber wir hatten keinen Regen. Wunderschön!
● Und einmal waren wir in Potsdam! Das war ein tolles Erlebnis! Potsdam hat mir besser
  gefallen als Paris. Wir hatten so viel Spaß.
● Was für ein Sommer!

7 b   Sprechen Sie den Dialog zu dritt. Tauschen Sie die Rollen drei Mal.

Kommunikation

über Landschaften und Reisen sprechen

- Wo waren Sie schon? Was haben Sie dort gemacht?
- Ich war schon oft in München. Ich habe dort meine Tante besucht.
- Ich mache gerne mit den Kindern Urlaub auf dem Bauernhof.
- Ich war schon oft am Meer. Ich bin geschwommen und am Strand spazieren gegangen.

eine Fahrkarte kaufen und nach Informationen fragen

Ich hätte gerne eine Fahrkarte 2. Klasse nach Oldenburg.
Ich habe eine BahnCard 25.
Muss ich umsteigen oder fährt der Zug direkt?
Fährt der Zug nach Hamburg von Gleis drei ab?

über das Wetter und die Jahreszeiten sprechen

Gestern war es kalt und es hat geregnet. Heute scheint die Sonne.
Im Winter ist es kälter als im Sommer. Meistens gibt es Schnee.
In Deutschland gibt es vier Jahreszeiten, bei uns gibt es nur zwei Jahreszeiten.
In meinem Heimatland ist es im Dezember wärmer als im August.
Bei uns regnet es im Sommer weniger als in Deutschland und es ist sehr heiß.

Grammatik

Pronomen *es*

Wetterwörter	andere Ausdrücke
Es regnet. / **Es** schneit. Heute ist **es** kalt. / **Es** ist windig. **Es** ist bewölkt.	Wie geht **es** Ihnen? Danke, mir geht **es** gut. Hier gibt **es** einen Park.

Präpositionen mit Akkusativ: *für, um, durch*

für	Ruhe im Urlaub ist **für** mich sehr wichtig.
um ─○→	Sie wandern **um** den See.
durch ─○→	Der Zug fährt **durch** den Tunnel.

Komparativ

Adjektiv + *-er*	Adjektiv + *-er* + Umlaut	Ausnahmen
hell – hell**er** interessant – interessant**er** schnell – schnell**er** langsam – langsam**er** schön – schön**er**	groß – größ**er** kalt – kält**er** warm – wärm**er**	gern – **lieber** gut – **besser** viel – **mehr**

Kairo ist **genauso groß** wie Bangkok.   Istanbul ist größ**er als** London.

Zusammen leben

vor dem Haus · hinter dem Haus · im Haus

Sie lernen

- beschreiben, wie Sie wohnen
- Smalltalk machen
- über Probleme im Haus sprechen
- einen formellen Brief schreiben
- über Kinderbetreuung sprechen
- Satzverbindungen mit *denn* und *aber*

◀)) 2.68 **1** Ü1 **Ordnen Sie die Wörter zu. Hören Sie dann und kreuzen Sie an: Welche Wörter hören Sie?**

☐ ☐ der Balkon ☐ ☐ der Hof
☐ ☐ die Tür ☐ ☐ der Hund
☐ ☐ die Hausnummer ☐ ☐ die Klingel ☐ ☐ das Fahrrad
☐ ☐ der Kinderwagen ☐ ☐ die Treppe ☐ ☐ der Aufzug
☐ ☐ die Mülltonne ☐ ☐ das Licht ☐ ☐ das Treppenhaus

2 a Ü2-3 **Sehen Sie die Fotos an und sprechen Sie über das Haus.**

> *Der Hof gefällt mir.*

> *Hinter dem Haus ist ein Hof.*

> *Im Hof ist ...*

2 b Ü4-5 **Fragen Sie Ihren Partner / Ihre Partnerin.**

1 Wie wohnen Sie?
2 Wer wohnt noch in Ihrem Haus?
3 Was gibt es vor/hinter Ihrem Haus?
4 Was gibt es in Ihrem Haus?
5 Hat Ihr Haus einen Aufzug?

> *Ich wohne in einem Mietshaus im dritten Stock.*

A   Die Nachbarn

1 a   Sehen Sie die Fotos an. Was passiert hier? Sprechen Sie im Kurs.

1 b   Hören Sie die Dialoge und ordnen Sie die Fotos zu.

2.69-72

1 c   Lesen Sie die Dialoge zu zweit.

Ü6-7

Dialog A

● Entschuldigung, ich möchte nicht stören, aber ich habe eine Bitte.

● Nein, nein, Sie stören überhaupt nicht, kann ich Ihnen helfen?

● Ich backe gerade einen Kuchen und habe keine Eier mehr. Können Sie mir vielleicht drei Eier geben?

● Aber gerne, warten Sie, ich hole die Eier, … so, hier sind sie.

● Vielen Dank!

● Gern geschehen.

Dialog B

● Guten Tag, ich glaube, der Paketdienst hat bei Ihnen ein Paket für mich abgegeben.

● Ja, Moment, hier ist es.

● Vielen Dank.

● Kein Problem, ich bin ja viel zu Hause.

Dialog C

● Guten Tag!

● Guten Tag, Frau Wagner, Sie wollen bestimmt Lena abholen.

● Ja, genau.

● Hallo, Mama, wir malen gerade.

● Hallo, Lena, komm, wir gehen nach Hause.

● Sie kann gerne noch ein bisschen bleiben und wollen Sie nicht reinkommen?

● Ach ja, gerne, warum nicht?

● Ich trinke gerade einen Tee. Möchten Sie auch eine Tasse?

● Oh, vielen Dank.

Dialog D

● Guten Tag!

● Guten Tag!

1 d   Mit den Nachbarn sprechen. Wählen Sie eine Situation aus. Spielen Sie Dialoge.

Ü8

1 Suppe kochen – kein Salz haben

2 in den Urlaub fahren – Blumen gießen

3 Paketdienst hat ein Päckchen abgegeben

4 den Sohn Marko abholen – mit Playmobil spielen – ein Stück Kuchen essen

2   Wo treffen Sie Ihre Nachbarn? Sprechen Sie mit Ihren Nachbarn? Erzählen Sie.

> im Treppenhaus • auf der Treppe •
> im Hof • an den Briefkästen •
> auf dem Spielplatz • an der Tür

Ich treffe meine Nachbarn im Treppenhaus. Ich spreche manchmal mit meinen Nachbarn.

3 Ein Hoffest. Lesen Sie die Einladung und kreuzen Sie an: Richtig oder falsch?

Ü9

Einladung zum Hoffest!

Wie jedes Jahr im Juli wollen wir alle
zusammen feiern: am Samstag, den
6. Juli, im Hof in der Schlossstraße 5.
Es gibt Getränke, einen Grill und Musik.
Bringen Sie Stühle, Tische und Essen und
vor allem gute Laune mit.

Das Festkomitee

		R	F
1	Das Fest ist im Winter.	☐	☐
2	Das Fest findet zum ersten Mal statt.	☐	☐
3	Alle Nachbarn sind eingeladen.	☐	☐
4	Man soll einen Grill mitbringen.	☐	☐
5	Man muss Essen selbst mitbringen.	☐	☐

4a Smalltalk. Lesen Sie die Sätze und hören Sie
2.73 dann die Dialoge von der CD. Welche Sätze
hören Sie? Kreuzen Sie an.

☐ Wohnen Sie auch hier im Haus?
☐ Hallo, ich glaube wir haben uns schon oft
  gesehen, ich heiße …
☐ Guten Abend, das Hoffest war eine gute Idee!
☐ Die Musik ist toll, wollen wir tanzen?
☐ Mhm, das schmeckt gut, haben Sie das selbst
  gemacht?
☐ Sind Sie auch neu hier in der Schlossstraße?
☐ Schönes Wetter heute.
☐ Wir haben wirklich Glück mit dem Wetter!

4b Was kann man antworten? Sammeln Sie passende Antworten.

5 Spielen Sie Smalltalk-Gespräche im Kurs. Sprechen Sie 20 Sekunden mit einem
Ü10 Partner / einer Partnerin, dann wechseln Sie. Die Sätze aus 4a helfen Ihnen.

Schönes Wetter heute.

Ja, wir haben heute wirklich Glück. Die ganze
Woche hat es geregnet. Und jetzt – wunderbar!

1a Ordnen Sie die Bilder den Sätzen zu.

☐ Die Klingel funktioniert nicht.

☐ Das Licht geht nicht.

☐ Der Aufzug ist kaputt.

☐ Die Mülltonnen sind sehr klein.

☐ Die Nachbarn sind sehr laut.

☐ Die Heizung ist kaputt.

1b Sehen Sie das Foto an und lesen Sie den Dialog. Wählen Sie dann ein Problem in 1a aus und spielen Sie einen Dialog mit dem Hausmeister.

Tut mir leid, ich habe jetzt keine Zeit. Es geht erst morgen.

Guten Tag, Herr Meier, ich habe ein Problem. Die Klingel funktioniert nicht.

🔊 2.74 **2a** Hören Sie den Dialog. Über welche Probleme sprechen Herr Wagner und Herr Lischka?

2b Hören Sie noch einmal und beantworten Sie die Fragen.

Ü11-12

1 Wann kommt die Müllabfuhr das nächste Mal?

2 Wann hat das Licht im Treppenhaus nicht funktioniert?

3 Wo wohnt Herr Wagner?

4 Wo wohnt Herr Lischka?

5 Wann geht Herr Wagner zu Herrn Lischka?

6 Was wollen Herr Wagner und Herr Lischka machen?

3a Einen formellen Brief schreiben. Lesen Sie den Brief von Herrn Wagner und
Ü13 Herrn Lischka. Welchen Vorschlag machen sie?

☐ Nikolai Lischka und Hans Wagner
Naumannstraße 11
10829 Berlin

☐ Hausverwaltung Wartemann
Frau Fröhlich
Kaiserdamm 47a
13284 Berlin

☐ Berlin, den 18. April 2015

☐ **Mülltonnen in der Naumannstraße 11**

☐ Sehr geehrte Frau Fröhlich,

☐ wir haben ein Problem: Wir alle im Haus haben viel Müll, aber die Mülltonnen sind
sehr klein. Deshalb stellen einige Nachbarn den Müll neben die Tonnen. Das ist nicht
gut, denn der Hof ist immer schmutzig und es riecht oft schlecht. Manchmal können
wir die Fenster zum Hof nicht aufmachen. Das ist für alle sehr ärgerlich.

Können Sie bitte noch eine Mülltonne bei der Stadtreinigung bestellen?

Vielen Dank!

☐ Mit freundlichen Grüßen

N. Lischka   H. Wagner

3b Wie schreibt man einen formellen Brief? Ordnen Sie die Punkte 1–7 im Brief zu.

1 Ort und Datum
2 Absender (Name und Adresse)
3 Gruß und Unterschrift
4 Betreff

5 Anrede: „Sehr geehrter Herr … /
Sehr geehrte Frau …"
6 Empfänger (Name und Adresse)
7 Text

4a Probleme. Was passt zusammen? Verbinden Sie die Sätze mit *denn* oder *aber*.
Ü14-15

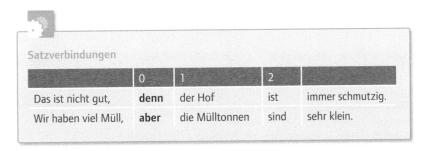

Satzverbindungen

	0	1	2	
Das ist nicht gut,	**denn**	der Hof	ist	immer schmutzig.
Wir haben viel Müll,	**aber**	die Mülltonnen	sind	sehr klein.

1 Wir wollen mit dem Kinderwagen in die
Wohnung.
2 Es ist gefährlich im Treppenhaus.
3 Besuch kann nicht ins Haus kommen.
4 Wir wollen unsere Fahrräder im Keller
abstellen.

denn
aber

A Das Licht funktioniert nicht.
B Die Klingel ist kaputt.
C Wir haben keinen Schlüssel
für den Fahrradraum.
D Der Aufzug ist kaputt.

4b Wählen Sie ein Problem aus 4a und schreiben Sie zu zweit einen formellen Brief.

C Auf dem Spielplatz

1 Schreiben Sie Sätze zu dem Bild.

A	Im Sandkasten	kommt	auf den Bänken.
B	Ein Junge	sitzt	zwei Kinder.
C	Zwei Frauen	sieht	Durst.
D	Ein Junge	sitzen	auf der Rutsche.
E	Der Junge	sitzt	neugierig aus.
F	Ein Mädchen	spielen	zu den Frauen.
G	Das Mädchen	hat	auf der Schaukel.

🔊 2.75 **2a** Lesen Sie die beiden Texte. Hören Sie dann den Dialog und kreuzen Sie an. Welcher Text passt?

☐ **A**

Zwei Frauen sind auf einem Spielplatz. Ein Kind hat Durst und so fängt das Gespräch zwischen den Frauen an. Sie reden über den Spielplatz und über den Kindergarten.

☐ **B**

Die zwei Frauen sind Freundinnen. Sie kommen oft zusammen auf den Spielplatz. Beide haben ein Kind. Sie wohnen in der Nähe und reden über Sprachprobleme.

2b Hören Sie noch einmal und kreuzen Sie an: Richtig oder falsch?

		R	F
1	Der Junge möchte trinken.	☐	☐
2	Seine Mutter gibt ihm Tee.	☐	☐
3	Am Anfang sagen Gabrielle und Anna „du".	☐	☐
4	Das Mädchen ist drei Jahre alt.	☐	☐
5	Die Kinder gehen schon in den Kindergarten.	☐	☐
6	Die Tochter von Gabrielle spricht Französisch.	☐	☐
7	Sie versteht ein bisschen Deutsch.	☐	☐

3 a Wie geht es weiter? Sammeln Sie zu zweit Ideen und stellen Sie sie im Kurs vor.

> Die Frauen trinken ...

> Sie gehen zusammen ...

> Die Kinder streiten ...

3 b 2.76 Hören Sie den Dialog weiter. Was haben Anna und Gabrielle wirklich gemacht? Kreuzen Sie in 3a an.

4 Ü16 Was passt zusammen? Ordnen Sie zu und erzählen Sie die Geschichte.

1 Gestern war Anna	sind zu Anna gegangen und haben Kaffee getrunken.
2 Manuel hatte	Gabrielle.
3 Eine Frau hat	Anna Tee für Manuel gegeben.
4 Sie heißt	in den Kindergarten.
5 Gabrielle hat	mit Manuel auf dem Spielplatz.
6 Manuel geht bald	eine Tochter. Sie heißt Melinda und ist 3 Jahre alt.
7 Dann hat es geregnet und alle	Durst.

5 a Kinderbetreuung in Deutschland. Lesen Sie und beantworten Sie die Fragen.

1 Wer kann Kinder betreuen?
2 Ab wie viel Jahren haben Kinder einen Anspruch auf einen Kindergartenplatz?
3 Mit wie viel Jahren gehen Kinder meistens in den Kindergarten?

> **❗**
> **Kinderbetreuung in Deutschland**
> Kinder haben ab dem zweiten Lebensjahr einen Anspruch auf eine ganztägige Betreuung.
> Die Betreuung kann in einer Kita (Kindertagesstätte) oder bei einer Tagesmutter sein. Eine Tagesmutter betreut drei bis fünf Kinder und bekommt dafür Geld.
> Ab dem dritten Lebensjahr haben Kinder einen Anspruch auf einen Kindergartenplatz.
> Die meisten Kinder gehen mit drei Jahren in den Kindergarten.

5 b Wie ist das in Ihrer Heimat? Gibt es Kindergärten? Wer betreut die Kinder? Vergleichen Sie.

> **über Kinderbetreuung sprechen**
> Kinder mit ... Jahren gehen ...
> Ich finde, die Kinderbetreuung in .... ist besser/schlechter als in ....
> Ich glaube, es gibt mehr/weniger Kindergärten ....
> Die Kinder gehen früher/später in ...
> Die Großeltern betreuen ...

Wörter sprechen

1a Sehen Sie die Fotos an, hören Sie und ordnen Sie zu.
2.77

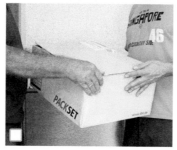

1b Ergänzen Sie, hören Sie dann noch einmal und sprechen Sie nach.

1 im .... spielen

2 auf der .... sitzen

3 im .... Nachbarn treffen

4 ein .... abholen

5 mit dem .... fahren

6 .... gießen

1c Was machen die Personen gerade? Fragen und antworten Sie.

> Was machen die Kinder auf Foto 1 gerade?

> Sie spielen gerade im Sandkasten.

Minidialoge sprechen.

2a Smalltalk. Ordnen Sie zu.

1 Das schmeckt wirklich sehr gut.

2 Wohnen Sie schon lange hier?

3 Es sind wirklich viele Nachbarn gekommen.

4 Die Musik ist wirklich sehr gut.

5 Das Wetter ist wirklich sehr gut.

A ☐ Ja, wir haben wirklich Glück. Ich habe den Wetterbericht gehört. Morgen regnet es.

B ☐ Ja, das stimmt, aber ich kenne nicht viele, denn ich bin neu hier.

C ☐ Vielen Dank. Das ist eine Spezialität aus meiner Heimat.

D ☐ Nein, ich wohne erst seit zwei Monaten hier im Haus. Und Sie?

E ☐ Mir gefällt sie auch. Man kann sehr gut tanzen.

2b Sprechen Sie die Minidialoge zu zweit.

Grammatik sprechen

3a Ordnen Sie zu.

1	Ich habe keine Zeit,		**A**	morgen habe ich Zeit.
2	Er kann nicht arbeiten,		**B**	morgen geht es.
3	Sie gehen morgen zum Standesamt,	denn	**C**	sie wollen heiraten.
4	Wir müssen warten,	aber	**D**	das Auto ist kaputt.
5	Sie wollen einen Ausflug machen,		**E**	die Ampel ist rot.
6	Heute kann ich nicht kommen,		**F**	er ist krank.

3b Sprechen Sie die Sätze in 3a zu zweit.

> Wir müssen warten, ...

> ... denn die Ampel ist rot.

Flüssig sprechen

📢 **4** Hören Sie zu und sprechen Sie nach.
2.78

VIDEO

Clip 20
Seite 187

Dialogtraining

📢 **5a** Hören Sie den Dialog. Was wollen die beiden Männer zusammen machen?
2.79 Kreuzen Sie an.

☐ einen Computer reparieren   ☐ ein Flugticket kaufen
☐ eine Fahrkarte kaufen   ☐ die Tochter anrufen

● Sie fahren nach Spanien, Herr Walter?
  Wann fahren Sie denn?
● Ich weiß es noch nicht genau. Ich habe noch
  keinen Flug. Wissen Sie, ich bin lange nicht mehr
  gereist. Das ist für mich nicht so einfach.
● Ja, das verstehe ich gut. Wir können Ihnen
  gern helfen.
● Oh, das ist nett! Ich brauche ein Flugticket. Meine
  Tochter sagt, ich soll es im Internet kaufen. Aber
  ich kann das nicht. Und das ist für mich sehr ärgerlich.
● Ach, das können wir doch einfach zusammen machen. Vielleicht morgen Abend?
● Aber ich möchte wirklich nicht stören – am Sonntag.
● Überhaupt kein Problem! Sie stören nicht.
● Ja, dann: Warum nicht? Gern. Das ist aber wirklich nett von Ihnen. Vielen Dank!

5b Sprechen Sie den Dialog zu zweit: zuerst ruhig, dann laut, dann sehr schnell.

Kommunikation

beschreiben, wie Sie wohnen

Ich wohne in einem Mietshaus im dritten Stock. Hinter unserem Haus ist ein Hof. Da stehen unsere Fahrräder und die Mülltonnen. Das Haus gefällt uns gut, die Nachbarn sind nett, wir wohnen gerne da.

Smalltalk – in Kontakt kommen

- Sind Sie auch neu hier?
- Wir haben uns schon oft gesehen, mein Name ist …
- Schönes Wetter heute.
- Ja, wir haben wirklich Glück mit dem Wetter.

über Probleme im Haus sprechen

Die Klingel funktioniert nicht.
Das Licht geht nicht.
Der Aufzug ist kaputt.

über Kinderbetreuung sprechen

Kinder mit drei Jahren gehen meistens in den Kindergarten.
In meiner Heimat gehen Kinder früher/ später in den Kindergarten.

einen formellen Brief schreiben

Absender: — Juliane Schulze
Adornoweg 4
80997 München

Datum: — München, den 15.10.2015

Empfänger: — Hausverwaltung Schönbeck
Franz-Metzner-Straße 5
80937 München

Betreff: — Aufzug im Adornoweg 4

Anrede: — Sehr geehrte Frau …, / Sehr geehrter Herr …, / Sehr geehrte Damen und Herren,
…

Gruß: — Mit freundlichen Grüßen

Unterschrift: — *J. Schulze*

Grammatik

Satzverbindungen mit *aber – denn – und – oder*

	0	1	2	
Heute habe ich keine Zeit.		Morgen	komme	ich gern.
Heute habe ich keine Zeit,	**aber**	morgen	komme	ich gern.
Ich möchte ins Kino gehen.		Ich	möchte	den James-Bond-Film sehen.
Ich möchte ins Kino gehen,	**denn**	ich	möchte	den James-Bond-Film sehen.
Wir gehen morgen ins Kino.		Wir	sehen	den neuen James-Bond-Film.
Wir gehen morgen ins Kino	**und**	(wir)	sehen	den neuen James-Bond-Film.
Kommst du auch mit?			Musst	du noch arbeiten?
Kommst du auch mit	**oder**		musst	du noch arbeiten?

Dialoge spielen

1 Acht Situationen. Arbeiten Sie zu zweit. Wählen Sie drei Situationen aus, machen Sie Notizen und spielen Sie die Dialoge mit Ihrem Partner / Ihrer Partnerin.

(1) Sie haben Zahnschmerzen. Rufen Sie beim Zahnarzt an und bitten Sie um einen Termin.

(2) Sie möchten von der Sprachschule zu einem Supermarkt. Fragen Sie nach dem Weg.

(3) Was haben Sie vor einem Jahr gemacht? Machen Sie ein Partnerinterview.

(4) Sie haben um 10.30 Uhr einen Termin im Standesamt bei Frau Becker. Fragen Sie nach ihrem Büro.

(5) Sie sind in einer Behörde und lesen ein Schild: *Formulare*. Sie verstehen das Wort nicht. Fragen Sie Ihren Nachbarn.

(6) Sie sind im Kaufhaus und suchen eine Hose. Fragen Sie nach Größen und Farben.

(7) Sie wollen eine Fahrkarte von Flensburg nach Obersdorf kaufen. Die Karte kostet 142 Euro ohne BahnCard und 106,50 Euro mit BahnCard.

(8) Sie treffen Ihren Nachbarn im Treppenhaus. Sie sprechen über das Wetter.

Über Migration sprechen

1 a Hören Sie das Gespräch. Welche Sätze passen nicht? Kreuzen Sie an.

2.80

Saida und Abdel sprechen über

A ☐ die Sprachschule.
B ☐ ihre Pläne für die Zukunft.
C ☐ ihren Weg nach Deutschland.
D ☐ ihr Heimatland.
E ☐ den Sprachunterricht.

● Hallo, dürfen wir uns zu dir setzen?

● Aber klar. Nehmt Platz. Ich bin Amelia. Ich komme aus Malaysia. Könnt ihr euch auch kurz vorstellen?

● Gerne. Ich bin Saida und das ist Abdel. Wir kommen aus Syrien.

● Wir machen jetzt einen B1-Kurs. Und du?

● Ich mache einen B2-Sprachkurs. Ihr kommt also aus Syrien? Wie lange seid ihr schon hier in Deutschland?

● Seit 2015. Wir können jetzt in Deutschland bleiben, denn in unserem Land ist immer noch Krieg. Unsere Stadt ist jetzt kaputt.

● Wie seid ihr nach Deutschland gekommen?

● Wir sind zuerst nach Ägypten geflohen und dann sind wir über das Mittelmeer nach Italien und dann nach Deutschland gekommen.

● Eure Reise war bestimmt nicht leicht.

● Nein, es war furchtbar. Wir waren vier Tage in einem Boot auf dem Meer.

● Ja, das war schrecklich. Wir sprechen nicht gerne über unsere Flucht.

● Das verstehe ich. Wechseln wir das Thema. Wann ist euer Sprachkurs zu Ende?

● Wir haben in vier Wochen unsere Sprachprüfung.

● Was wollt ihr danach machen?

● Wir wollen einen B2-Kurs machen. Denn viele Leute sagen, dass B1 nicht genug ist, wenn man eine gute Arbeit finden will.

● Ich war Journalistin in meiner Heimat, aber hier kann ich jetzt noch nicht als Journalistin arbeiten. Aber vielleicht kann ich später ein Praktikum bei einer Zeitung machen. Das kann am Anfang gut sein.

● Ich habe in meiner Heimat Autos repariert und das macht mir viel Spaß. Ich kann gut Autos reparieren und habe viel Erfahrung, aber ich habe keine richtige Ausbildung. Ich möchte später gerne eine Ausbildung in diesem Beruf machen.

1 b Hören und lesen Sie den Dialog noch einmal und beantworten Sie die Fragen.

2.80

1 Wie ist die Situation im Heimatland von Saida und Abdel?

2 Wie war ihr Weg nach Deutschland?

3 Welche Pläne für die Zukunft haben sie?

2 Lesen Sie die Texte und ergänzen Sie die Tabelle.

Saida und Abdel sind Flüchtlinge. Sie kommen aus Syrien. Saida war Journalistin und Abdel hat als Automechaniker gearbeitet. Ihre Flucht nach Deutschland war sehr kompliziert. Sie sind zuerst nach Ägypten geflohen und dann nach Italien gekommen. Von Italien sind sie mit dem Zug nach Deutschland gefahren. Hier haben sie einen Asylantrag gestellt. Saida hat einen Onkel in Deutschland und der Bruder von Abdel lebt schon lange in Deutschland. Saidas Eltern sind noch in Syrien. Saida telefoniert jede Woche mit ihren Eltern.

Amelia lebt seit 2015 in Deutschland. Ihr Mann ist Deutscher. Sie hat ihn in Malaysia kennengelernt. Dort hat er für eine Firma gearbeitet. Amelia ist mit ihrem Mann nach Deutschland umgezogen. Amelia ist Ingenieurin von Beruf. Nach dem B2-Kurs möchte sie wieder als Ingenieurin arbeiten. Ein Bruder von Amelia lebt auch in Deutschland. Ihre Eltern leben in Malaysia, ihre Schwester lebt in Japan.

Name	Woher?	Familie?	Wo?	Beruf
Saida				
Abdel				
Amelia				

3 Über welches Thema möchten Sie gerne sprechen? Wählen Sie ein Thema. Machen Sie Notizen. Berichten Sie dann im Kurs.

A ☐ Mein Heimatland   B ☐ Meine Familie   C ☐ Meine Pläne für die Zukunft

Mein Heimatland ist in …
Die Situation ist gut/schwierig/schlecht.
Den Menschen geht es …
Wir hatten/haben Krieg.
Es ist Frieden.
Wir alle wollen Frieden.

Nach dem Kurs möchte ich eine Arbeit suchen / eine Ausbildung machen / studieren / weiter Deutsch lernen.
Mein Berufswunsch ist …
Ich möchte gerne meine Familie nach Deutschland holen.

1

1b Was sind die Personen von Beruf? Arbeiten Sie zu zweit. Fragen und antworten Sie.

Partner/in B

Herr Schmidt
....

Frau Neuer
Hausfrau

Herr Santos
....

Frau Mbeki
Lehrerin

> *Was ist Frau Neuer von Beruf?*

> *Frau Neuer ist ...*

Frau Arslan
....

Herr Wang
Programmierer

Frau Basdeki
....

Herr Aydin
Altenpfleger

Was sind Sie von Beruf?

5

3a Schreiben Sie Ihren Wochenplan.

Montag	Dienstag	Mittwoch	Donnerstag	Freitag	Samstag
					Sonntag

3b Fragen Sie Ihren Partner / Ihre Partnerin und machen Sie Notizen.

> *Was machst du am Donnerstag?*

> *Was machst du am Dienstagabend?*

2 a Arbeiten Sie zu zweit. Partner/in A schreibt einen Wochenplan für Georg, Partner/in B für Dana. Ergänzen Sie die Aktivitäten und Uhrzeiten.

> Verwandte besuchen • schwimmen gehen • Deutsch lernen •
> Hausaufgaben machen • Freunde treffen • essen gehen • nach München fahren

Partner/in B: Der Wochenplan für Dana

Montag	Dienstag	Mittwoch	Donnerstag	Freitag	Samstag/ Sonntag
				20:00 Uhr: Verwandte besuchen	

2 b Fragen Sie Ihren Partner / Ihre Partnerin, tragen Sie seine/ihre Antworten in den Kalender ein und vergleichen Sie.

Wann besucht Georg Verwandte?

Am Donnerstagnachmittag um 16.00 Uhr.

Wann besucht Dana Verwandte?

Am Freitagabend.

1 Was kauft Herr Paoletti? Was kauft Frau Luis? Fragen und antworten Sie.

Partner/in B

Frau Luis

Kauft Herr Paoletti auch eine Flasche Wein?

Nein, Herr Paoletti kauft keinen Wein.

Partnerseiten

2c   Variieren Sie den Dialog.

Partner/in B

Situation 1: Sie arbeiten beim Reisebüro Wolters. Bankverbindung: Sparkasse Dortmund, IBAN: DE19 4405 0199 9234 6128 79

Situation 2: Sie sprechen mit dem Fußballverein „SV Assenheim". Sie wollen das Geld für den Mitgliedsbeitrag überweisen.

3   Sie wollen mit Ihrem Partner / Ihrer Partnerin einen Termin machen. Wann haben Sie Zeit?

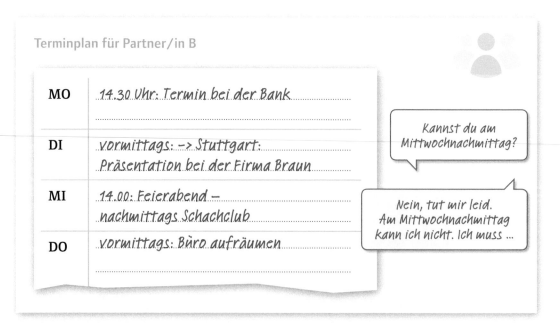

Terminplan für Partner/in B

MO	14.30 Uhr: Termin bei der Bank
DI	vormittags: –> Stuttgart: Präsentation bei der Firma Braun
MI	14.00: Feierabend – nachmittags Schachclub
DO	vormittags: Büro aufräumen

Kannst du am Mittwochnachmittag?

Nein, tut mir leid. Am Mittwochnachmittag kann ich nicht. Ich muss ...

3 Fragespiel. Richtig oder falsch? Was hat Tereza gestern gemacht? Arbeiten Sie zu zweit. Sie haben die richtigen Informationen.

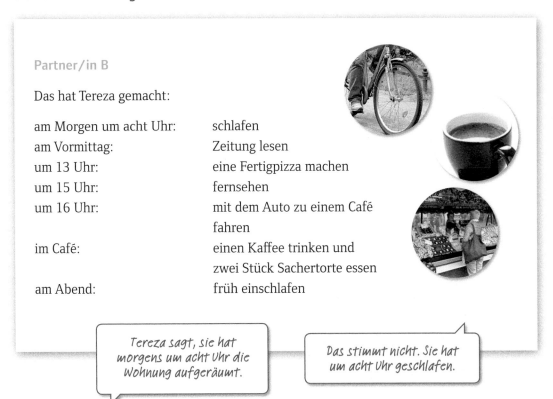

Partner/in B

Das hat Tereza gemacht:

am Morgen um acht Uhr:	schlafen
am Vormittag:	Zeitung lesen
um 13 Uhr:	eine Fertigpizza machen
um 15 Uhr:	fernsehen
um 16 Uhr:	mit dem Auto zu einem Café fahren
im Café:	einen Kaffee trinken und zwei Stück Sachertorte essen
am Abend:	früh einschlafen

> Tereza sagt, sie hat morgens um acht Uhr die Wohnung aufgeräumt.

> Das stimmt nicht. Sie hat um acht Uhr geschlafen.

2 b Fragen Sie Ihren Partner / Ihre Partnerin und tragen Sie seine/ihre Daten in das Formular ein.

Anmeldebestätigung

Neue Wohnung			Alte Wohnung		
Tag des Einzugs			Straße, Hausnummer		
Straße, Hausnummer			Gemeinde		
Gemeinde			Familienname		
Vermieter			Vorname		
Die Wohnung ist	Hauptwohnung		Geburtsort		
	Nebenwohnung				
Familienstand			männl.		Geburtsdatum
			weibl.		
berufstätig	ja		Staatsangehörigkeit		
	nein				

Wo haben Sie früher gewohnt?

Wo wohnen Sie jetzt?

Wann sind Sie geboren?

Wie heißt Ihr Vermieter?

Wann ist der Tag des Einzugs?

Ist die Wohnung Ihre Hauptwohnung?

Was ist Ihre Staatsangehörigkeit?

Sind Sie verheiratet?

Wo sind Sie geboren?

Entschuldigung, bitte wiederholen Sie.

Wie schreibt man das? Können Sie bitte buchstabieren?

13

2 Lesen Sie die Anzeigetafel. Fragen und antworten Sie. Notieren Sie die Informationen.

Partner/in B: Köln? • Berlin? • Münster?

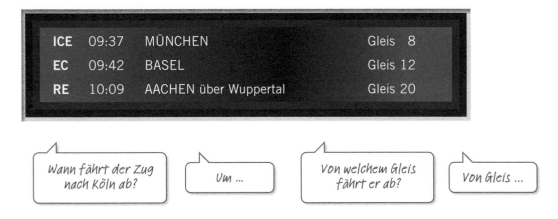

ICE	09:37	MÜNCHEN	Gleis 8
EC	09:42	BASEL	Gleis 12
RE	10:09	AACHEN über Wuppertal	Gleis 20

Wann fährt der Zug nach Köln ab?

Um ...

Von welchem Gleis fährt er ab?

Von Gleis ...

Seite 156

4

2a Vokale üben. Arbeiten Sie in zwei Gruppen. Jede Gruppe markiert den Wortakzent und den Vokal (lang oder kurz) auf ihrer Wortliste.

Gruppe B:

das Paket	die Post	der Kopf	bezahlen
der Käse	der Zug	müssen	kommen
das Hemd	der Termin	oft	spielen

Phonetik

1

Willkommen!

Rhythmisch sprechen

🔊 1.79

1 a Schwere und leichte Silben. Hören Sie, klatschen Sie und sprechen Sie nach.

- • • • • •
  Guten Tag. Wie geht's?
- • • • • •
  Danke, gut. Und Ihnen?
- • • • •
  Auch gut. Danke.

- • • • • • •
  Entschuldigung, wie heißen Sie?
- • • • •
  Mein Name ist …

1 b Sprechen Sie die Dialoge mit Ihrem Partner / Ihrer Partnerin.

2

Alte Heimat, neue Heimat

Der Wortakzent

Jedes Wort hat eine betonte (wichtige) Silbe: der **Blei**stift. Das ist der Wortakzent.
Tippen und klatschen Sie den Wortakzent so:

der **Blei** stift

🔊 1.80

1 Hören Sie, klatschen Sie und sprechen Sie nach.

das Fenster – der Lehrer – die Lehrerin – Entschuldigung

🔊 1.81

2 a Hören Sie die Wörter und markieren Sie den Wortakzent.

Deutschland – Europa – Afrika – Amerika – Australien – Asien

2 b Wie heißt Ihr Land auf Deutsch? Schreiben Sie und markieren Sie den Wortakzent.

Ich komme aus _____, das liegt in _____.

2 c Fragen und antworten Sie im Kurs. Achten Sie auf den Wortakzent.

Die Vokale *a e i o u*

🔊 **1** **Hören Sie und sprechen Sie nach.**
1.82

a das Schlafzimmer – das Bad – das Regal – die Lampe – der Schrank – schwarz

e zehn – der Herd – wie geht's – das Bett – der Sessel – gelb

i wie – der Spiegel – lila – das Bild – der Tisch – das Kind

o wohnen – das Sofa – groß – kommen – kosten – willkommen

u der Stuhl – die Blume – das Buch – der Kurs – und – die Nummer

🔊 **2 a** **Vokaldiktat. Hören Sie und ergänzen Sie die Vokale.**
1.83

● G......ten T......g, w......e ......st ......hr N......me?

● G......ten T......g, mein N......me ......st Kleev.

● W......e b......tte?

● Mom......nt, ...ch buchstab......ere: K L E E V.

● W......hnen S......e sch......n l......nge h......er?

● J......, sch......n z......hn J......hre.

● W......s s......nd S......e v......n Ber......f?

● L......hrer.

2 b **Hören Sie noch einmal und sprechen Sie nach.**

Das *er* in der Endung

🔊 **1 a** **Hören Sie und markieren Sie den Wortakzent.**
1.84

der Vater – die Mutter – der Bruder – die Schwester – die Geschwister – die Eltern

> Das **er** in der Endung spricht man wie ein schwaches **a**. Man hört kein **r**!

1 b **Hören Sie noch einmal und sprechen Sie nach. Achten Sie auf den Wortakzent und die Endung.**

1 c **Fragen und antworten Sie wie im Beispiel.**

Hast du Geschwister? *Ja, ich habe eine Schwester* *Wo leben deine Eltern?*

Das *e* in der Endung

🔊 1.85 **2a** **Hören Sie und markieren Sie den Wortakzent.**

die Tante – die Cousine – die Nichte – der Neffe – der Onkel – die Familie – zu Hause

> Das e in der Endung spricht man schwach (Schwa-Laut).

2b **Hören Sie noch einmal und sprechen Sie nach.**

3a **Sprechen Sie die Pluralformen und achten Sie auf den Wortakzent und die Endungen.**

das Heft – die Hefte	der Mann – die Männer
der Stift – die Stifte	das Kind – die Kinder
der Film – die Filme	das Bild – die Bilder
der Freund – die Freunde	das Buch – die Bücher

3b **Konjugieren Sie die Verben. Achten Sie auf die Endungen.**

> wohnen • leben • kommen • bleiben

5 Der Tag und die Woche

Lange und kurze Vokale

🔊 1.86 **1** **Hören Sie und sprechen Sie nach.**

lange Vokale: der Tag – wie geht's – auf Wiedersehen – wohnen – Fußball
kurze Vokale: wann – essen – schwimmen – das Hobby – um

Lange Vokale markiert man so: der Tag   Kurze Vokale markiert man so: wann

Geste: langer Vokal

Geste: kurzer Vokal

2a **Suchen Sie die Wörter in der Wortliste (ab Seite 202) und markieren Sie die Vokale.**

Montag   Dienstag   Mittwoch   Donnerstag   Freitag   Samstag   Sonntag

🔊 1.87 **2b** **Hören Sie die Wochentage, sprechen Sie nach und machen Sie die Geste für den Vokal.**

3 Fragen und antworten Sie. Achten Sie auf die Vokale.

> … gehe ich schwimmen. • … arbeite ich. •
> … gehe ich tanzen. • … fahre ich Fahrrad.

> Was machst du am Montag?

> Am Montag gehe ich schwimmen.

6

Guten Appetit!

Die Umlaute *ä ö ü*

🔊 1.88 **1a** Hören Sie und sprechen Sie nach.

ä der Käse – das Hähnchen – zwei Äpfel – die Getränke
ö das Brötchen – schön – die Köchin – ich möchte
ü das Müsli – die Tüte – wünschen – Tschüss

1b Hören Sie noch einmal und markieren Sie: Ist der Vokal lang oder kurz?

🔊 1.89 **2a** Das *i* und das *ü*. Mundgymnastik. Hören Sie und sprechen Sie nach.

iii üüü iii üüü i ü i ü i ü i ü

🔊 1.90 **2b** Hören Sie und kreuzen Sie an: Welchen Namen hören Sie?

1 ☐ Bittner   ☐ Büttner   3 ☐ Miller   ☐ Müller
2 ☐ Bieler   ☐ Bühler   4 ☐ Kiel   ☐ Kühl

🔊 1.91 **3a** Das *e* und das *ö*. Mundgymnastik. Hören Sie und sprechen Sie nach.

eee ööö eee ööö e ö e ö e ö e ö

🔊 1.92 **3b** Hören Sie und kreuzen Sie an: Welchen Namen hören Sie?

1 ☐ Werner   ☐ Wörner   3 ☐ Hehne   ☐ Höhne
2 ☐ Kehler   ☐ Köhler   4 ☐ Meller   ☐ Möller

4 Lesen Sie den Dialog. Wählen Sie dann einen Namen aus Aufgabe 2 oder 3 und stellen Sie sich vor. Spielen Sie die Dialoge.

● Guten Tag, mein Name ist Bühler.
● Guten Tag Frau Bieler.
● Nein, Bühler ist mein Name.
● Entschuldigung, Frau Bühler.

⑦ Arbeit und Beruf

Die Diphtonge *ei au eu*

🔊 **1** **Hören Sie und sprechen Sie nach.**
1.93

eu neu – Deutsch – Euro – der Freund – heute – der Verkäufer

au verkaufen – die Hausaufgabe – draußen – zu Hause – aus

ei der Teilnehmer – überweisen – allein – reisen – bei – seit

> Die Buchstaben **äu** spricht man wie **eu** und **ai** spricht man wie **ei**.

🔊 **2 a** **Was ist er von Beruf? Hören Sie den Dialog und ergänzen Sie *ei, au* oder *eu*.**
1.94

• Müssen Sie früh ....fstehen?

• Ja, manchmal muss ich früh ....fstehen.

• Arbeiten Sie dr..........ßen?

• Ja, manchmal arb..........te ich dr..........ßen, manchmal

   arb..........te ich aber ....ch im H..........s.

• Arb..........ten Sie all..........ne?

• Ja, oft arb..........te ich all..........ne.

• R..........sen Sie viel?

• N..........n, ich muss l..........der nicht r..........sen.

• Br..........chen Sie ein ....to?

• Ja, manchmal muss ich etwas ....nk..........fen, dann br..........che ich ein ....to.

• Arb..........ten Sie h..........te?

• N..........n, h..........te habe ich Url..........b.

· Er ist Hausmeister.

2 b **Lesen Sie den Dialog zu zweit.**

3 **Fragen und antworten Sie.**

Brauchen Sie ein Auto?

Müssen Sie früh aufstehen?

Reisen Sie viel?

Arbeiten Sie alleine?

Arbeiten Sie draußen?

Nein, ich arbeite ...

Das *pf*

🔊 2.81 **1** Hören Sie und sprechen Sie nach.

pffffff   pfffff   der Kopf – der Schnupfen

Mein Kopf tut weh. Ich habe Kopfschmerzen und Schnupfen.

> Sprechen Sie das **p** nicht zu stark, das **f** muss man deutlich hören.

Das *z*

🔊 2.82 **2 a** Hören Sie und sprechen Sie nach.

der Zahn – der Zucker – die Zeit – die Schmerzen – die Ärztin – bezahlen – jetzt

> Das *z* (und das **tz**) spricht man wie ein **ts**.

🔊 2.83 **2 b** Hören Sie und sprechen Sie nach.

die Nationalität – die Information

> Die Endung **tion** spricht man **zion**.

2 c Machen Sie Dialoge wie im Beispiel. Achten Sie auf das *z*.

● Sie haben Kopfschmerzen: Wohin gehen Sie?
● Zum Hausarzt.

Zahnschmerzen	→ zum Zahnarzt
Ohrenschmerzen	→ zum Hals-Nasen-Ohren-Arzt
Schmerzen im Auge	→ zum Augenarzt
Halsschmerzen	→ zum Hausarzt
Schmerzen in der Brust	→ zum Krankenhaus
Rückenschmerzen	→ zum Hausarzt
Ihr Kind hat Bauchschmerzen.	→ zum Kinderarzt

Phonetik

Das *ch*

🔊 2.84 **1** Der Ach-Laut. Hören Sie und sprechen Sie nach.

Wochenende – Besuch – machen – Kuchen
Am Wochenende kommt Besuch, ich mache einen Kuchen.

brauchen – kochen – Buch
Brauchst du ein Kochbuch?

> Nach **a**, **o**, **u** und **au** spricht man den Ach-Laut.

🔊 2.85 **2** Der Ich-Laut. Hören Sie und sprechen Sie nach.

> Der Ich-Laut ist leicht zu sprechen. Sagen Sie *ja*, sprechen Sie ein langes *j* – *jjja*. Jetzt ohne Stimme. Holen Sie viel Luft und flüstern Sie: *jjjja*. Das ist der Ich-Laut.

Küche – gleich – rechts
Die Küche ist gleich rechts.

ich – möchte – täglich – ein bisschen – sprechen
Ich möchte täglich ein bisschen Deutsch sprechen.

3 a Wo spricht man den Ach-Laut? Wo spricht man den Ich-Laut? Markieren Sie.

das Buch – die Bücher – der Koch – die Köchin – die Sprache – sprechen
Welche Sprachen sprechen Sie? Welche Sprachen sprichst du?

🔊 2.86 **3 b** Hören Sie zur Kontrolle und sprechen Sie nach.

3 c Fragen und antworten Sie.

- Was ist Ihre Muttersprache?
- Sprechen Sie auch Spanisch?
- Sprechen Sie auch …?

- Meine Muttersprache ist …
- Ja, natürlich.
- Ja, ein bisschen. / Nein, leider nicht.

🔊 2.87 **4** Hören Sie und sprechen Sie nach.

richtig – günstig – wenig
der Chef – die Chance
sechs – Erwachsene – wechseln

Die Endung **-ig** spricht man **-ich**.
Am Wortanfang spricht man das **ch** manchmal **sch**.
chs spricht man manchmal **ks**.

Das *nk*

🔊 2.88   **1a**   Hören Sie zu.

die Bank – nach links – danke – krank – trinken – das Getränk – der Enkel – der Onkel

1b   Hören Sie noch einmal und sprechen Sie nach.

Das *ng*

🔊 2.89   **2a**   Hören Sie zu.

die Wohnung – langsam – lange geschlafen
der Hunger – dringend – bringen
die Überweisung – die Überweisungen

> Beim **ng** hört man das **g** nicht.
> Aber: ein·ge·kauft – un·ge·fähr – das An·ge·bot

2b   Hören Sie noch einmal und sprechen Sie nach.

2c   Machen Sie Dialoge wie im Beispiel.

- Wohin bist du gegangen?
- Ich bin zum Friseur gegangen.

> zur Bank • in die Disko • in die Stadt • zum Zahnarzt •
> zum Friseur • zum Fitnesscenter • nach Hause

Wortgruppen sprechen

🔊 2.90   **1a**   Hören Sie und sprechen Sie langsam und deutlich nach.

das Auto anmelden
Kindergeld beantragen
die Wohnung anmelden
einen Antrag abgeben
ein Formular ausfüllen
den Mietvertrag unterschreiben
die Gehaltsabrechnung abgeben
das Geburtsdatum eintragen
eine Berufsberatung bekommen

2.91

1 b Schneller sprechen. Hören Sie und markieren Sie in 1a: Welches Wort ist betont?

1 c Hören Sie noch einmal und sprechen Sie nach.

1 d Machen Sie Dialoge wie im Beispiel. Achten Sie auf die betonten Wörter.

- ● Hallo, was machst du hier? Möchtest du das Auto anmelden?
- ● Nein, ich muss Kindergeld beantragen.

12 Im Kaufhaus

Wortakzent bei Komposita

2.92

1 a Hören Sie die Wörter und markieren Sie die Wortakzente und die Vokallänge.

die Mode	der Schmuck	der Modeschmuck
der Winter	der Mantel	der Wintermantel
der Herr	die Jacke	die Herrenjacke
der Computer	das Spiel	das Computerspiel
das Baby	die Wäsche	die Babywäsche
die Dame	der Friseur	der Damenfriseur

1 b Hören Sie noch einmal und sprechen Sie nach.

13 Auf Reisen

Das *r*

2.93

1 a Hören Sie und sprechen Sie nach.

nach Rom – nach Russland – einfach reisen –
einfach reservieren – ach, Regen

groß – grillen – die Gruppe – krank
drei – trinken – treffen – die Adresse
fragen – der Preis – der Strand – die Brücke
der Beruf – zurück – berühmt – direkt

Übung macht den Meister!

Wenn man mit Wasser gurgelt, entsteht das deutsche hintere **r**. Ohne Wasser: Sprechen Sie ein kräftiges **g**, lösen Sie den Verschluss der Zunge langsam: **gch**. Geben Sie jetzt Ihre Stimme dazu (singen Sie): **rrrrrrr**.

🔊 1 b **Hören Sie und sprechen Sie nach.**

2.94

besser – lieber – schneller – langsamer – die Nummer – das Zimmer – der Computer

Das **r** in der Endung spricht man nicht. Man spricht ein kurzes **a**.

1 c **Sprechen Sie Dialoge wie im Beispiel. Achten Sie auf die Endungen.**

1 Frankfurt ist groß.
2 In Deutschland ist es kalt.
3 Der Frühling ist warm.
4 Das Buch ist gut.

Ja, aber meine Stadt ist größer.

Zusammen leben

14

Das *h*

🔊 1 **Hören Sie und sprechen Sie nach.**

2.95

hinter dem Haus	Hosen und Hemden
Im Hof ist ein Hund.	Heute heirate ich.

h

🔊 2 a **Hören Sie und kreuzen Sie an: Welches Wort hören Sie?**

2.96

1 ☐ ihr   ☐ hier   4 ☐ alt   ☐ halt
2 ☐ aus   ☐ Haus   5 ☐ Ende ☐ Hände
3 ☐ Eis   ☐ heiß   6 ☐ und   ☐ Hund

2 b **Lesen Sie die Wortpaare laut.**

Vokal + *h*

🔊 3 a **Hören Sie und sprechen Sie nach.**

2.97

Sie fährt zu ihrer Wohnung. Sie sieht sehr fröhlich aus.

3 b **Machen Sie Dialoge wie im Beispiel. Achten Sie auf das *h*.**

Das **h** nach einem Vokal spricht man nicht, der Vokal ist immer lang: **ah, eh, ieh, oh, uh, äh, öh, üh**.

● Kann ich Ihnen helfen?
● Ja, ich hätte gern eine Hose.
● Bitte, hier sind Hosen.

ein Hemd, -en • ein Heft, -e • ein Fahrrad, "-er
ein Handy, -s • ein Hähnchen,- • ein Stuhl, "-e

1 Willkommen!

1 Wer ist das? Sehen Sie Clip 1 und 2 an. Ordnen Sie die Namen zu und schreiben Sie
Clip 1 + 2 Sätze.

> Antonio Fernández Garcia • ~~Corinna Weber~~ • Daniel • Elena • Julia • Luis

Das ist Corinna Weber.

2a Sehen Sie Clip 1 und 2 noch einmal an. Wer sagt was? Ergänzen Sie.
Clip 1 + 2

> Hallo, wir sind neu hier. • Ich wohne schon lange in Berlin. •
> Ja, wir kommen aus Mannheim. • Sind Sie neu hier in Berlin?

2b Alles richtig? Sehen Sie Clip 1 und 2 noch einmal an und korrigieren Sie.

Alte Heimat, neue Heimat

1 Sehen Sie das Foto an und verbinden Sie die Sätze.

1 Das sind   A   Luis.
2 Sie kommen   B   in Berlin.
3 Sie wohnen   C   neu hier.
4 Sie sind   D   aus Mannheim.
5 Der Sohn heißt   E   Corinna und Antonio.

Clip 3

2 Sehen Sie Clip 3 an. Welche Zahlen hören Sie? Ergänzen Sie.

G   Name: Antonio Fernández Garcia

Straße: Hufelandstr. ....

Ort: .... Berlin

Dominika Nurowska

Clip 3

3 Sehen Sie Clip 3 noch einmal an. Ergänzen Sie die Fragen von Frau Nurowska.

1 • ....   • Er ist fünf Jahre alt.

2 • ....   • Ja, ich bin Spanier.

3 • ....   • Er spricht Deutsch und Spanisch. Seine Muttersprache ist Deutsch.

4 • ....   • Prima. Ja, die E-Mail-Adresse ist cweber@web.de.

Clip 3

4 Wer sagt was? Machen Sie eine Tabelle im Heft und sehen Sie Clip 3 noch einmal zur Kontrolle an.

> Ich schicke ein Anmeldeformular. • Ja, tschüss. Danke! •
> Und? Haben Sie noch Plätze frei? • Und jetzt? • Und wie ist Ihr Name? •
> Wir haben eine Kita! • Bis bald. Auf Wiederhören.

Antonio	Corinna	Frau Nurowska

③ **Häuser und Wohnungen**

1a Was sehen Sie? Sprechen Sie über das Zimmer und die Möbel.

Im Wohnzimmer ist ein Tisch.
Der Tisch ist braun.

Das ist ...

1b Was glauben Sie? Was braucht die Familie noch? Machen Sie eine Liste.

Familie Fernández-Weber braucht

1c Clip 4 Was braucht die Familie wirklich? Sehen Sie Clip 4 an und kreuzen Sie an.

A ☐   B ☐   C ☐   D ☐

2 Clip 4 Was sagt Julia zur Familie? Was sagt Julia zu Sara? Sehen Sie Clip 4 und verbinden Sie.

zur Familie

1 Berlin ist super.
2 Das Badezimmer ist furchtbar.
3 Das Badezimmer ist ganz modern.
4 Die Wohnung ist toll: groß und hell.
5 Sie ist klein und langweilig.
6 Wir haben vier Zimmer.

zu Sara

Familienleben

Clip 5

1a Sehen Sie Clip 5 an. Über welche Freizeitaktivitäten spricht die Familie? Kreuzen Sie an.

1 ☐ einen Film sehen
2 ☐ die S-Bahn nehmen
3 ☐ ein Straßenfest besuchen
4 ☐ eine Stadt besichtigen

5 ☐ eine Radtour machen
6 ☐ Zeitung lesen
7 ☐ faulenzen
8 ☐ eine Schifffahrt machen

1b Was macht die Familie am Sonntag?
Schreiben Sie.

....

....

Clip 6

2a Was denkt Ernst Walter? Sehen Sie Clip 6 an und ergänzen Sie die Sätze.

1 Aha, sie haben .... Kinder. Der

Sohn ist noch klein. Wie alt ist er?

.... Jahre? Oder ....?

2 Aber die Tochter ist schon ....

Sie ist vielleicht .... oder

.... Jahre alt.

3 Und die Eltern? Wie alt ist die Mutter?

........................? ....?

4 Und was ist er von Beruf? ....? ....?

Arbeitet er oder ist er Hausmann?

5 Er ist Lehrer. Nein, ich glaube die Frau ist ....

2b Und was denken Sie? Ergänzen Sie die Tabelle.

	Luis	Julia	Antonio	Corinna
Alter				
Beruf				

5 Der Tag und die Woche

Clip 7

1a Sehen Sie Clip 7 an. Wer macht was gern? Ordnen Sie zu.

> einkaufen gehen • joggen gehen • früh aufstehen •
> lange schlafen • schwimmen gehen • einen Ausflug machen

Corinna ....

Julia ....

1b Sehen Sie Clip 7 noch einmal an. Wer macht was nicht gern? Schreiben Sie Sätze.

Corinna: ....

Julia: ....

Clip 7

2 Sehen Sie Clip 7 noch einmal an. Ordnen Sie die Sätze zu einem Dialog und lesen Sie den Dialog zu zweit.

- ☐ Schön. Was ist?
- ☐ Ja, klar! Einen Freund ...
- ☐ Ja, sie gehen zusammen aus.
- ☐ Nein, er trifft einen Freund.
- ☐ Der Ausflug heute war richtig klasse. ... Oder?
- ☐ Ja!
- ☐ Potsdam ist wirklich schön.
- ☐ Aha. Alexander ...
- ☐ Ja, der Tag war super.
- ☐ Ich glaube, er heißt Alexander.
- ☐ Daniel hatte keine Zeit heute Abend ...
- ☐ Aha. Und wie heißt der Freund?

3 Lesen Sie die Aussagen. Was ist richtig? Kreuzen Sie an.

1	Corinna steht morgen	☐ um 6.00 Uhr auf.	☐ um 10.00 Uhr auf.
2	Julia möchte nicht mit Corinna	☐ schwimmen gehen.	☐ joggen gehen.
3	Luis geht	☐ morgen in die Kita.	☐ am Mittwoch in die Kita.

Guten Appetit!

 Clip 8

1 a Lesen Sie die Einkaufszettel und sehen Sie den Clip 8 an. Welcher Einkaufszettel passt? A oder B? Kreuzen Sie an.

A ☐
2 kg Reis
100 g Joghurt
Käse
1 kg Tomaten
2 Zwiebeln   Bier
2 Orangen
1 kg Hackfleisch
1 Flasche Wasser
Brot
Salat   Schokolade

B ☐
2 kg Reis
200 g Joghurt
1 l Milch
1 kg Tomaten
10 Zwiebeln   Brot
2 Orangen
500 g Hackfleisch
ein Kasten Wasser
Bier
Äpfel   Kuchen

1 b Sehen Sie Clip 8 noch einmal an und vergleichen Sie mit dem Einkaufszettel. Was hat Daniel vergessen? Notieren Sie.

....

 Clip 8

2 Schreiben Sie den Dialog, kontrollieren Sie mit Clip 8 und lesen Sie dann zu zweit.

Kunde

- Guten Tag! Ich hätte gerne ein Kilo Tomaten.
- Ja, zwei Orangen.
- Einen Moment … Ich habe nur 5 Cent.
- Ja, ich brauche noch zehn Zwiebeln. Und das ist dann alles.
- Ich habe es leider nicht passend.

Verkäufer

- Guten Tag, was möchten Sie?
- Das macht zusammen 4 Euro und 3 Cent.
- Haben Sie vielleicht 3 Cent?
- Sehr gern! … Sonst noch etwas?
- Ein Kilo Tomaten … Haben Sie sonst noch einen Wunsch?
- So, und dann bekommen Sie 16 Euro und 2 Cent zurück.

 Clip 8

3 Lesen Sie die Aussagen. Was ist richtig? Kreuzen Sie an und korrigieren Sie die falschen Aussagen.

1 ☐ Daniel möchte mit Elena zusammen kochen.

2 ☐ Elena kocht selten.

3 ☐ Daniel schreibt seine Adresse auf.

4 ☐ Elena kauft Reis und Zitronen ein.

7 Arbeit und Beruf

1 Sehen Sie Clip 9 an. Welche Berufe hören Sie? Kreuzen Sie an.

Clip 9

1 ☐ Ingenieur/in 2 ☐ Programmierer/in 3 ☐ Arzt/Ärztin 4 ☐ Lehrer/in
5 ☐ Sekretär/in 6 ☐ Briefträger/in 7 ☐ Buchhalter/in 8 ☐ Bäcker/in

2 Sehen Sie Clip 9 noch einmal an. Wie beschreibt Antonio seine Arbeit? Lesen Sie die Aussagen und kreuzen Sie an: Richtig oder falsch?

Clip 9

	R	F
1 Ich kenne das Büro noch nicht so gut, aber das ist okay.	☐	☐
2 Alles ist neu und anders. Das ist anstrengend.	☐	☐
3 Die Arbeit ist ein bisschen langweilig.	☐	☐
4 Ich schreibe eine Software für Buchhalter.	☐	☐
5 Ich habe sechs Kollegen: vier Frauen, zwei Männer.	☐	☐

3 Wer will was? Schreiben Sie Sätze.

alleine arbeiten • im Team arbeiten • mit den Händen arbeiten • viel Geld verdienen

Luis will ....
....
....
....
....
....

Gute Besserung!

1 **Sehen Sie das Foto an. Was glauben Sie? Wie geht es Julia? Was hat sie? Schreiben Sie.**

....

....

2 **Sehen Sie Clip 10 an und beantworten Sie die folgenden Fragen.**

Clip 10

    1 Was hat Julia?

    2 Wen ruft Corinna an?

    3 Wann ist der Termin beim Arzt?

    4 Welcher Wochentag ist heute?

3 **Sehen Sie Clip 11 an. Was glauben Sie:**
Wer ist Maria? Wo ist sie? Was macht sie?
Sammeln Sie Ideen.

Clip 11

      (Maria)

4 **Sehen Sie Clip 12 an. Ergänzen Sie dann die Namen in den Sätzen.**

Clip 12

> Elena • Corinna • Elena, Julia und Corinna • Julia und Corinna • Julia • Elena

1 .... wohnen

in der Hufelandstraße 33.

.... wohnt

dort im ersten Stock.

2 .... ist die

Schwester von Daniel.

3 .... ist krank.

4 .... gehen zu

Dr. Sommerfeld.

5 .... arbeitet bei Dr. Sommerfeld.

9 Wege durch die Stadt

1 Elena ruft Daniel an. Was glauben Sie? Was sagt Elena? Kreuzen Sie an.

- ☐ Ich habe gerade Mittagspause.
- ☐ Daniel, ich mag dich!
- ☐ Kochen wir zusammen?
- ☐ Sollen wir etwas zusammen essen?
- ☐ Ich habe heute keine Zeit.
- ☐ Deine Schwester ist sehr nett.
- ☐ Sollen wir uns treffen?

▶ Clip 13

2 Sehen Sie Clip 13 an. Wer sagt was? Machen Sie eine Tabelle im Heft.

> Sollen wir uns treffen? • Wow! Du rufst an! • Sollen wir etwas zusammen essen? •
> Ich habe gerade Mittagspause. • Hast du ein bisschen Zeit? •
> Ich bin vor der Praxis. • Oh, ich bin ganz in der Nähe. • Wo sollen wir uns treffen?

Elena	Daniel

▶ Clip 13

3a Wo ist wer oder was? Sehen Sie Clip 13 noch einmal an und kreuzen Sie an.

1 Elena ist
2 Die Praxis ist
3 Daniel ist
4 Der Thailänder ist

- ☐ an der Bäckerei.
- ☐ in der Hufelandstraße.
- ☐ in 10 Minuten da.
- ☐ in der Hagenauer Straße.
- ☐ vor der Praxis.
- ☐ in der Christburger Straße.
- ☐ in der Nähe.
- ☐ in der Hufelandstraße.

3b Wie soll Elena fahren? Zeichnen Sie den Weg in den Stadtplan ein.

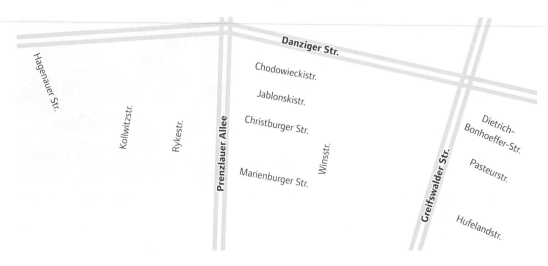

1a Sehen Sie Clip 14 ohne Ton an. Was glauben Sie? Was ist richtig? Kreuzen Sie an.

Clip 14

1 Wie ist die Information im Brief?
- ☐ schlecht
- ☐ schön
- ☐ langweilig
- ☐ wichtig

2 Wer hat den Brief geschrieben?
- ☐ ein/e Freund/in
- ☐ ein Kollege / eine Kollegin
- ☐ eine Firma
- ☐ ein Arzt / eine Ärztin
- ☐ eine Bank

☐ ....

1b Was steht wirklich im Brief? Sehen Sie Clip 14 mit Ton an. Kreuzen Sie an: Richtig oder falsch?

Clip 14

	R	F
1 Maria ist die Frau von Ernst Walter.	☐	☐
2 Maria wohnt jetzt in Spanien.	☐	☐
3 Maria und Ernst hatten sehr lange keinen Kontakt.	☐	☐
4 Maria will sich entschuldigen.	☐	☐
5 Ernst soll Maria in Spanien besuchen.	☐	☐

2 Was war früher, was ist jetzt? Sehen Sie Clip 15 an und ergänzen Sie die Sätze.

Clip 15

> in Madrid leben • allein wohnen •
> einen Brief schreiben • studieren

1 Früher hat Ernst Walter in Berlin mit seiner Familie gewohnt, jetzt

....

2 Früher hat Maria in Berlin gelebt, jetzt

....

3 Früher ...., jetzt ist sie Deutschlehrerin in Spanien.

4 Früher hatten Ernst und Maria keinen Kontakt, jetzt hat Maria

....

11 Ämter und Behörden

1 Sehen Sie Clip 16 ohne Ton an. Was sehen Sie? Kreuzen Sie an.
Clip 16

A ☐ einen Computer D ☐ ein Handy G ☐ ein Foto
B ☐ eine Lampe E ☐ ein Formular H ☐ einen Führerschein
C ☐ einen Kugelschreiber F ☐ eine Quittung I ☐ einen Personalausweis

2a Sehen Sie Clip 16 mit Ton an. Finden Sie sechs Fragen und vier Antworten. Schreiben
Clip 16 Sie sie in Ihr Heft.

ICHMÖCHTEMEINENPERSONALAUSWEISVERLÄNGERNGEHÖRTDASHAUSIHNENISTDA
SEINPROBLEMHABENSIEDASFORMULARSCHONAUSGEFÜLLT NEINDASKANNICHNICHT
ICHHABEDIEWOHNUNGIM3.STOCKGEMIETETSIEKÖNNENIHNINDREIWOCHENAM
INFORMATIONSSCHALTERHIERIMBÜRGERAMTABHOLENWANNKANNICHDEN
PERSONALAUSWEISDENNABHOLENWELCHESFORMULARWIEKANNICHIHNENHELFEN

Ich möchte ...

2b Ordnen Sie in 2a die Fragen den Antworten zu. Lesen Sie die Minidialoge zu zweit.

3 Sehen Sie Clip 16 noch einmal an und beantworten Sie die Fragen.
Clip 16

1 Warum hat Ernst das Formular nicht ausgefüllt?
2 Was sieht Daniel auf dem Personalausweis von Ernst?
3 Seit wann wohnt Ernst schon in der Hufelandstraße 33?
4 Was kostet der Personalausweis?

4 Was glauben Sie? Was denkt Daniel? Ergänzen Sie.

Im Kaufhaus

1   Was glauben Sie: Was ist das Problem? Was sagt Daniel? Ergänzen Sie.

2   Sehen Sie Clip 17 an. Was ist richtig? Kreuzen Sie an.

Clip 17

1	Julia hat noch immer	☐ Kopfschmerzen.	☐ Halsschmerzen.
2	Die Schule fängt	☐ nächste Woche an.	☐ morgen an.
3	Corinna und Julia	☐ sitzen auf dem Sofa.	☐ rufen Daniel an.
4	Daniel trifft am Abend	☐ eine Frau.	☐ einen Freund.
5	Sie gehen zusammen	☐ ins Kino.	☐ in ein Restaurant.

3a   Sehen Sie Clip 17 noch einmal an. Was findet Corinna gut und schlecht? Ordnen Sie zu.

Clip 17

> das blaue Hemd • den blauen Anzug •
> die Sportschuhe • das schwarze Hemd •
> die braunen Schuhe • die Krawatte •
> die schwarzen Schuhe • das weiße Hemd

☺	☹

3b   Und was zieht Daniel an? Sehen Sie Clip 17 noch einmal an und schreiben Sie.

Clip 17

....

🎞 **1a** Sehen Sie Clip 18 ohne Ton an. Was glauben Sie: Worüber spricht die Familie? Kreuzen
Clip 18   Sie an.

Sie sprechen …

- ☐ über die Arbeit.
- ☐ über die Schule.
- ☐ über Ernst Walter.
- ☐ über die Kita.
- ☐ über das Essen.
- ☐ über den Urlaub.
- ☐ über den Umzug.
- ☐ über Daniel und Elena.

1b Sehen Sie Clip 18 mit Ton an. Worüber spricht die Familie wirklich? Schreiben Sie.

....

🎞 **2** Sehen Sie den Clip noch einmal an und kreuzen Sie an: Richtig oder falsch?
Clip 18

		R	F
1	Luis findet das Essen langweilig.	☐	☐
2	Julia hat keine Lust auf die neue Schule.	☐	☐
3	Die Familie hat Urlaub gemacht.	☐	☐
4	Sie haben Aktivurlaub in Spanien gemacht.	☐	☐
5	Antonio und Corinna können Julia nicht helfen.	☐	☐

🎞 **3a** Sehen Sie Clip 18 noch einmal an. Wer sagt was? Schreiben Sie im Heft.
Clip 18

> Der Lkw war so bequem. Viel bequemer als ein Flugzeug. • Hört mal, das war eine
> einzigartige Städtetour. • Wir hatten eine tolle Ferienwohnung mit einer fantastischen
> Aussicht. • Wir hatten viel Sonnenschein und angenehme Temperaturen. •
> Wir sind von Mannheim nach Berlin gefahren mit ganz vielen Möbeln. •
> Die Anreise war etwas anstrengend.

Antonio: …

Corinna: …

3b Sehen Sie Clip 18 noch einmal an. Wählen Sie eine Rolle und sprechen Sie laut mit.

Clip 19 **1 a** Sehen Sie Clip 19 an und beantworten Sie die Fragen.

1 Wer hat die Einladung geschrieben?
2 Wann und wo ist die Feier?
3 Wie reagiert Ernst auf die Einladung?
4 Was denken Sie? Geht er zu der Feier?

Clip 20 **1 b** Sehen Sie Clip 20 an. Was ist richtig? Kreuzen Sie an.

1 Ernst Walter kommt ☐ sehr pünktlich ☐ zu spät zum Fest.
2 Er bringt ☐ Wein ☐ Blumen mit.
3 Antonio und Ernst Walter trinken ☐ spanisches ☐ deutsches Bier.
4 Antonio will mit Ernst Walter ☐ ein Flugticket ☐ einen Computer kaufen.

2 Was sagt Ernst Walter? Ergänzen Sie den Dialog und lesen Sie den Dialog zu zweit.

> Das war viel Arbeit, oder? • Ja, das ist richtig! • Ja, ich wohne seit fast 40 Jahren in Berlin und auch hier im Haus. • Schön haben Sie es hier. Sehr schön.

Ernst: ....

....

Antonio: Ja, es gefällt uns auch gut.

Ernst: ....

Antonio: Ja. Der Umzug war anstrengend und stressig. Aber jetzt geht es besser. Wohnen Sie schon lange hier?

Ernst: ....

Antonio: Oh! In 40 Jahren passiert viel!

Ernst: ....

Clip 20 **3** Sehen Sie Clip 20 noch einmal an. Schreiben Sie zu dritt einen Dialog zum Foto und spielen Sie den Dialog.

Hier finden Sie alle Hörtexte, die nicht oder nicht vollständig im Buch abgedruckt sind.

1 Willkommen!

B 2

1 O 2 G 3 N 4 A 5 M 6 E 7 V
8 W 9 A Umlaut 10 C 11 Z 12 ß

B 3

1 • Wie heißen Sie?
  • Joachim Schote.
  • Wie bitte? Wie schreibt man das?
  • Moment, ich buchstabiere.
    J O A C H I M   S C H O T E.

2 • Wie heißen Sie?
  • Sami Khedira.
  • Wie bitte? Wie schreibt man das?
  • Moment, ich buchstabiere.
    S A M I und dann K H E D I R A.

3 • Wie heißen Sie?
  • Susanne Müller.
  • Wie bitte? Wie schreibt man das?
  • Moment, ich buchstabiere.
    S U S A N N E   M U-Umlaut L L E R.

4 • Wie heißen Sie?
  • Max Mayer.
  • Wie bitte? Wie schreibt man das?
  • Moment, ich buchstabiere.
    M A X   M A Y E R.

C 2

1 Guten Tag, Herr Krause.
2 Hallo, wie heißt du?
3 Tschüss, Daniel.
4 Guten Tag, Frau Schneider, wie geht es Ihnen?

D 3

1 HH FK 6341
2 MS TT 2011
3 F ZV 245
4 N BB 763
5 ZH 871 6432
6 W MA 9

Sprechen aktiv 5

Wie heißen Sie?
Woher kommen Sie?
Wie geht es Ihnen?
Was sind Sie von Beruf?

Wie bitte?
Wie schreibt man das?

2 Alte Heimat, neue Heimat

A 2

• Willkommen in unserer Sendung „Leute in Deutschland". Herr und Frau Monti, leben Sie schon lange in Deutschland? Oder sind Sie neu hier?
• Nein, nein, wir leben schon lange in Deutschland, wir sind schon zwanzig Jahre hier. Ich arbeite bei Siemens hier in München. Meine Frau ist Sekretärin in einer Sprachschule.
• Woher kommen Sie?
• Ich komme aus Italien und meine Frau kommt aus Polen.
• Welche Sprachen sprechen Sie?
• Wir sprechen Italienisch, Polnisch, natürlich Deutsch und ein bisschen Spanisch. Und jetzt lernen wir Englisch.

B 1 a

die Tür – das Fenster – die Uhr – der Stuhl –
das Plakat – die Tafel – die Lampe – die Flasche –
das Papier – das Wörterbuch – der Kugelschreiber –
der Kuli – der Tisch – der USB-Stick –
der Schlüssel – das Handy – das Heft –
die Brille – das Buch – die CD – die Tasche –
der Laptop – das Tablet

C 3 b

Und im Ziel begrüßen wir die Nummern:
696, 245, 372, 483, 824, 717, 538, 111.

C 4 a

1 • Hallo, Marie, hast du die Handynummer von Paul?
  • Ja, die Nummer ist 0177 – 25 35 53.
  • 0177 – 253 553?
  • Ja.
  • O.k. Danke.

2 • Haben Sie die Telefonnummer von Herrn Weiß?
  • Nein, die Telefonnummer habe ich nicht, ich habe die Handynummer:
    0174 – 689731.
  • Danke sehr.

3 ● Wie ist die Handynummer von Frau Tanner?

● Frau Tanner hat kein Handy.

● Ach so.

4 ● Entschuldigung, haben Sie die Nummer von der Sprachschule?

● Ja, die Nummer ist 0711 – 38 38 33.

● 3 8   3 8   3 3?

● Ja, genau.

● Vielen Dank.

5 ● Birthe hat jetzt ein Telefon!

● Und wie ist die Nummer?

● Die Vorwahl ist 02552.

● Ja, und die Nummer?

● Die Nummer ist zwei, null, drei, eins, zwei, zwei.

● Zwanzig, einunddreißig, dreiundzwanzig?

● Nein, zwo, null, drei, eins, zwo, zwo.

● Danke schön.

Sprechen aktiv 6

Wie ist Ihre Adresse?

Wie ist Ihre Handynummer?

Wie ist Ihre E-Mail-Adresse?

Welche Sprachen sprechen Sie?

Was ist Ihre Muttersprache?

Was ist Ihre Nationalität?

Wie heißt das auf Deutsch?

Wie schreibt man das?

Wie ist der Artikel?

Wie ist der Plural?

Häuser und Wohnungen

A 2

● Oje, das ist noch viel Arbeit. Wir brauchen noch ein Regal für das Wohnzimmer.

● Ja, das stimmt, aber das ist kein Problem. Möbel-Hanser hat gute Regale. Sie sind groß und nicht teuer. Dort kaufen wir auch neue Stühle. Brauchen wir auch noch einen Teppich?

● Ach, ein Teppich ist jetzt nicht so wichtig. Aber wir haben noch keine Spülmaschine.

● Ja, stimmt. Elektro-Müller hat viele Sonderangebote. Die Spülmaschine kaufen wir da.

● Dann kaufen wir zuerst die Spülmaschine.

B 1c

Ist das ein Bett?

Ist das ein Stuhl?

Ist das ein Waschbecken?

Ist das eine Spülmaschine?

Ist das eine Kommode?

C 1b

● Guten Tag. Ich suche Familie Koval. Ich glaube, sie wohnt hier im 1. Stock oder im 2. Stock.

● Nein, Herr und Frau Koval wohnen ganz oben, im Dachgeschoss.

● Okay, danke.

● Hallo?

● Hallo, hier ist Mirko.

● Guten Tag, Mirko, komm rein.

● Guten Tag, Maksym. Das Haus ist groß. Hier wohnen viele Leute.

● Ja, hier wohnen und arbeiten 16 Personen. Und unten im Erdgeschoss sind noch Geschäfte. Es gibt einen Asienladen. Hier arbeitet Herr Lim. Es gibt auch einen Obst- und Gemüseladen. Hier arbeiten Herr und Frau Demir.

● Und im 1. Stock?

● Familie Waltermann wohnt im 1. Stock links. Frau Costa wohnt rechts. Und im 2. Stock links wohnt Familie Wang. Familie Singer wohnt rechts. Und wir wohnen hier im Dachgeschoss. Sehr gemütlich.

D 4b

Meine Wohnung ist günstig, sie kostet 400 Euro Miete ohne Nebenkosten. Sie ist 50 qm groß und sehr hell. Sie hat zwei Zimmer – ein Wohnzimmer, ein Schlafzimmer –, eine Küche und ein Bad. Ich wohne im dritten Stock.

Sprechen aktiv 5

Sind Sie neu hier?

Sprechen Sie Deutsch?

Ist Ihre Wohnung ruhig?

Ist Ihre Wohnung groß?

Wohnen Sie im Erdgeschoss?

Haben Sie einen Garten?

Finden Sie die Wohnung schön?

Familenleben

Auftaktseite 2

Das ist meine Familie. Oben auf dem Foto rechts sind meine Eltern. Mein Vater heißt Thomas, meine Mutter heißt Sabine. Ich habe zwei Geschwister, mein Bruder heißt Tobias und meine Schwester heißt Lisa. Oben links sind meine Großeltern. Mein Großvater heißt Peter und meine Großmutter heißt Brigitte. Meine Familie ist groß. Ich habe auch ...

B 3

- Hallo, Alberto, hier ist Elena. Kommst du bald nach Berlin?
- Ja, ich habe jetzt Zeit und komme gerne nach Berlin.
- Das ist schön. Wann kommst du?
- Ich komme am Wochenende und bleibe zwei Tage. O.k.? Was machen wir?
- Ja, super! Ich habe viele Ideen. In Berlin gibt es viele Sehenswürdigkeiten.

B 4 b

Also, zuerst kaufen wir Lebensmittel im Supermarkt. Dann machen wir eine Radtour. Danach essen wir zu Mittag. Und dann besichtigen wir Berlin. Es gibt sehr viele Sehenswürdigkeiten. Wir trinken einen Kaffee und dann besuchen wir ein Straßenfest in Kreuzberg. Wie findest du das? ...

B 5 b

- Also, Marek, kommst du dann am Wochenende?
- Ja, natürlich. Was machen wir?
- Ich habe einige Ideen. Zuerst machen wir einen Stadtbummel. Dann besichtigen wir den Hafen. Der Hafen ist sehr groß und sehr interessant. Wir sehen dann auch die Elbphilharmonie. Danach besichtigen wir das Rathaus und trinken einen Kaffee in der Innenstadt. Was willst du noch machen?
- Ich möchte gerne ...

C 1 a

- In unserer Reihe „Senioren in Bremen" sprechen wir heute mit Frau Hermine Müller. Frau Müller, erzählen Sie doch von Ihrem Leben früher und von Ihrer Familie.
- Ach, früher war alles anders. Die Familien in Deutschland waren groß, eine Familie hatte oft fünf, sechs oder mehr Kinder.
- Wer ist das auf dem Foto?
- Auf dem Foto sind meine Großeltern und ihre Kinder. Meine Großeltern hatten sechs Kinder. Meine Mutter sitzt vorne in der Mitte.
- Was war Ihr Vater von Beruf?
- Mein Großvater war Arzt von Beruf, mein Vater war auch Arzt. Meine Mutter hatte keinen Be-

ruf. Sie hatte viel Arbeit im Haus. Wir waren drei Geschwister. Wir hatten natürlich keinen Computer und kein Smartphone. Wir waren viel draußen. Das war schön. Ich hatte keine langweilige Kindheit. Meine Kinder und Enkelkinder leben ganz anders.

C 1 c

Früher war alles anders. Die Familien in Deutschland waren groß, eine Familie hatte oft fünf, sechs oder mehr Kinder. Auf dem Foto sind meine Großeltern und ihre Kinder. Meine Großeltern hatten sechs Kinder. Meine Mutter sitzt vorne in der Mitte. Mein Großvater war Arzt, mein Vater war auch Arzt. Meine Mutter hatte keinen Beruf. Sie hatte viel Arbeit im Haus. Wir waren drei Geschwister. Wir hatten natürlich keinen Computer und kein Smartphone. Wir waren viel draußen. Das war schön. Ich hatte keine langweilige Kindheit.

Sprechen aktiv 2 b

1 schlafen   2 kaufen   3 besichtigen
4 lesen   5 sehen   6 essen   7 nehmen
8 faulenzen   9 sprechen   10 fahren

Sprechen aktiv 5

Der Sonntag bei Familie Schmidt.
Der Sonntag ist ruhig und gemütlich.
Alle schlafen lange.
Die Eltern kochen das Mittagessen.
Die Kinder spielen.
Dann essen sie Schokolade.
Frau Schmidt liest ein Buch.
Herr Schmidt schläft.
Danach besuchen sie Freunde.
Die Kinder sehen einen Film.

Sprechen aktiv 6

- Und? Was machen wir morgen?
- Wir sehen einen Film! Oder wir chillen und essen Pizza!
- Ich habe eine Idee. Wir nehmen die S-Bahn und fahren nach Potsdam. Potsdam ist sehr schön. Die Stadt hat viele Sehenswürdigkeiten.
- Gut. Wir fahren morgen nach Potsdam.
- Und was machen wir jetzt?
- Jetzt trinke ich noch einen Kaffee und dann kaufen wir Lebensmittel im Supermarkt.
- Prima! Kaufen wir auch Pizza?

Station 1

1

1 • Die bestimmen Artikel sind *der, die* und *das*, im Plural *die*. Die unbestimmten Artikel sind *ein* und *eine*.
  • Entschuldigen Sie, können Sie das bitte wiederholen?

2 • Kann ich heute 20 Minuten früher gehen? Ich habe einen Termin.
  • Ja, das geht. Bitte machen Sie dann die Aufgaben 4 und 5 alleine zu Hause.

3 • Haben Sie noch Fragen?
  • Ja, was ist der Unterschied von *wo* und *woher*?

4 • Können Sie bitte noch einmal erklären: Was ist *Plural*?
  • Im Singular sagt man *kein Haus*, im Plural *keine Häuser*.

Der Tag und die Woche

A 2

1 • Entschuldigung, wie spät ist es?
  • Es ist halb sechs. Ach nein, es ist halb sieben.
  • Ach, schon so spät.

2 • Mach schnell! Es ist schon zwanzig nach sieben! Der Bus fährt in zehn Minuten.
  • Nein, es ist erst Viertel nach sieben. Wir haben noch Zeit.
  • Ach so, dann ist gut.

3 • Wann kommst du?
  • Ich bin um vier Uhr da.
  • Also in zwei Stunden?
  • Nein, in zweieinhalb Stunden. Es ist jetzt halb zwei.

4 • Jetzt ist es zwanzig vor drei. Peter kommt um drei Uhr.
  • Vielleicht kommt er auch später. Er ist selten pünktlich.

A 4 a

1 Guten Tag. Wir begrüßen alle Passagiere, gebucht auf Flug Nr. LH 113 um 13.50 Uhr nach Frankfurt. Wir beginnen jetzt mit dem Einstieg.

2 Vorsicht an Gleis 3! Der ICE nach Hamburg-Altona, planmäßige Abfahrt 14 Uhr 19, fährt jetzt ein.

3 • Hast du die Parkscheibe?
  • Ja, hier. Wie viel Uhr ist es?
  • 17 Uhr 30.

4 • Wann fängt das Konzert an?
  • Wir haben noch Zeit. Um 20 Uhr.

5 Es ist 6 Uhr 1 und hier ist Radio Brandenburg mit einem Verkehrshinweis für die Autofahrer.

C 2

• Michael, arbeitest du diese Woche?
• Nein, Montag und Dienstag arbeite ich nicht, aber Montag habe ich um 16.00 Uhr Basketballtraining und dann repariere ich auch mein Fahrrad. Das ist schon lange kaputt. Am Dienstagabend kommen Freunde. Wir kochen zusammen.
• Arbeitest du von Mittwoch bis Freitag?
• Ja, da arbeite ich, aber ich habe auch andere Pläne. Ich kaufe eine Fahrkarte nach Frankfurt, vielleicht am Mittwoch oder Donnerstag. In Frankfurt besuche ich am Wochenende meine Schwester. Am Freitagabend packe ich dann den Koffer und danach lese ich noch etwas, aber ich gehe früh schlafen.
• Schade, dann hast du ja fast keine Zeit für ein Treffen.
• Ja, aber sicher nächste Woche.

D 1

• Sandip Kumar, ja bitte?
• Hallo Sandip, hier ist Leonidas. Spielen wir zusammen Schach? Vielleicht am Dienstagnachmittag?
• Ja, gerne, aber nicht am Dienstag, da machen wir einen Ausflug nach Stuttgart. Hast du am Mittwoch Zeit?
• Ja, das geht. Um drei Uhr habe ich Zeit.
• Geht es auch später? Am Mittwochnachmittag habe ich einen Zahnarzttermin.
• Gut, dann komme ich um fünf. Ich bringe mein Schachspiel mit.
• Sehr gut. Dann bis Mittwoch.
• Bis Mittwoch. Tschüss!

Sprechen aktiv 4

Wie spät ist es?
Wie viel Uhr ist es?
Wann fängt der Kurs an?
Bis wann geht der Kurs?
Wann beginnt die Pause?
Wann hört der Kurs auf?
Hast du heute Zeit?

Spielen wir zusammen Schach?
Kommst du mit?

Sprechen aktiv 5

- Wann stehst du morgen auf?
- Um sechs Uhr.
- Furchtbar!
- Ich gehe joggen. Kommst du mit?
- Wie bitte? Um sechs Uhr?!
- Dann ist draußen alles noch ganz ruhig.
- Oh, wie schön! Aber nein. Nein danke.

 6 Guten Appetit!

A 1

- Gehst du einkaufen?
- Ja, das mache ich und ich nehme Laura und Marie mit. Was brauchen wir?
- Ich schreibe einen Zettel. Haben wir noch Milch?
- Ja, hier ist noch eine Flasche.
- Also, wir brauchen keine Milch … aber … Ach ja! Kauf doch bitte Butter und vergiss die Eier nicht.
- Haben wir noch Brot?
- Nein, wir brauchen Brot. Aber hol das Brot bitte nicht im Supermarkt. Geh doch zum Bäcker. Da ist das Brot sehr gut.
- Dann ist alles klar. Kommt, Laura und Marie, wir gehen.
- Wartet noch einen Moment!
- Ja?!
- Hier … Vergesst den Einkaufszettel nicht! Und bringt auch noch Kaugummis mit!

A 3a

1 Sonderangebot: Früchte aus Südamerika, zum Beispiel Bananen, das Kilo 1,20 €. Kaufen Sie Früchte aus Südamerika!

2 Nur heute: Joghurt im Angebot. Nehmen Sie drei Becher und bezahlen Sie zwei!

B 1b

- Guten Tag, was möchten Sie?
- Ich hätte gerne 3 Kilo Kartoffeln.
- 3 Kilo Kartoffeln, bitte sehr. Haben Sie noch einen Wunsch?
- Ja, was kosten die Tomaten?
- Das Kilo kostet 2,90 Euro.
- Dann nehme ich ein Kilo.
- Gerne. Möchten Sie noch etwas?

- Danke, das ist alles.
- Das macht zusammen 7,70 Euro. Haben Sie es passend?
- Einen Moment … Nein, leider nicht. Ich habe nur zehn Euro.
- Dann bekommen Sie 2,30 Euro zurück.

B 2b

1 • Was kosten die Tomaten?
  • Das Kilo kostet heute 1,60 Euro.

2 • Moment, der Wein ist doch im Angebot und kostet nur 4,29 Euro.
  • Ja, das stimmt. Er kostet nicht mehr 4,99 Euro. Ich korrigiere das.

3 • Schau mal, in dem Supermarkt sind gute Angebote. Ein Stück Butter kostet nur 99 Cent.
  • Ja, aber da kaufe ich nur selten ein. Andere Sachen sind manchmal teuer. Ein Liter Milch kostet 1,35 Euro. Das ist zu viel.

Sprechen aktiv 4

Ich hätte gern sechs Brötchen.
Ich hätte gern 200 Gramm Käse.
Was kosten die Kartoffeln?
Dann nehme ich zwei Kilo.
Ich möchte noch ein Hähnchen.
Wie viel kostet das Hähnchen?
Danke, das ist alles.
Was macht das zusammen?

Sprechen aktiv 5

- Also, was brauche ich? Zwei Kilo Reis, 200 Gramm Joghurt, einen Liter Milch, ein Kilo Tomaten, zehn Zwiebeln, zwei Orangen, ein Pfund Hackfleisch, einen Kasten Wasser, Bier, Brot und Kuchen. Okay, das Brot und den Kuchen kaufe ich später in der Bäckerei. Wasser und Bier kaufe ich im Supermarkt, Reis, Joghurt, Milch und das Hackfleisch auch. Alles klar!

- Guten Tag, was möchten Sie?
- Guten Tag! Ich hätte gerne ein Kilo Tomaten.
- Ein Kilo Tomaten … Haben Sie sonst noch einen Wunsch?
- Ja, zwei Orangen.
- Sehr gern! … Sonst noch etwas?
- Ja, ich brauche noch zehn Zwiebeln. Und das ist dann alles.
- Vielen Dank. Das macht zusammen 4 Euro und 3 Cent.
- Ich habe es leider nicht passend.
- Haben Sie vielleicht 3 Cent?

- Einen Moment … Ich habe nur 5 Cent.
- Das ist auch gut. Danke! So – und dann bekommen Sie 16 Euro und 2 Cent zurück.

Arbeit und Beruf

B 2 a

- Basketballverein Spandau, Ulrike Rekowski am Apparat. Was kann ich für Sie tun?
- Guten Tag, hier spricht Thomas Beeger. Ich brauche Ihre Bankverbindung, denn ich will den Mitgliedsbeitrag überweisen.
- Die IBAN ist DE46 1005 0000 0036 2037 00 bei der Berliner Sparkasse.
- Vielen Dank und auf Wiederhören.

B 2 b

- Sprachschule Becker, hier spricht Helene Deck.
- Guten Tag, mein Name ist Matteo Bernardini. Ich möchte die Gebühr für den B2-Abendkurs überweisen, aber ich kann Ihre Bankverbindung nicht finden.
- Unsere IBAN ist DE87 7706 0100 0025 7000 07 bei der VR-Bank Bamberg.
- Vielen Dank und auf Wiederhören.

Sprechen aktiv 4

Frau Deck geht um halb zehn aus dem Haus. Sie geht heute zuerst zum Friseur. Sie bleibt von zehn bis elf beim Friseur. Um elf Uhr geht sie vom Friseur zur Arbeit. Nach der Arbeit holt sie die Kinder von der Kita ab. Sie geht mit den Kindern zusammen einkaufen. Dann gehen sie nach Hause. Ihr Mann ist schon zu Hause und macht das Abendessen.

Sprechen aktiv 5 b

- Findest du deine Arbeit gut?
- Ja, die Arbeit ist wirklich interessant.
- Musst du auch mit den Kunden sprechen?
- Nein, das macht der Chef. Er hat den Kontakt zu den Kunden.
- Kannst du dann nicht zu Hause arbeiten?
- Doch, das geht schon. Ich brauche ja nur einen Computer und das Internet. Aber ich will nicht alleine arbeiten. Ich arbeite gern im Team.

Gute Besserung!

A 2

DIALOG 1

- Praxis Dr. Ortac, Karimi am Apparat, guten Tag.
- Guten Tag. Ich möchte einen Termin für nächste Woche.
- Ja, können Sie am Dienstag kommen? So um 15 Uhr?
- 15 Uhr? Ja, das geht.
- Dann sagen Sie bitte noch einmal Ihren Namen.
- Bas, B A S.
- Gut, Frau Bas, am Dienstag um 15 Uhr. Auf Wiederhören.

DIALOG 2

- Praxis Dr. Ortac, Karimi am Apparat, guten Tag.
- Guten Tag, mein Name ist Hristov. Ich hätte gerne einen Termin.
- Ja, ich habe einen Termin am nächsten Montag um neun Uhr.
- Nein, ich brauche schnell einen Termin. Ich bin sehr krank.
- Ach so, dann kommen Sie doch morgen, also am Donnerstagvormittag, um 11 Uhr. Aber Sie müssen ein bisschen Zeit mitbringen. Sagen Sie bitte noch einmal Ihren Namen.
- Hristov, H R I S T O V.
- Gut, Herr Hristov, am Donnerstag um 11 Uhr.
- Danke, auf Wiederhören.
- Auf Wiederhören.

C 1

- Lena, was ist los? Du musst aufstehen. Es ist sieben Uhr.
- Mein Kopf tut weh, Mama.
- Mmmh, dein Kopf ist ganz heiß. Du bleibst heute zu Hause. Ich hole das Fieberthermometer, dann messen wir erst mal Fieber … Hier, nimm es in den Mund.
- Was hat Lena?
- Sie ist krank, Alexis. Vielleicht ist es Scharlach. Viele Kinder haben im Moment Scharlach. Ich schreibe eine Entschuldigung und du nimmst sie mit und gibst sie dem Klassenlehrer.
- Okay, ich gebe sie Herrn Nolte. Gute Besserung, Schwesterchen.
- Und jetzt Lena, zeig mal. … Oh ja, du hast Fieber, 39,2. Wir gehen nachher zum Arzt. Ich mache jetzt erst mal einen Tee. Möchtest du noch etwas, mein Schatz?
- Ja, meinen MP3-Player.

- Ich hole ihn dir, dann kannst du ein bisschen Musik hören und ich schreibe die Entschuldigung und rufe beim Arzt an.

E 1

- Mein Name ist Petrow. Es gibt hier einen Unfall.
- Wo sind Sie?
- Ich bin in der Bahnhofstraße, Ecke Schillerstraße.
- Wie viele Personen sind verletzt?
- Ich glaube, drei Personen: zwei Frauen und ein Kind.
- Wie sind die Personen verletzt?
- Entschuldigung, ich spreche nicht gut Deutsch. Ich kann es nicht erklären. Bitte kommen Sie schnell, es ist dringend.
- Ich schicke einen Notarzt. Er kommt in wenigen Minuten.
  Bitte legen Sie nicht auf. Sagen Sie mir noch einmal Ihren Namen.
- Petrow.
- Und der Vorname?

E 2

- Hallo, ich heiße Victor Hill. Es brennt hier bei uns im Haus.
- Wo sind Sie?
- Ich bin in der Bergstraße. Das Feuer ist im zweiten Stock von Haus Nummer 15.
- Ist jemand im Haus?
- Nein, zum Glück sind alle Hausbewohner schon auf der Straße. Im Haus ist niemand mehr.
- Ich schicke die Feuerwehr. Sie kommt sehr bald. Bitte sagen Sie noch einmal Ihren Namen.
- Hill, Victor Hill. Ich bin einer von den Hausbewohnern, ich wohne auch in dem Haus.

Sprechen aktiv 2

1 • Ich habe Zahnschmerzen.
2 • Mein Kopf tut weh.
3 • Ich habe Rückenschmerzen.
4 • Ich habe eine Erkältung.

Sprechen aktiv 3

- Was ist passiert?
  ...
- Wo sind Sie?
  ...
- Wie viele Personen sind verletzt?
  ...

- Ich schicke den Notarzt. Bitte sagen Sie noch einmal Ihren Namen.
...

Sprechen aktiv 6

- Ich bin krank. Ich habe Husten und Schnupfen. Ich habe Halsschmerzen. Ich habe Fieber. Mein Kopf tut weh. Mir geht es schlecht. Ich soll zu Hause bleiben. Ich soll viel Tee trinken. Mein Arzt sagt, ich soll Tabletten nehmen.
- Du Arme! Gute Besserung!

⑨ Wege durch die Stadt

A 1

DIALOG 1

- Herr Kim, wie ist Ihr Weg zur Arbeit? Brauchen Sie viel Zeit?
- Nein, mein Weg ist nicht so lang. Ich wohne und arbeite in Berlin. Mit dem Fahrrad und der S-Bahn brauche ich insgesamt nur 20 Minuten. Für den Weg zur Arbeit und von der Arbeit zurück nach Hause brauche ich jeden Tag also nur 40 Minuten.
- Da haben Sie wirklich Glück.

DIALOG 2

- Herr Schmidt, wie lange brauchen Sie zur Arbeit? Wie ist Ihr Weg zur Arbeit?
- Ich wohne in Peine und arbeite bei der Post in Hannover. Mein Weg zur Arbeit ist also ziemlich weit, ich brauche ziemlich genau 55 Minuten.
- Fahren Sie mit dem Auto?
- Nein, ich nehme immer den Zug, von zu Hause gehe ich fünf Minuten zu Fuß zum Bahnhof und in Hannover fahre ich dann noch einige Minuten mit der Straßenbahn vom Hauptbahnhof bis zu meinem Arbeitsplatz.

A 2

- Mein Name ist Sander, ich bin Sekretärin und arbeite bei Jenoptik in Jena. Aber ich wohne in Naumburg. Ich brauche ungefähr 50 Minuten zur Arbeit. Ich fahre erst mit dem Fahrrad zum Bahnhof und dann mit dem Zug. Im Zug lese ich gern, manchmal schlafe ich auch noch ein bisschen.

- Mein Name ist Hoppe, Thomas Hoppe. Ich wohne in Stuttgart. Ich arbeite bei Bosch. Ich laufe erst zur Straßenbahn und fahre zehn Minuten.

Dann muss ich umsteigen und noch 15 Minuten mit der S-Bahn fahren. Ich brauche eine halbe Stunde zur Arbeit.

B 1 a

- Entschuldigung, wie komme ich zum Theaterplatz?
- Das ist weit. Sie müssen die U-Bahn nehmen. Hier ist die U-Bahn-Station.
- Ja – und wie muss ich fahren?
- Nehmen Sie die Linie U2 Richtung Zoo. Fahren Sie drei Stationen bis zum Hauptbahnhof, dann steigen Sie um. Nehmen Sie die Linie 1 Richtung Flughafen. Dann sind es noch zwei Stationen und Sie sind am Theaterplatz.
- Danke schön.
- Bitte.

B 5 a

- Besucht ihr mich am Wochenende? Habt ihr am Samstag Zeit?
- Ja, Samstag geht.
- Wunderbar, dann kommt doch am Samstagnachmittag so gegen drei. Wir können zusammen Kaffee trinken und vielleicht ein bisschen im Park spazieren gehen.
- Wo wohnst du?
- Gleich hier in der Nähe, das könnt ihr ganz einfach finden.
  Geht hier von der Sprachschule die Straße nach links, immer geradeaus. Die zweite Straße geht ihr nach rechts bis zur nächsten Kreuzung, dann sofort wieder nach links. Mein Haus ist auf der linken Seite, gleich rechts neben der Bäckerei und gegenüber vom Bahnhof.

B 5 c

DIALOG 1

- Hallo. Am Samstag habe ich Geburtstag und mache eine Party. Kommst du?
- Klar, gern. Wo wohnst du denn?
- In der Nähe vom Bahnhof. Du musst hier von der Sprachschule nach links gehen, immer geradeaus, dann an der dritten Kreuzung links. Da ist ein Park. Der ist sehr schön. Unser Haus ist das zweite Haus auf der rechten Seite.

DIALOG 2

- Oh, diese Wörter, ich muss unbedingt Wörter lernen.
- Sollen wir zusammen lernen? Komm doch heute Nachmittag zu mir, ich mache einen Tee und wir lernen die Wörter zusammen.

- Gute Idee. Ich bringe Kuchen mit. Wo wohnst du denn?
- Ich wohne ganz in der Nähe, es ist nicht weit, vielleicht zehn Minuten. Du musst hier von der Sprachschule in die Straße rechts gehen, dann sofort wieder links, dann die zweite Straße wieder links und dann wieder rechts. Dann siehst du die Polizei. Wir wohnen links neben der Polizei.
- Das finde ich bestimmt. Tschüss, bis heute Nachmittag.
- Tschüss.

C 3

- Mama, wir hatten heute Verkehrsunterricht in der Schule.
- Aha. Und erzähl mal, was musst du im Verkehr machen?
- Ich darf nicht zwischen den Autos auf die Straße laufen, das ist gefährlich.
- Ja, genau.
- Und ich darf mit dem Fahrrad auf der Straße und dem Bürgersteig fahren. Und Tim muss auf dem Bürgersteig fahren.
- Ja, das ist richtig. Und weißt du auch, warum?
- Ja, ich bin schon elf und mit elf darf ich auf dem Bürgersteig und auf der Straße fahren und Tim ist erst zehn und bis zehn Jahre müssen Kinder auf dem Bürgersteig fahren. Er ist zu klein.
- Ich bin gar nicht klein.
- Nein, nein, du bist nicht klein. Aber, Lea, ja, das stimmt. Mit elf Jahren darfst du auf der Straße fahren. Ab 13 Jahren musst du aber auf der Straße fahren wie die Erwachsenen. Aber fahr jetzt lieber auf dem Bürgersteig, das ist nicht so gefährlich.

Sprechen aktiv 1

mit dem Auto – mit dem Fahrrad – mit dem Motorrad – mit dem Schiff – mit dem Bus – mit dem Zug – mit dem Flugzeug – mit der S-Bahn – mit der U-Bahn – zu Fuß

Sprechen aktiv 5

Wie kommt Herr Meier zur Arbeit? Herr Meier geht erst zu Fuß. Er bringt seinen Sohn zum Kindergarten. Dann fährt er mit der U-Bahn zum Hauptbahnhof. Er fährt eine halbe Stunde mit dem Zug. Dann fährt er mit dem Bus drei Stationen. Um neun Uhr ist er da. Er braucht eineinhalb Stunden zur Arbeit.

Mein Leben

Auftaktseite 1 b

- Guten Abend, meine Damen und Herren. In unsrer Reihe „Mitbürger aus anderen Ländern" hören Sie heute ein Interview mit Frau Amy Schmidt aus Malaysia. Guten Abend, Frau Schmidt.
- Guten Abend.
- Frau Schmidt, wie lange sind Sie jetzt in Deutschland?
- Ich lebe jetzt fünf Jahre hier, in einer Kleinstadt in der Nähe von Frankfurt.
- Aus welcher Stadt in Malaysia kommen Sie?
- Ich komme aus Kuala Lumpur, das ist eine Großstadt. Es ist die Hauptstadt von Malaysia. Dort war ich Krankenschwester, im Operationssaal.
- Was machen Sie heute?
- Heute bin ich Hausfrau. Ich bin verheiratet und habe eine Tochter. Sie ist sieben Jahre alt. Ich möchte wieder arbeiten. Vielleicht als Krankenschwester oder als Altenpflegerin.

A 1 c

- Gestern hat Herr Schmidt im Büro gearbeitet.
- Heute arbeitet er nicht.

- Gestern hat Herr Schmidt das Büro aufgeräumt.
- Heute räumt er zu Hause auf.

- Gestern hat Frau Schmidt im Supermarkt eingekauft.
- Heute kaufen sie zusammen auf dem Markt ein.

- Gestern hat Frau Schmidt alleine gekocht.
- Heute kochen sie zusammen.

- Gestern hat Frau Schmidt vom Urlaub geträumt.
- Heute suchen sie im Internet Reiseangebote.

B 2

- Hier ist der Anschluss von Familie Hoffmann. Wir sind im Moment leider nicht da. Bitte hinterlassen Sie eine Nachricht nach dem Piepton.
- Hallo, Markus, hier ist Simone. Es ist etwas Dummes passiert. Ich kann meinen Autoschlüssel nicht finden. Kannst du bitte mit dem Zweitschlüssel nach Wien kommen?

C 3 a

- Frau Soto, seit wann sind Sie verheiratet?
- Mein Mann und ich haben 2003 geheiratet, aber ich kenne ihn schon seit dem Jahr 2000, also

jetzt 15 Jahre.
- Wann sind Sie nach Deutschland gekommen?
- Das war 2007. Mein Mann ist erst allein gegangen und ich bin mit unserer Tochter in Costa Rica geblieben. Ich bin dann drei Jahre später nachgekommen. Das war gut. Kinder brauchen ihren Vater. Das ist wichtig.
- Sie sprechen jetzt sehr gut Deutsch. Wo haben Sie Ihre Deutschkurse gemacht?
- Ich habe an der Volkshochschule in den Jahren 2009 und 2010 Deutschkurse gemacht. Das war anstrengend, es hat aber auch Spaß gemacht. Ich habe viele Leute kennengelernt. Viele sind auch jetzt noch unsere Freunde. Und dann habe ich die B1-Prüfung gemacht.
- Haben Sie danach schnell Arbeit gefunden?
- Ich habe nicht sofort Arbeit gesucht, denn unser zweites Kind war noch zu klein. Seit 2012 arbeite ich in einem Supermarkt, hier ganz in der Nähe.
- Sind Sie zufrieden mit Ihrem Leben hier in Deutschland?
- Ja, zum Urlaub fliege ich gerne nach Costa Rica, aber wir haben jetzt auch hier viele Freunde.

Sprechen aktiv 1 b

hören - hat gehört
lesen - hat gelesen
aufräumen - hat aufgeräumt
einschlafen - ist eingeschlafen

gehen - ist gegangen
träumen - hat geträumt
essen - hat gegessen
einkaufen - hat eingekauft

kochen - hat gekocht
trinken - hat getrunken
fernsehen - hat ferngesehen
fahren - ist gefahren

Sprechen aktiv 4

Simone ist mit den Kindern nach Wien gefahren. Ihr Mann ist nicht mitgekommen. Er hatte viel Arbeit und hatte keine Zeit. Simone und die Kinder haben in Wien viel gemacht. Sie sind mit dem Schiff gefahren. Sie sind spazieren gegangen. Und sie haben den Prater gesehen. Dann hatten sie ein Problem. Der Autoschlüssel war weg. Simone hat ihren Mann angerufen. Markus ist sofort nach Wien gekommen. Sie haben zusammen einen Ausflug gemacht. Dann sind alle zusammen wieder nach Hause gefahren.

Ämter und Behörden

Auftaktseite 1b

1 ● Guten Tag, ich möchte meinen Kindergeldantrag abgeben.
 ● Da müssen Sie zur Familienkasse gehen. Die
 ist in der Lörracher Straße 16.

2 ● Standesamt Bremen-Mitte, Simonsen, guten
Tag.
 ● Guten Tag, mein Name ist Jürgen Herberger.
 Meine Freundin und ich wollen heiraten und
 haben einige Fragen.

3 ● Service-Center der Agentur für Arbeit, guten
Tag.
 ● Guten Tag, ich heiße Akad Celic und hätte
 gerne einen Termin mit einem
 Arbeitsvermittler.

4 ● Entschuldigung, ich habe eine Frage.
 ● Ja, gerne.
 ● Ich möchte mein Auto anmelden.
 ● Da sind Sie hier richtig, haben Sie die Papiere
 dabei?

A 1a

 ● Bürgeramt Osnabrück, Berger, guten Tag.
 ● Guten Tag, mein Name ist Juan Lopez. Ich bin
 von Saarbrücken nach Osnabrück umgezogen
 und möchte meinen Wohnsitz hier anmelden.
 Was muss ich dafür machen?
 ● Im Internet gibt es auf der Homepage von Osnabrück ein Anmeldeformular. Das können Sie herunterladen und ausfüllen. Dann kommen Sie mit
 dem Formular ins Bürgeramt, das ist in der
 Hauptstraße 12.
 ● Okay, Hauptstraße 12, vielen Dank.

B 2a

 ● Guten Morgen Yanti, wie geht´s?
 ● Hallo, Juan. Eigentlich ganz gut, aber ich suche
 dringend eine Wohnung. Das ist leider sehr
 schwer und die Mieten sind so hoch. Ich habe
 schon sechs Wochen gesucht und viele Wohnungen angeschaut. Aber ich habe noch nichts
 gefunden.
 ● Warum fragst du nicht bei der Stadt? Es gibt
 doch die Wohnungsbau GmbH. Die bietet viele
 Wohnungen an und die sind nicht so teuer.
 ● Wohnungsbau GmbH? Wohnst du auch in einer
 Wohnung von der Wohnungsbau GmbH?

C 1a

1 ● Entschuldigen Sie bitte, wo finde ich Frau
Barth?
 ● Haben Sie einen Termin?
 ● Ja, um elf Uhr.
 ● Das Büro von Frau Barth ist im Erdgeschoss,
 Zimmer 31.
 ● Vielen Dank.

2 ● Verzeihung, können Sie mir helfen? Ich ver-
stehe das Wort *Familienstand* nicht. Was be-
deutet das?
 ● Sind Sie verheiratet?
 ● Ja.
 ● Dann tragen Sie bei Familienstand *verheira-
 tet* ein.
 ● Ich danke Ihnen.

C 1b

1 ● Entschuldigung, ich habe eine Frage.
 ● Ja, bitte?
 ● Ich fülle gerade ein Anmeldeformular für ei-
 nen Computerkurs aus. Was bedeutet das
 Wort *Kursgebühr*?
 ● Das ist das Geld für den Kurs. Man bezahlt
 die Gebühr vor dem Kurs.
 ● Vielen Dank für Ihre Hilfe.

2 ● Entschuldigen Sie bitte, muss man hier lange
warten?
 ● Haben Sie eine Wartenummer?
 ● Nein, bekommt man die am
 Informationsschalter?
 ● Nein, die Wartenummer ziehen Sie hier an
 dem Automaten. Wenn Sie Ihre Nummer auf
 der Anzeigetafel sehen, sind Sie an der
 Reihe.
 ● Auf der Anzeigetafel ist jetzt die Nummer 61
 und ich habe die Nummer 93. Wie lange
 dauert das?
 ● Heute sind viele Leute da. Das dauert be-
 stimmt eine Stunde.

Sprechen aktiv 1b

1 Bei der Arbeitsagentur kann man Arbeit suchen.
2 Bei der Kfz-Zulassungsstelle kann man das Auto
 anmelden und abmelden.
3 Bei der Familienkasse kann man Kindergeld
 beantragen.
4 Beim Standesamt kann man heiraten.
5 Beim Ausländeramt kann man ein Visum
 verlängern.

6 Bei der Meldestelle kann man die Wohnung anmelden.

Sprechen aktiv 4

● Entschuldigung, können Sie mir helfen?
Ich verstehe das Wort *berufstätig* nicht.
Können Sie mir das bitte erklären?

● Entschuldigung, ich habe einen Termin bei Frau Waltermann.
Wo finde ich ihr Büro?

● Entschuldigen Sie bitte, ich habe eine Frage.
Wo bekomme ich die Wartenummer?

● Entschuldigung, können Sie mir helfen?
Bekomme ich hier die Formulare für das Kindergeld?

Sprechen aktiv 5

● Wie kann ich Ihnen helfen?
● Ich möchte meinen Personalausweis verlängern.
● Haben Sie das Formular schon ausgefüllt?
● Welches Formular? Nein, ich habe noch kein Formular ausgefüllt. Ich kann es nicht aus dem Internet herunterladen. Wissen Sie, ich habe keinen Computer und …
● Das ist doch gar kein Problem. Wir füllen das Formular zusammen aus. Ich schreibe alles in den Computer.
● Gut. Das ist nett. Danke.
● So, dann brauche ich noch ein Foto. Und dann müssen Sie hier unten noch unterschreiben.
● Okay. Wann kann ich den Personalausweis abholen?
● Sie können ihn in drei Wochen am Informationsschalter hier im Bürgeramt abholen. Wir rufen Sie dann an.
● Drei Wochen? So lange?

 Station 3

2 a

1 LAlala (Supermarkt)
2 LAlalala (Käsekuchen)
3 lalaLAla (Apotheke)
4 LAlalala (Kontoauszug)
5 laLAla (Motorrad)
6 LAlala (Mietvertrag)

 Im Kaufhaus

A 3 a

1
Ich bin Studentin und habe nicht viel Geld. Ich kaufe meine Sachen meistens in Secondhandläden. Das ist billig und die Kleidung ist oft originell.

2
Ich habe drei Kinder und die brauchen immer etwas Neues. Bei uns gibt es immer einen Flohmarkt für Kindersachen. Da verkaufe ich und kaufe auch. Die Sachen sind gut und billig. Manchmal kaufe ich auch etwas im Supermarkt.

3
Ich gehe nicht gerne einkaufen, außerdem habe ich wenig Zeit. Deshalb bestelle ich meine Kleidung meistens im Internet. Das praktisch und geht schnell.

4
Ich kaufe gern ein, aber Kleidung ist ganz schön teuer. Ich gehe immer in Kaufhäuser oder Boutiquen, da gibt es oft günstige Angebote im Sommerschlussverkauf oder im Winterschlussverkauf. Da kann man gute Sachen billig bekommen.

A 4 a

● Hier gibt es Hosen. Du brauchst eine Hose. Welche Hose möchtest du, die weiße oder die schwarze Hose?
● Die schwarze Hose gefällt mir gut.
● Und welches T-Shirt findest du gut?
● Das schwarze T-Shirt ist gut.
● Ganz schwarz, ist das nicht langweilig?
● Nein, das ist cool. Alle ziehen das an.

B 3 b

● Entschuldigung, wo finde ich die Toiletten?
● Die sind im ersten Stock, direkt neben der Rolltreppe.

● Ach bitte, wo kann ich das bezahlen?
● Die Kasse ist dort hinten rechts.

● Entschuldigung, ich suche den Ausgang.
● Den Ausgang? Der ist da vorne links.

● Haben Sie Computerspiele?
● Ja, in der Multimedia-Abteilung im dritten Stock.

● Wie lange haben Sie geöffnet?
● Bis 20 Uhr.

● Kann ich Ihnen helfen?

● Danke, ich schaue nur.

● Kann ich das Kleid mal anprobieren?

● Ja gern, die Umkleidekabinen sind da hinten links.

● Gibt es den Mantel auch in Größe 40?

● Größe 40? Da muss ich nachsehen. Einen Moment, bitte.

B 4

1 ● Was kostet der braune Mantel? Kostet der auch 59 Euro wie der grüne hier?

● Nein, ich glaube nicht. Ist da kein Preisschild dran?

● Nein, ich sehe keinen Preis.

● Moment, ich schau einmal nach. Also, der Mantel ist doch von Leila, oder?

● Ja.

● Der kostet 95,95 Euro.

● 95,95 Euro, okay, danke.

2 ● Entschuldigung, haben Sie diese Babyhose auch in Größe 68?

● 68? Moment, hier habe ich 86, 80 und 74. Nein, tut mir leid, in Größe 68 haben wir die Hose nicht mehr. Nehmen Sie doch die Hose in Größe 74.

● Ja, stimmt, das geht bestimmt auch. Babys wachsen so schnell.

Sprechen aktiv 2 a

● Kann ich Ihnen helfen?

...

● Gerne.

● Kann ich Ihnen helfen?

...

● Einen Moment, ich schaue nach.

● Kann ich Ihnen helfen?

...

● Gerne, die Umkleidekabinen sind da vorne rechts.

● Kann ich Ihnen helfen?

...

● Die Kasse ist im Erdgeschoss.

Sprechen aktiv 5

Entschuldigung, wo finde ich Handys?
Entschuldigung, wie lange haben Sie geöffnet?
Ach bitte, wo kann ich das bezahlen?
Wo ist die Kasse?

Entschuldigung, ich suche die Toiletten.
Ich hätte gern die Bluse in Weiß.
Entschuldigung, was kostet der Pullover?
Gibt es die Jacke auch in Größe 40?
Kann ich den Mantel anprobieren?

Auf Reisen

Auftaktseite 2

1 ● Es ist so heiß. Ich gehe ins Wasser. Kommst du mit?

● Nee, jetzt nicht. Ich lese noch ein bisschen.

2 ● Und – was kaufen wir jetzt noch?

● Ich brauche noch ein Paar Schuhe.

● Oh ja, Schuhe kaufe ich auch gerne.

3 ● Wie viel Liter sind es?

● Hier 20 Liter, alles zusammen heute Abend fast tausend Liter Milch.

● Gut.

4 ● Puh, jetzt sind wir schon vier Stunden unterwegs. Ich kann nicht mehr.

● Gut, dann machen wir eine Pause. Aber es ist nicht mehr weit. Und dann haben wir einen tollen Blick.

A 3 a

1 Achtung an Gleis 5. Der IC aus Hamburg zur Weiterfahrt nach Dortmund, planmäßige Abfahrt 12.05 Uhr, fährt jetzt ein.

2 Achtung an Gleis vier. Der ICE von Stuttgart nach Hamburg, planmäßige Ankunft 8.04 Uhr, planmäßige Weiterfahrt 8.06 Uhr, kommt heute zehn Minuten später.

3 Der Regionalexpress von Freising nach München, planmäßige Abfahrt 15.02 Uhr von Gleis drei, fährt heute von Gleis sieben.

B 3

1 Und hier noch die Wettervorhersage für morgen, Dienstag, den 28. Oktober. Im Norden und Osten ist es bewölkt mit Regen, im Süden scheint manchmal die Sonne. Höchsttemperaturen bis sieben Grad. In der Nacht sinken die Temperaturen in ganz Deutschland auf null bis ein Grad.

2 ● Jetzt haben wir noch das Wetter mit Sven Schmidt. Sven, wie wird das Wetter am Wochenende? Besser als heute?

- Ja, Thomas, das Wetter am Wochenende ist besser. Am Samstag und Sonntag scheint den ganzen Tag die Sonne. Nur im Süden, am Alpenrand, kann es am Samstag ein bisschen Regen geben. Die Temperaturen liegen am Tag zwischen 25 Grad im Osten und 30 Grad im Westen. Auch in der Nacht ist es kaum kälter mit Temperaturen zwischen 24 und 28 Grad.

D 2 a

Herr Meitner

Ich habe zwei kleine Kinder, Maja und Tom. Sie sind 3 und 5 Jahre alt. Wir leben hier im Zentrum von Frankfurt. Es gibt viel Verkehr und wenig Platz für die Kinder zum Spielen. Wir haben auch in der Wohnung wenig Platz. Die Kinder möchten so gerne einen Hund oder eine Katze, aber das geht hier nicht. Im Urlaub wollen wir etwas anderes machen. Die Kinder sollen Platz haben und in der Natur spielen können und sollen auch Tiere kennenlernen, Hunde, Katzen, Kühe.

Herr Nowak

Ich sitze bei der Arbeit viel am Computer und habe wenig Zeit für Sport. Im Urlaub möchte ich aktiv sein. Ich liebe den Wassersport, Segeln, Kanufahren, Schwimmen.

Frau Topal

Ich lebe in einer kleinen Stadt, das ist sehr angenehm, aber hier ist nichts los. Es ist nicht so interessant. Im Urlaub möchte ich etwas anderes sehen. Großstädte kennenlernen und Kultur, Theater, Konzerte ... Das brauche ich.

Sprechen aktiv 1

die Meere – die Berge – die Flüsse – die Strände – die Wälder – die Wiesen – die Dörfer – die Bäume

Sprechen aktiv 6

Der Schwarzwald.
Der Schwarzwald ist sehr schön.
Das Wetter ist sehr gut.
Im Sommer regnet es wenig.
Die Sonne scheint viel.
Es ist warm.
Viele Leute machen dort Urlaub.
Man kann im See schwimmen.
Man kann in den Bergen wandern.
Im Winter ist es kalt.
Es gibt viel Schnee.
Aber auch im Winter scheint die Sonne viel.

 Zusammen leben

Auftaktseite 1

- Hier wohnt Familie Waltermann. Hausnummer 13.
- Oh, die Haustür ist offen.
- Waltermanns wohnen im dritten Stock und haben einen schönen Balkon. Hier ist der Aufzug.
- Ach nein, wir gehen lieber zu Fuß. Treppen steigen, das ist gut für die Gesundheit.
- Puh, die Treppe war ganz schön anstrengend, so, hier ist die Tür, wo ist die Klingel?
- Hier.
- Was ist das denn, hat Familie Waltermann jetzt einen Hund?

A 1 b

A
- Entschuldigung, ich möchte nicht stören, aber ich habe eine Bitte.
- Nein, nein, Sie stören überhaupt nicht, kann ich Ihnen helfen?
- Ich backe gerade einen Kuchen und habe keine Eier mehr. Können Sie mir vielleicht drei Eier geben?
- Aber gerne, warten Sie, ich hole die Eier ... so, hier sind sie.
- Vielen Dank!
- Gern geschehen.

B
- Guten Tag, ich glaube, der Paketdienst hat bei Ihnen ein Paket für mich abgegeben.
- Ja, Moment, hier ist es.
- Vielen Dank.
- Kein Problem, ich bin ja viel zu Hause.

C
- Guten Tag!
- Guten Tag, Frau Wagner, Sie wollen bestimmt Lena abholen.
- Ja, genau.
- Hallo, Mama, wir malen gerade.
- Hallo, Lena, komm, wir gehen nach Hause.
- Sie kann gerne noch ein bisschen bleiben und wollen Sie nicht auch reinkommen?
- Ach ja gerne, warum nicht?
- Ich trinke gerade einen Tee. Möchten Sie auch eine Tasse?
- Oh, vielen Dank.

D
- Guten Tag!
- Guten Tag!

A 4a

- Hallo, sind Sie auch neu hier in der Schlossstraße?
- Nein, ich wohne schon lange hier.

- Hallo, die Musik ist toll, wollen wir tanzen?
- Ja, das ist eine gute Idee, komm …

- Schönes Wetter heute.
- Ja, wir haben wirklich Glück mit dem Wetter. Die ganze Woche hat es geregnet. Und jetzt – wunderbar!

B 2a

- Oh nein, die Mülltonnen sind ja schon wieder voll!
- Ja, das ist ärgerlich. Die Müllabfuhr kommt erst nächste Woche, am Mittwoch.
- Das ist wieder mal ärgerlich. Die Hausverwaltung muss etwas ändern.
- Ja, aber oft sind die Leute von der Hausverwaltung langsam. Wissen Sie noch? Im Mai war das Licht im Treppenhaus kaputt. Erst nach einer Woche ist jemand gekommen und hat es repariert.
- Wir müssen etwas tun. Zum Beispiel einen Brief schreiben.
- Ja, ich schlage vor, wir machen das zusammen.
- Das ist eine gute Idee! Mein Name ist übrigens Hans Wagner. Ich wohne im 3. Stock rechts.
- Nikolai Lischka. Ich wohne mit meiner Familie im 2. Stock. Haben Sie morgen Abend Zeit?
- Morgen so gegen sechs, das passt mir gut.
- Dann kommen Sie doch zu mir.
- Ja, gerne, Herr Lischka. Bis morgen.
- Bis morgen, Herr Wagner.

C 2

- Mama, ich habe Durst.
- Tut mir leid, Manuel, aber der Saft ist alle.
- Entschuldigen Sie, aber ich habe noch Tee. Möchten Sie …?
- Das ist nett – gern. Hier, nimm, Manuel, und sag „Danke"!
- Danke.
- Sind Sie oft hier?
- Ja, ich wohne ganz hier in der Nähe.
- Ich auch. So ein Spielplatz in der Nähe ist wirklich praktisch. Übrigens, ich heiße Anna, wollen wir nicht „du" sagen?
- Ja, gerne, ich heiße Gabrielle. Kommen Sie, äh, ich meine, kommst du oft auf diesen Spielplatz?
- Ja, fast jeden Tag.

- Ich auch. Dort hinten, das ist meine Tochter, sie heißt Melinda.
- Wie alt ist sie?
- Melinda ist drei.
- Manuel ist auch drei. Ab August soll er in den Kindergarten gehen. Ich möchte wieder arbeiten.
- Ich bin zu Hause. Aber mein Mann hat ein Geschäft und braucht meine Hilfe. Vielleicht suche ich auch einen Kindergartenplatz für Melinda.
- Das ist sicher gut. Sie kann dort mit anderen Kindern spielen …
- … und dann muss sie Deutsch sprechen. Wissen Sie, äh, ich meine, weißt du, wir sprechen zu Hause Französisch und nur draußen Deutsch. Melinda versteht viel, aber sie spricht zu wenig Deutsch.
- Wir gehen nächste Woche in den Kindergarten …

C 3b

- Wir gehen nächste Woche in den Kindergarten, warum kommt ihr nicht einfach mit?
- Das ist eine gute Idee. Ich komme gern mit. Soll ich dich anrufen, dann können wir einen Termin machen?
- Ja, aber ich weiß meine Handynummer nicht. Oh, es fängt an zu regnen. Willst du nicht mit mir kommen? Dann kann ich dir die Nummer geben, die Kinder spielen zusammen und ich mache uns einen Kaffee.
- Wenn du wirklich Zeit hast, sehr gern.

Sprechen aktiv 1

1 im Sandkasten spielen
2 auf der Bank sitzen
3 im Treppenhaus Nachbarn treffen
4 ein Päckchen abholen
5 mit dem Aufzug fahren
6 Blumen gießen

Sprechen aktiv 4

Guten Tag, wie geht es Ihnen?
Schönes Wetter heute.
Ich glaube, wir haben uns schon mal gesehen.
Sind Sie auch neu hier im Haus?
Mhm, das schmeckt gut, haben Sie das selbst gemacht?
Wir haben heute Glück mit dem Wetter.
Haben Sie schon gehört? Wir haben neue Nachbarn.
Hallo, die Musik ist toll, wollen wir tanzen?

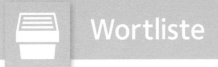

Wortliste

Die alphabetische Wortliste enthält den Wortschatz der Lektionen 1–14 des Kursbuches. Zahlen, grammatische Begriffe sowie Namen von Personen, Städten und Ländern sind in der Liste nicht enthalten. Wörter, die zum Wortschatz des **Test Start Deutsch 1** und des **Deutsch-Test für Zuwanderer (A2–B1)** gehören, sind **fett** gedruckt.

Die Zahlen geben an, wo die Wörter zum ersten Mal vorkommen (z. B. **5 B 1a** bedeutet Lektion **5**, Block **B**, Übung **1a**).

AT bedeutet Auftaktseite der jeweiligen Lektion.

Ein · oder ein – unter dem Wort zeigt den Wortakzent:

a̦ = kurzer Vokal,

a̱ = langer Vokal.

Ein | markiert ein trennbares Verb: a̦b|fahren = trennbares Verb.

Nach dem Nomen finden Sie immer den Artikel und die Pluralform:

" = Umlaut im Plural,

Sg. = dieses Wort gibt es (meistens) nur im Singular,

Pl. = dieses Wort gibt es (meistens) nur im Plural.

Bei den Verben ist immer der Infinitiv aufgenommen. Eine Liste der unregelmäßigen Verben finden Sie auf den Seiten 216–217.

4-Zimmer-Wohnung, die, -en	3	D	1a

A

a̦b	7	A	1a
a̦b|biegen	9	C	2b
Abend, der, -e	5	C	1b
Abendessen, das, -	6	A	5
Abendkleid, das, -er	12	B	1b
Abendkurs, der, -e	7	B	2b
aber (1): Der ist aber süß!	4	A	1a
aber (2): … aber ich muss oft am Wochenende arbeiten.	7	A	1a
a̦b|fahren	13	A	1b
Abfahrt, die, en	13	A	1b
a̦b|geben	8	B	1b
a̦b|holen	7	C	5
A̦bkürzung, die, -en	3	D	3
a̦b|melden	11	AT	1a
A̦bsender, der, -	14	B	3b
a̦b|stellen	14	B	4
Abteilung, die, -en	12	B	5a
ach so̱	1	D	4a
a̦chten, (hier: Vorfahrt achten)	9	C	2b
Adresse, die, -n	2	D	
Akti̱vurlaub, der, -e	13	D	1c
alle	4	B	1a
allein, alleine	7	A	5
alles	4	C	1c

Alphabe̱t, das, -e	1	B	1
a̦ls (Komparativ)	13	B	4a
a̦lso	5	A	6
a̦lt	2	AT	
Altenpfleger/in, der/die, -/-nen	1	E	1
a̦ltmodisch	12	AT	3
am Appara̱t	8	A	1b
am be̦sten	8	A	4a
A̦mpel, die, -n	9	B	3b
A̦mt, das, "-er	11	AT	
a̦n	9	B	3a
a̦ndere	9	C	1a
a̦nders	4	C	1c
a̦n|erkennen	9	C	1a
A̦nerkennung, die, -en	9	C	1a
A̦nfang, der, "-e	10	C	1a
a̦n|fangen	5	B	1a
Angebot, das, -e	6	A	3a
a̦ngenehm	12	A	3b
A̦ngestellte, der/die, -n/-n	10	C	1a
a̦n|halten	9	C	2b
a̦n|kommen	13	A	1b
A̦nkunft, die, Sg.	13	A	1b
a̦n|machen	8	C	1b
A̦nmeldebestätigung, die, -en	11	A	1b
A̦nmeldeformular, das, -e	2	D	2a
a̦n|melden	11	AT	1a
Anmeldung, die, -en	7	A	1a
a̦n|nehmen	7	A	1a

an|probieren	12	A	1b
Anrede, die, -n	14	B	3b
Anreise, die, Sg.	13	D	1a
an|rufen	5	B	1a
Anspruch, der, "-e	14	C	5a
anstrengend	7	A	1a
Antrag, der, "-e	11	B	
antworten	1	B	4
Anzahl, die, Sg.	13	B	4a
Anzeige, die, -n	3	D	2
an|ziehen	12	A	4b
Anzug, der, "-e	12	AT	
Apfel, der, "-	6	AT	1
Apfelsaft, der, "-e	6	A	2
Apotheke, die, -n	8	B	1a
Appetit, der, Sg.	6	AT	
April, der, Sg.	13	C	1a
Arbeit, die, -en	2	A	1a
arbeiten	2	A	1a
Arbeitgeber/in, der/die, -/-nen	8	B	1a
Arbeitsort, der, -e	7	A	1a
Arbeitsplatz, der, "-e	7	A	1a
Arbeitszeit, die, -en	7	A	1a
ärgerlich	14	B	3a
arm	10	C	1a
Arm, der, -e	8	A	3a
Artikel, der, -	2	B	2c
Arzt/Ärztin, der/die, "-e/-nen	1	E	1
Arztbesuch, der, -e	11	D	2
Asienladen, der, "-	3	C	2a
auch	1	C	1a
auf	9	B	3a
auf: auf Deutsch	2	B	2c
auf Wiederhören	2	D	2a
auf Wiedersehen	1	C	1a
Aufgabe, die, -n	7	A	1a
auf|hören	5	B	1a
auf|legen	8	E	1a
auf|machen	8	A	4a
auf|räumen	5	B	1a
auf|stehen	5	B	1a
auf|wachen	10	B	1
Aufzug, der, "-e	14	AT	1
Auge, das, -n	8	AT	2
Augenarzt/ärztin, der/die, "-e/-nen	8	AT	
August, der, Sg.	13	C	1a
aus	1	AT	2
aus|fallen	5	B	3
Ausflug, der, "-e	5	B	4a
aus|füllen	11	B	2b

Ausgang, der, "-e	12	B	3a
aus|gehen	5	B	1a
Ausland, das, Sg.	10	AT	2
Ausländeramt, das, "-er	11	AT	2
ausländisch	9	C	1a
Auslandsreise, die, -n	11	D	1
aus|sehen	12	A	2a
Aussicht, die, Sg.	13	A	4a
Auto, das, -s	9	AT	
Autokennzeichen, das, -	1	D	3
Automat, der, -en	11	C	2
Automechaniker/in, der/die, -/-nen	10	C	1a
Autoschlüssel, der, -	10	B	2

B

Babyhose, die, -n	12	B	4b
Babywäsche, die, Sg.	12	B	1a
backen	6	D	1a
Bäcker, der, -	6	A	1b
Bäckerei, die, -en	6	B	1a
Bad, das, "-er	3	D	2
Bademantel, der, "-	8	D	2
Bahncard, die, -s	13	A	1b
Bahnhof, der, "-e	7	C	5
bald	1	C	1a
Balkon, der, -e/-s	3	D	1a
Banane, die, -n	6	AT	1
Bank (1), die, -en	7	AT	2
Bank (2), die, "-e	9	B	3a
Bankkaufmann/Bankkauffrau, der/die, Pl.: Bankkaufleute	7	AT	
Bankverbindung, die, -en	7	B	2b
Basketballverein, der, -e	7	B	2a
Bauch, der, "-e	8	A	3a
Bauchschmerzen, die, Pl.	8	AT	2
Bauernhof, der, "-e	13	AT	1
Baum, der, "-e	9	B	3a
Baustelle, die, -n	7	AT	2
beantragen	11	AT	1a
bearbeiten	7	A	1a
Becher, der, -	6	A	3a
bedeuten	11	C	1a
bedienen	7	C	1a
beginnen	5	A	3a
Behörde, die, -n	9	C	1a
bei	2	A	1a
beide	13	B	4a
Bein, das, -e	8	A	3a
Beispiel, das, (hier: zum Beispiel)	6	A	3a

bekommen	6	B	1c
beliebt	6	D	1a
benutzen	9	A	2a
bequem	3	AT	2
beraten	7	A	1a
Berg, der, -e	13	AT	1
Beruf, der, -e	1	E	
Berufsberatung, die, -en	11	AT	1a
berufstätig	11	A	1b
besichtigen	4	B	4a
besser	8	D	1a
bestellen	14	B	3a
bestimmt	14	A	1b
Besuch, der, -e	8	A	
besuchen	4	B	4a
Betreff, der, -e	14	B	3b
betreuen	14	C	5a
Bett, das, -en	3	AT	1
bewölkt	13	B	1a
bezahlen	3	D	1a
Bibliothek, die, -en	9	A	3
Bier, das, -e	6	A	5
Bild, das, -er	3	AT	1
billig	9	AT	2a
Birne, die, -n	6	A	3b
bis	1	C	1a
bisschen, ein bisschen	2	A	1a
bitte	6	A	1b
Bitte, die, -n	14	A	1b
blau	3	A	4a
bleiben	4	B	3
Bleistift, der, -e	2	B	2a
Blinddarmentzündung, die, -en	8	D	1a
blinken	9	C	2b
Blog, der, -s	6	D	1a
Blume, die, -n	3	A	1a
Bluse, die, -n	12	AT	
Bonus, der, Pl.: Boni	8	B	1a
Bonusheft, das, -e	8	B	1a
Boutique, die, -n	12	A	3a
brauchen	3	A	
braun	3	A	4a
Briefträger/in, der/die, -/-nen	7	AT	
Brille, die, -n	2	B	1a
bringen	7	A	1a
Brot, das, -e	6	AT	1
Brötchen, das, -	6	A	5
Brücke, die, -n	13	A	4a
Bruder, der, "-	4	AT	
Brunnen, der, -	9	B	3a

Buch, das, "-er	2	B	1a
Buchhalter/in, der/die, -/-nen	1	E	1
Buchstabe, der, -n	1	B	
buchstabieren	1	B	3
Bundesagentur für Arbeit, die, Sg.	11	AT	
Bürgeramt, das, "-er	11	AT	2
Bürgersteig, der, -e	9	C	4
Büro, das, -s	7	AT	2
Bus, der, -se	4	B	2
Busreise, die, -n	7	B	2c
Butter, die, Sg.	6	AT	1

C

Café, das, -s	9	B	3a
Campingplatz, der, "-e	13	D	1a
CD, die, -s	2	B	1a
Cent, der, -	2	B	2a
Chance, die, -n	10	C	1a
Chef/in, der/die, -s/-nen	7	C	1a
chillen	5	B	4a
Chinesisch	2	A	1a
Chips, die, Pl.	6	A	4
Club, der, -s	10	B	6
Computer, der, -	4	C	1c
Computerkurs, der, -e	5	A	6
Computerspiel, das, -e	12	B	1a
cool	12	A	4b
Cousin, der, -s	4	AT	3
Cousine, die, -n	4	AT	3

D

da	3	AT	2
dabeihaben	4	A	1a
Dachgeschoss, das, -e	3	C	1b
damals	11	B	2b
Damenmantel, der, "-	12	B	1b
danach	4	B	4c
Dank, der, (hier: Vielen Dank)	2	D	2a
danke	1	C	1a
danken	11	B	2b
dann	3	A	5a
das ist …	1	A	1a
Datum, das, Pl.: Daten	11	A	2a
denn (1): … denn am Wochenende will ich nicht arbeiten.	7	A	1a
denn (2): Was fehlt Ihnen denn?	8	A	4a
deshalb	7	A	1a
deutlich	8	B	1a

Deutsch	1	C	4a
Deutschkurs, der, -e	2	B	
Dezember, der, Sg.	13	C	1a
Dienstag, der, -e	5	C	1a
Dienstagabend, der, -e	5	C	3b
Dienstagnachmittag, der, -e	5	D	1b
Dienstagvormittag, der, -e	5	C	2
Ding, das, -e, (hier: vor allen Dingen)	14	A	3
direkt	12	B	3a
doch	6	A	1b
Doktor, der, Sg.	8	A	4a
Donnerstag, der, -e	5	C	1a
Dorf, das, "-er	11	A	1c
dort	12	B	3a
Dose, die, -n	6	A	4
draußen	4	C	1c
dringend	8	E	1a
drinnen	7	A	5
Drogerie, die, -n	9	B	3a
dunkel	3	D	4a
durch	13	A	4a
durchschnittlich	13	B	4a
dürfen	9	C	1a
Durst, der, Sg.	6	A	2

E

EC-Karte, die, -n	7	B	1
Ecke, die, -n	8	E	1a
Ei, das, -er	6	A	1a
eigen	10	C	1a
Eigentumswohnung, die -en	11	B	1
Einbauküche, die, -n	3	D	3
einfach	9	B	5b
Einfamilienhaus, das, "-er	3	D	2
Eingang, der, "-e	11	C	2
einige	13	A	4a
Einkauf, der,"-e	11	D	2
ein|kaufen	5	B	1a
Einkaufszettel, der, -	6	A	
ein|laden	13	D	1a
Einladung, die, -en	9	B	5a
einmal	8	A	1b
ein|schlafen	10	B	1
ein|tragen	8	B	1a
Einwohner/in, der/die, -/-nen	13	B	4a
einzigartig	13	D	1a
Einzug, der, Sg.	11	A	1b
Eis, das, Sg.	6	D	1a
elegant	3	A	5a

Elektriker/in, der/die, -/-nen	1	E	1
Eltern, die, Pl.	4	AT	1
E-Mail-Adresse, die, -n	2	D	1
Empfänger/in, der/die, -/-nen	14	B	3b
enden	5	A	3b
Endstation, die, -en	13	A	4a
Englisch	2	A	1a
Englischkurs, der, -e	5	A	6
Enkel/in, der/die, -/-nen	4	AT	3
Enkelkind, das, -er	4	AT	3
entschuldigen	5	A	1a
Entschuldigung!	1	A	1a
Entschuldigung, die, -en	8	C	1b
Erbse, die, -n	6	A	4
Erdgeschoss, das, -e	3	C	1b
Erholung, die, Sg.	13	D	1a
erkältet	8	A	4a
Erkältung, die, -en	8	A	4a
erklären	7	A	1a
Erlebnis, das, -se	13	D	1a
erst	14	B	1b
Essen, das, -	14	A	3
essen	4	B	1a
Essenszeit, die, -en	6	D	1a
etwas	6	B	1c
EU-Bürger/in, der/die, -/-nen	9	C	1a
Euro, der –s	2	B	2a
EU-Staat, der, -en	9	C	1a

F

Facharzt/Fachärztin, der/die, "-e/-nen	8	B	1a
fahren	4	B	1a
Fahrgast, der, "-e	9	B	3a
Fahrkarte, die, -n	5	C	2
Fahrrad, das, "-er	5	C	2
Fahrradraum, der, "-e	14	B	4
Fahrt, die, -en	11	D	2
Familie, die, -n	2	D	2b
Familienfoto, das, -s	4	A	1a
Familienkasse, die, Sg.	11	AT	
Familienleben, das, Sg.	4	AT	
Familienname, der, -n	1	B	4
Familienstand, der, Sg.	11	A	1b
fantastisch	13	A	4a
Farbe, die, -n	3	A	4a
fast	9	A	1b
faulenzen	4	B	1a
Februar, der, Sg.	13	C	1a
fehlen (2): Was fehlt Ihnen?	8	A	4a

Wortliste

Fehlen, das, Sg.	8	C	2
feiern	14	A	3
Fenster, das, -	2	B	1a
Ferienwohnung, die, -en	13	D	1a
fern|sehen	5	B	1a
Fernseher, der, -	3	AT	1
Fest, das, -e	11	D	2
Festkomitee, das, -s	14	A	3
Feuer, das, Sg.	8	E	2a
Feuerwehr, die, -en	8	E	2a
Fieber, das, Sg.	8	A	4a
Fieberthermometer, das, -	8	C	1b
Film, der, -e	4	B	1a
finden (1): Wie findest du ...?	3	A	5a
finden (2): Die Straße kann man einfach finden.	9	B	5b
Finger, der, -	8	A	3a
Firma, die, Pl.: Firmen	9	A	1b
Fisch, der, -e	6	AT	1
Flasche, die, -n	2	B	1a
Fleisch, das, Sg.	6	D	1a
Fleischwurst, die, "-e	6	B	3a
fliegen	9	AT	1
Flohmarkt, der, "-e	12	A	3a
Flughafen, der, "-	9	B	1a
Flugzeug, das, -e	5	A	4b
Fluss, der, "-e	9	B	5a
formell	1	C	
Formular, das, -e	7	A	1a
Foto, das, -s	4	A	1a
Frage, die, -n	5	A	3a
fragen	1	AT	2
Frau, die, -en	1	C	1a
frei	2	D	2a
frei haben	7	A	1a
Freitag, der, -e	5	C	1a
Freizeit, die, Sg.	4	B	
Freund/in, der/die, -e/-nen	4	B	1a
freundlich, (hier: Mit freundlichen Grüßen)	8	C	2
Friseur/in, der/die, -e/-nen	1	E	1
Frucht, die, "-e	6	A	3a
früh	7	A	2
früher	4	C	
Frühling, der, Sg.	13	C	1a
Frühstück, das, -e	6	D	1a
frühstücken	6	D	1a
Führerschein, der, -e	9	C	1
Führerscheinprüfung, die, -en	9	C	1a
funktionieren	14	B	1a

für	6	A	5
furchtbar	3	A	5b
Fuß, der, "-e	8	A	3a
Fußball, der, "-e	5	AT	
Fußballballtraining, das, Sg.	7	C	2
Fußballverein, der, -e	7	B	2c
Fußballspiel, das, -e	5	A	6
Fußgänger/in, der/die, -/-nen	9	AT	
füttern	13	D	1a

G

ganz	3	A	5b
gar nicht	12	AT	3
Garage, die, -n	3	D	2
Garten, der, "-	3	D	1a
Gast, der, "-e	7	A	1a
geben	8	B	1a
geben: es gibt	3	C	2a
geboren	11	A	1b
Gebühr, die, -en	7	B	2b
Geburtsdatum, das, Sg.	11	A	1b
Geburtort, der, -e	11	A	1b
Geburtsurkunde, die, -n	11	D	1
gefährlich	14	B	4
gefallen	12	AT	3
gegenüber	9	B	5b
Gehaltsabrechnung, die, -en	11	D	1
gehen (1): Wie geht es Ihnen?	1	C	1a
gehen (2): Der Kurs geht bis 12 Uhr.	5	A	6
gehen (3): Ja, das geht.	5	D	1b
gehen (4): Sie geht aus dem Haus.	7	C	1a
gehen (5): Das Licht geht nicht.	14	B	1a
gehören	11	B	2b
gelb	3	A	4a
Geld, das, Sg.	7	A	1a
Geldautomat, der, -en	7	B	1
Gemeinde, die, -n	11	A	1b
Gemüse, das, Sg.	6	B	1a
gemütlich	3	A	5b
genau	1	D	4a
genauso	13	B	4a
genug	3	D	1a
geöffnet	7	A	1a
gerade	14	A	1b
geradeaus	9	B	5b
Gern geschehen!	14	A	1b
gern, gerne	4	B	3
Geschäft, das, -e	3	C	2a
Geschenkartikel, der, -	12	B	1a

geschieden	10	AT	2
Geschwister, die, Pl.	4	AT	1
Gespräch, das, -e	14	C	2a
gestern	7	C	4
gesund	9	AT	2b
Gesundheit, die, Sg.	8	B	
Gesundheitskarte, die, -n	8	B	1a
Getränk, das, -e	6	A	5
gießen	14	A	1d
Glas, das, "-er	6	A	4
glauben	8	E	1a
gleich (1): Ich komme gleich.	9	B	4
gleich (2): Mein Haus ist gleich rechts.	9	B	5b
gleich (3): der gleiche Preis	12	B	4b
Gleis, das, -e	13	A	2
Glück, das, Sg.	14	A	4a
Grad, der, -e	13	B	2a
Grafiker/in, der/die, -/-nen	1	E	1
Gramm, das, Sg.	6	A	5
grau	3	A	4a
Griechisch	2	A	1a
Grill, der, -s	14	A	3
grillen	5	AT	
Grippe, die, -n	8	A	4a
groß	3	AT	2
Größe, die, -n	12	B	3a
Großeltern, die, Pl.	4	AT	1
Großmutter, die, "-	4	AT	
Großstadt, die, "-e	10	AT	
Großvater, der, "-	4	AT	
grün	3	A	4a
Gruß, der, "-e	8	C	2
gucken	3	A	5a
günstig	3	D	4b
Gurke, die, -n	6	D	1a
gut	1	C	1a
Gute Besserung	8	AT	
Guten Morgen	1	A	1a
Guten Tag	1	AT	
Guten Abend	14	A	4a
Gymnastik, die, Sg.	8	A	5

H

haben	2	D	2a
Hackfleisch, das, Sg.	6	B	3a
Hafen, der, "-	4	B	5a
Hafenrundfahrt, die, -en	4	B	5a
Hähnchen, das, -	6	AT	1
halb	5	A	1a

Hallo	1	A	1a
Hals, der, "-e	8	A	3a
Halsschmerzen, die, Pl.	8	AT	2
Halstablette, die, -n	8	A	4a
Haltestelle, die, -n	7	C	3
Hand, die, "-e	7	A	5
Handy, das, -s	2	B	1a
Handynummer, die, -n	1	D	4a
hässlich	3	AT	2
Hauptbahnhof, der, "-e	9	B	1a
Hauptwohnung, die, Sg.	11	A	1b
Haus, das, "-er	1	A	1a
Hausarzt/Hausärztin, der/die, "-e/-nen	8	AT	
Hausarztpraxis, die, -praxen	8	AT	
Hausaufgabe, die, -n	5	C	1a
Hausbewohner/in, der/die, -/-nen	8	E	2a
Hausfrau, die, -en	1	E	2c
Hausmeister/in, der/die, -/-nen	7	AT	
Hausnummer, die, -n	1	D	2
Hausschuh, der, -e	8	D	2
Hausverwaltung, die, -en	14	B	3a
Heft, das, -e	2	B	1a
Heimat, die, Sg.	2	AT	
Heimatland, das, Sg.	9	C	1a
heiraten	11	AT	1a
heiß	13	B	1a
heißen	1	AT	
Heizung, die, -en	14	B	1a
helfen	7	A	1a
hell	3	D	4a
Hemd, das, -en	12	AT	
Herbst, der, Sg.	13	C	1a
Herd, der, -e	3	AT	1
Herr, der, -en	1	C	1a
Herrenbekleidung, die, Sg.	12	B	1a
Herrenhose, die, -n	12	B	1b
herunter|laden	11	A	1a
herzlich	11	C	2
heute	5	B	3
hier	1	A	1a
hinten	12	B	3a
hinter	9	B	3a
Hobby, das, -s	5	AT	2
Hochhaus, das, "-er	3	D	1a
Hochzeit, die, -en	11	D	2
Hof, der, "-e	14	AT	1
Hoffest, das, -e	14	A	3
Höhe, die, -n	13	A	4a
holen	6	A	1b
Honig, der, Sg.	6	D	1a

Wortliste

hören	1	AT	1
Hose, die, -n	12	AT	
Hotel, das, -s	10	B	4
Hubschrauberpilot/in, der/die, -en/-nen	7	AT	
Hund, der, -e	9	B	3a
Hunger, der, Sg.	6	A	2
hupen	9	C	2b
Husten, der, Sg.	8	A	4a

I

IBAN, die, Sg.	7	B	1
ICE (Intercity-Express), der, -s	13	A	3a
ich hätte gern …	6	B	1c
Idee, die, -n	4	B	3
idyllisch	13	D	1a
Imbiss, der, -e	6	D	1a
immer	7	A	1a
in	1	C	5a
Informationsbroschüre, die, -n	11	B	2b
Informationsschalter, der, -	11	C	1c
informell	1	C	
Ingenieur/in, der/die, -e/-nen	1	E	1
interessant	2	B	4
Internet, das, Sg.	5	AT	

J

ja	1	D	4a
ja bitte?	5	D	1b
Jacke, die, -n	12	AT	
Jahr, das, -e	2	D	2a
Jahreszeit, die, -en	13	C	1a
Januar, der, Sg.	13	C	1a
Jeans, die, -	12	AT	
jeden Tag	5	B	3
jetzt	2	A	1a
joggen	5	AT	
Joghurt, der, -s	6	AT	1
Juli, der, Sg.	13	C	1a
Junge, der, -n	14	C	1
Juni, der, Sg.	13	B	4a

K

Kaffee, der, -s	4	B	4a
Kaffeehaus, das, "-er	10	B	4
Kakao, der, -s	6	D	1a
Kalender, der, -	8	D	2
kalt	3	D	4a

Kantine, die, -n	6	D	1a
Kanutour, die, -en	13	D	1a
kaputt	2	B	4
Karriere, die, Sg.	7	A	5
Karten spielen	10	A	4b
Kartoffel, die, -n	6	AT	1
Käse, der, Sg.	6	AT	1
Käsekuchen, der, -	6	B	3a
Käseplatte, die, -n	6	D	1a
Kasse, die, -n	7	A	1a
Kasse, die, -n, (hier: Krankenkasse)	8	AT	
Kasten, der, "-	6	A	4
kaufen	3	A	2b
Kaufhaus, das, "-er	12	AT	
Kaugummi, der, -s	6	A	1a
kein, kein, keine	3	A	1a
Keller, der, -	14	B	4
Kellner/in, der/die, -/-nen	7	AT	
kennen	2	AT	1b
Kfz-Mechaniker/in, der/die, -/-nen	7	AT	
Kfz-Zulassung, die, -en	11	D	1
Kfz-Zulassungsstelle, die, -n	11	AT	
Kilo, das, -s	6	A	3a
Kilogramm, das, Sg.	6	A	5
Kilometer, der, -	13	A	4a
Kind, das, -er	3	D	1a
Kinderarzt/ärztin, der/die, "-e/-nen	2	A	1a
Kinderbetreuung, die, -en	14	C	5a
Kindergarten, der, "-	7	C	2
Kindergartenplatz, der, "-e	14	C	5a
Kindergeld, das, Sg.	11	AT	1a
Kindergeldantrag, der, "-e	11	D	1
Kinderwagen, der, -	14	AT	1
Kindheit, die, Sg.	4	C	1a
Kino, das, -s	5	B	1a
Kiosk, der, -e	6	B	1a
Kita, die, -s	2	D	2a
klar	8	D	1a
klasse	3	B	1a
Klasse, die, -n, (hier: Erste/Zweite Klasse)	13	A	1b
Kleid, das, -er	12	AT	
Kleidung, die, Sg.	12	AT	3
klein	3	AT	2
Kleinstadt, die, "-e	10	AT	
Klingel, die, -n	14	AT	1
klingeln	3	C	1b
Klinikum, das, Pl.: Kliniken	9	B	1c
Koch/Köchin, der/die, "-e/-nen	7	AT	
kochen	5	D	2c

Kollege/Kollegin, der/die, -n/-nen	7	C	1a
komisch	12	AT	3
kommen	1	AT	2
Kommode, die, -n	3	B	1b
komplett	8	B	1a
kompliziert	12	A	3b
Konditorei, die, -en	6	D	1a
können	7	A	1a
Kontakt, der, -e	7	A	1a
Kontinent, der, -e	2	AT	1a
Kontoauszug, der, "-e	7	B	1
Kontonummer, die, -n	7	B	1
Kontrolle, die, -n	8	A	4a
kontrollieren	7	A	1a
Konzert, das, -e	5	A	4b
Kopf, der, "-e	8	A	3a
Kopfschmerzen, die, Pl.	8	C	1b
Kopfschmerztablette, die, -n	8	A	5
Kopie, die, -n	8	B	1a
Körperteil, der, -e	8	A	3a
kosten	2	B	2a
Kranführer/in, der/die, -/-nen	7	AT	
krank	8	C	
Krankenhaus, das, "-er	7	A	1a
Krankenkasse, die, -n	8	B	1a
Krankenpfleger/in, der/die, -/-nen	7	A	1a
Krankenschwester, die, -n	7	A	1a
Krankenwagen, der, -	8	E	2a
Krankschreibung, die, -en	8	B	1a
Krawatte, die, -n	12	AT	
Kreuzung, die, -en	9	B	5b
Krimi, der, -s	5	A	6
Küche, die, -n	3	AT	
Kuchen, der, -	6	D	1a
Kugelschreiber (Kuli), der, - (Kulis)	2	B	1a
Kühlschrank, der, "-e	3	A	1a
Kunde/Kundin, der/die, -n/-nen	6	B	1c
Kurs, der, -e	5	A	3a
Kursgebühr, die, -en	11	C	1c
Kursliste, die, -n	7	A	1a
Kursraum, der, "-e	2	B	5
Kurstermin, der, -e	7	A	1a
kurz	9	C	1a

L

Lage, die, Sg.	3	D	2
Lampe, die, -n	2	B	1a
Land (1), das, "er	1	B	4
Land (2), das, Sg. (auf dem Land)	10	C	1a

Landschaft, die, -en	13	A	4a
lang: Ich meine den langen Rock.	12	A	5a
lang(e): Ich bin schon lange hier.	1	A	1a
langsam	7	A	1a
langweilig	3	A	5b
Laptop, der, -s	2	B	1a
laufen	14	A	4
Laune, die, Sg.	14	A	3
laut	3	D	4a
leben	2	A	1a
Leben, das, -	7	C	
Lebensmittel, das, -	4	B	4a
ledig	10	AT	2
Lehrer/in, der/die, -/-nen	1	E	1
leidtun	12	B	5a
leider	5	D	2a
lernen	1	C	4a
lesen	1	AT	1
Leute, die, Pl.	6	D	1a
Licht, das, Sg.	14	AT	1
Liebe Claudia/Lieber John,	10	B	1
lieben	2	A	1a
Lieblingsfarbe, die, -n	3	A	4b
liegen	2	AT	2a
lila	3	A	4a
Linie, die, -n	9	B	1a
links	3	C	2a
Liter, der, -	6	A	5
Lkw, der, -s	9	C	3b
los|fahren	13	A	4a
Lust haben	5	D	2a

M

machen	1	C	4a
Mädchen, das, -	12	B	3c
Mai, der, Sg.	13	C	1a
Mais, der, Sg.	6	A	1a
mal	3	A	5a
Mal, das, -e	14	A	3
malen	5	AT	
man	1	B	3
manchmal	6	AT	2a
Mann, der, "-er	4	A	1a
männlich	11	A	1b
Mantel, der, "-	12	AT	
Markt, der, "-e	6	B	1a
Marmelade, die, -n	6	A	4
März, der, Sg.	13	C	1a
maximal	9	C	1a

Wortliste

Medikament, das, -e	8	B	1a
Meer, das, -e	13	AT	1
mehr	4	A	2
Mehrfamilienhaus, das, "-er	3	C	
meinen	5	D	2a
meistens	7	A	1a
Meldestelle, die, -n	11	A	
Mensch, der, -en	7	A	1a
messen	8	C	1b
Metzgerei, die, -en	6	B	1a
Miete, die, -n	3	D	2
mieten	11	A	1c
Mietshaus, das, "-er	14	AT	2b
Mietvertrag, der, "-e	11	D	1
Mikrowelle, die, -n	3	A	
Milch, die, Sg.	6	AT	1
Minute, die, -n	8	E	1a
mit	3	D	1a
mit|bringen	5	D	1b
Mitgliedsbeitrag, der, "-e	7	B	2a
mit|kommen	5	B	1a
mit|nehmen	5	B	1a
Mittag, der, -e	5	C	1b
Mittagessen, das, -	6	D	1a
mittags	13	A	4a
Mittagspause, die, -n	7	C	1a
Mitte, die, Sg., (hier: in der Mitte)	4	C	1c
Mittwoch, der, -e	5	C	1a
Mittwochnachmittag, der, -e	5	D	1b
Möbel, die, Pl.	3	AT	1
möchten	6	B	1c
modern	3	AT	2
Modeschmuck, der, Sg.	12	B	1a
mögen	6	C	
Moment, der, -e	1	B	3
Monat, der, -e	8	A	1b
Monatskarte, die, -n	9	B	2
Montag, der, -e	5	C	1a
morgen	1	C	2
Morgen, der, Sg.	5	C	1b
morgens	7	A	5
Motorrad, das, "-er	9	AT	
müde	10	B	1
Müll, der, Sg.	14	B	3a
Müllabfuhr, die, Sg.	14	B	2b
Mülltonne, die, -n	14	AT	1
Multimedia-Abteilung, die, -en	12	B	3a
Mund, der, "-er	8	A	3a
Museumsbesuch, der, -e	13	D	1a
Musik, die, Sg.	5	AT	

Müsli, das, -s	6	D	1a
müssen	7	A	1a
Mutter, die, "-	4	AT	
Muttersprache, die, -n	2	A	1a

N

na ja	1	C	1a
nach Hause	4	B	2
nach (1): nach Potsdam	4	B	1a
nach (2): Viertel nach sieben	5	A	1a
Nachbar/in, der/die, -n/-nen	7	C	2
Nachbarhaus, das, "-er	8	E	2b
Nachmittag, der, -e	5	C	1b
nachmittags	13	B	3
Nachname, der, -n	2	D	1
nachsehen	12	B	3a
nächster, -es, -e	8	A	1b
Nacht, die, "-e	5	C	1b
Nachteil, der, -e	12	B	6
Nachtisch, der, -e	6	D	1a
Nachtschicht, die, -en	7	A	1a
Nähe, die, (hier: in der Nähe)	3	D	1a
Name, der, -n	1	A	1a
Nase, die, -n	8	A	3a
nass	13	B	1a
Nationalität, die, -en	2	A	
natürlich	2	A	1a
neben	9	B	3a
Nebenkosten, die, Pl.	3	D	2
Neffe, der, -n	4	AT	3
nehmen	4	B	1a
nein	1	D	4a
nennen	11	A	1c
nett	11	B	2b
neu	1	A	1a
Neubau, der, Pl.: Neubauten	3	D	2
neugierig	14	C	1
nicht	1	D	4a
Nichte, die, -n	4	AT	3
nie	6	AT	2a
niemand	4	B	1a
noch	2	D	2a
Norden, der, Sg.	13	B	2a
nördlich	13	B	4a
Nordwesten, der, Sg.	13	B	2a
Notarzt/Notärztin, der/die, "-e/-nen	8	E	1a
Notfall, der, "-e	8	E	1a
Notruf, der, -e	8	E	
November, der, Sg.	13	C	1a

Nudeln, die, Pl.	6	AT	1
Nummer, die, -n	1	D	4a
nur	4	AT	3

O

oben	3	C	2a
Obergeschoss, das, -e	3	D	3
Obst- und Gemüseladen, der, "-	3	C	2a
Obst, das, Sg.	6	B	1a
oder	4	C	1c
offiziell	5	A	5
öffnen	7	C	1a
oft	2	A	1a
ohne	3	D	4b
Ohr, das, -en	8	A	3a
okay (o.k.)	3	A	5b
Oktober, der, Sg.	13	C	1a
Olive, die, -n	6	A	3b
Onkel, der, -	4	AT	3
Operation, die, -en	7	A	1a
operieren	8	D	1a
orange	3	A	4a
Orange, die, -n	6	A	1a
Orangensaft, der, "-e	6	D	1a
ordentlich	3	AT	2
Original, das, -e	8	B	1a
Ort, der, -e	13	A	4a
Osten, der, Sg.	13	B	2a

P

Päckchen, das, -	14	A	1d
packen	11	A	4
Packung, die, -en	6	A	4
Paket, das, -e	14	A	1b
Paketdienst, der, -e	14	A	1b
Papier, das, -e	2	B	1a
Park, der, -s	9	B	5a
parken	9	B	3b
Parkplatz, der, "-e	9	B	3b
Parkzeit, die, -en	5	A	4b
Party, die, -s	11	A	4
Pass, der, "-e	11	D	1
passen	12	A	1b
passend	6	B	1c
passieren	8	E	1a
Patient/in, der/die, -en/-nen	7	AT	2
Pause, die, -n	5	A	3b
Pension, die, -en	13	A	4a

Person, die, -en	6	AT	2b
Pfund, das, Sg.	6	A	5
Picknick, das, -s	6	A	5
Pizza, die, -s/Pizzen	4	B	2
Plakat, das, -e	2	B	1a
Platz (1), der, "-e: Haben Sie noch Plätze frei?	2	D	2a
Platz (2), der, Sg.: Die Kinder brauchen Platz.	3	D	1a
Platz (3), der, "-e: Auf dem Platz ist ein Brunnen.	9	B	3a
Playmobil, das, -e	14	A	1d
Post, die, Sg.	7	C	2
Postkarte, die, -n	10	B	1
Postleitzahl, die, -en	2	D	1
praktisch	9	AT	2a
Praxis, die, Pl.: Praxen	8	A	1b
Preis, der, -e	6	B	2
preiswert	13	D	1a
prima	2	B	3c
pro	8	B	1a
probieren	6	A	3b
Problem, das, -e	7	A	1a
Programmierer/in, der/die, -/-nen	1	E	2c
Pudding, der, Sg.	6	D	1a
Pullover, der, -	12	AT	

Q

Quadratmeter, (qm), der, -	3	D	1a

R

Radio, das, -s	10	A	5
Radiowecker, der, -	5	A	4b
Radtour, die, -en	4	B	4a
Rathaus, "-er	9	A	3
rechts	3	C	2a
reden	10	A	3
Regal, das, -e	3	AT	1
Regel, die, -n	8	E	1a
regelmäßig	8	B	1a
Regen, der, Sg.	13	B	1a
regnen	13	B	1a
Reihenhaus, das, "-er	3	D	1a
Reinigungskraft, die, "-e	7	AT	
rein|kommen	14	A	1b
Reis, der, Sg.	6	AT	1
Reise, die, -n	13	AT	
Reiseangebot, das, -e	10	A	1a
Reisebüro, das, -s	7	B	2c
reisen	7	A	5

reparieren	5	C	2
Reservierung, die, -en	13	A	1b
Rest, der, Sg.	13	B	4a
Restaurant, das, -s	7	AT	2
Rezept, das, -e	8	B	1a
richtig	2	B	3c
Richtung, die, -en	9	B	1a
riechen	14	B	3a
Ring, der, -e	11	D	2
Rock, der, "-e	12	AT	
Rolltreppe, die, -n	12	B	3a
rosa	3	A	4a
rot	3	A	4a
Rücken, der, -	8	A	3a
Rückenschmerzen, die, Pl.	8	AT	2
Rückfrage, die, -n	8	E	1a
ruhig	3	D	1a
rund	7	B	
Rutsche, die, -n	14	C	1

S

Sachbearbeiter/in, der/die, -/-nen	11	B	2b
Sache, die, -n	11	A	4
Sachertorte, die, -n	10	B	4
Saft, der, "-e	6	A	5
sagen	8	A	1b
Sahne, die, Sg.	6	D	1a
Salami, die, -s	6	A	3b
Salat, der, -e	6	AT	1
Salz, das, Sg.	14	A	1d
Samstag, der, -e	5	B	
Samstagabend, der, -e	5	D	2c
Sandkasten, der, "-	14	C	1
S-Bahn, die, -en	4	B	1a
Schach, das, Sg.	5	D	1a
Schachspiel, das, -e	5	D	1b
Scharlach, der, Sg.	8	C	1b
schauen	3	B	1a
Schaukel, die, -n	14	C	1
Scheibe, die, -n	6	A	4
scheinen	13	B	1a
Schichtdienst, der, -e	7	A	1a
schick	2	B	4
schicken	2	D	2a
Schiff, das, -e	9	AT	
Schild, das, -er	9	C	3a
Schinken, der, -	6	B	3a
schlafen	4	B	1a
Schlafzimmer, das, -	3	AT	

schlecht	3	A	5b
Schloss, das, "-er	10	B	4
Schlüssel, der, -	2	B	1a
schmecken	14	A	4a
schmutzig	14	B	3a
Schnee, der, Sg.	13	B	1a
schneien	13	B	1a
schnell	8	E	1a
Schnupfen, der, Sg.	8	A	4a
Schokolade, die, Sg.	4	B	1a
schon	1	A	1a
schön	3	AT	2
Schrank, der, "-e	3	AT	1
schreiben	1	B	3
Schuh, der, -e	12	AT	
Schule, die, -n	8	B	1a
Schüler/in, der/die, -/-nen	6	D	1a
Schulkantine, die, -n	6	D	1a
schwarz	3	A	4a
schwer	8	A	5
Schwester, die, -n	4	AT	
Schwimmbad, das, "-er	9	A	3
schwimmen	5	AT	
Secondhandladen, der, "-	12	A	3a
See, der, -n	13	AT	1
sehen	4	B	1a
Sehenswürdigkeit, die, -en	4	B	3
sehr	2	D	2a
Sehr geehrte Frau ... /Sehr geehrter Herr ...	8	C	2
sein	1	A	1a
seit	10	C	1a
Seite, die, -n	9	B	5b
Sekretärin, die, -nen	7	A	1a
selbst	6	D	1a
selten	6	AT	2a
September, der, Sg.	13	C	1a
Sessel, der, -	3	AT	1
Situation, die, -en	8	E	1a
sitzen	4	C	1c
Smartphone, das, -s	4	C	1c
so	1	C	1a
Socke, die, -n	12	AT	
Sofa, das, -s	3	AT	1
sofort	8	C	1b
Sohn, der, "-e	2	D	2a
sollen	8	A	4c
Sommer, der, Sg.	13	B	4a
Sommerschlussverkauf, der, Sg.	12	A	3b
Sonderangebot, das, -e	6	A	3a

Sonne, die, Sg.	3	D	2
Sonnenschein, der, Sg.	13	B	4a
Sonnenstunde, die, -n	13	B	4a
sonnig	13	B	1a
Sonntag, der, -e	4	B	1a
Sonntagnachmittag, der, -e	6	D	1a
Spaghetti, die, Pl.	6	A	4
Spanisch	2	A	1a
Spaß, der, Sg.	13	D	1a
spät	5	A	1a
später	5	D	1b
spazieren gehen	5	B	4a
Spezialität, die, -en	6	B	3b
spielen	5	AT	
Spielplatz, der, "-e	9	B	3a
Sport, der, Sg.	10	A	5
Sportschuh, der, -e	12	B	1b
Sportwaren, die, Pl.	12	B	1a
Sprache, die, -n	2	A	
Sprachproblem, das, -e	14	C	2a
Sprachschule, die, -n	2	C	4a
sprechen	2	A	1a
Sprechzeiten, die, Pl.	8	AT	
Sprechzimmer, das, -	8	A	4a
Spüle, die, -n	3	AT	1
Spülmaschine, die, -n	3	A	2a
Staatsangehörigkeit, die, -en	11	A	1b
Stadt, die, "-e	1	B	4
Stadtbummel, der, Sg.	4	B	5c
Städtetour, die, -en	13	D	1a
Stadtmitte, die, Sg.	9	B	1c
Stadtreinigung, die, Sg.	14	B	3a
Stadtrundfahrt, die, -en	13	D	1a
Standesamt, das, "-er	11	AT	
starten	5	A	4b
Station, die, -en	9	B	1a
statt|finden	5	B	3
stehen	8	E	2a
Stelle, die, -n	7	A	1a
stellen	14	B	3a
stellen: einen Antrag stellen	11	B	
Stift, der, -e	2	B	3c
Stock, der, Pl.: Stockwerke	3	C	1b
stören	14	A	1b
Strand, der, "-e	13	AT	1
Straße, die, -n	2	D	1
Straßenbahn, die, -en	9	AT	
Straßenfest, das, -e	4	B	4a
streiten	14	C	3a
stressig	12	A	3b

Stück, das, (hier: Sg.)	6	A	4
Student/in, der/die, -en/-nen	1	E	2c
studieren	4	A	2
Stuhl, der, "-e	2	B	1a
Stunde, die, -n	9	A	1b
suchen	2	A	1a
Süden, der, Sg.	13	B	2a
super	3	A	5a
Supermarkt, der, "-e	4	B	4a
Suppe, die, -n	6	D	1a
surfen	5	AT	
süß	4	A	1a
Sweatshirt, das, -s	12	AT	

T

Tablet, das, -s	2	B	1a
Tablette, die, -n	8	A	5
Tafel (Schokolade), die, -n	6	A	4
Tafel, die, -n	2	B	1a
Tag, der, -e	4	B	3
täglich	6	AT	2b
Tankstelle, die, -n	6	B	1a
Tante, die, -n	4	AT	3
tanzen	5	AT	
Tanzparty, die, -s	5	A	6
Tasche, die, -n	2	B	1a
Tasse, die, -n	14	A	1b
Taxifahrer/in, der/die, -/-nen	7	AT	
Taxiunternehmen, das, -	10	C	1a
Team, das, -s	7	A	5
Tee, der, Sg.	6	AT	1
Teilnehmer/in, der/die, -/-nen	7	A	1a
telefonieren	7	B	2a
Telefonnummer, die, -n	2	C	4a
Temperatur, die, -en	13	B	4a
Teppich, der, -e	3	AT	1
Termin, der, -e	7	C	1a
Terrasse, die, -n	3	D	1a
teuer	9	AT	2a
Text, der, -e	14	B	3b
Thailändisch	2	A	3c
theoretisch	9	C	1a
Tier, das, -e	13	D	1a
Tipp, der, -s	11	B	2b
Tisch, der, -e	2	B	1a
Tochter, die, "-	4	AT	3
Toilette, die, -n	12	B	3a
toll	3	A	5b
Tomate, die, -n	6	AT	1

Wortliste

Tonne, die, -n	14	B	3a
Tourist/in, der/die, -en/-nen	9	C	1a
tragen	8	A	5
Traktor, der, Pl.: Traktoren	9	C	2a
träumen	10	A	1a
treffen	4	B	1a
Treffpunkt, der, -e	7	A	1a
Treppe, die, -n	14	AT	1
Treppenhaus, das, "-er	14	AT	1
trinken	4	B	4a
tschüss	1	C	1a
T-Shirt, das, -s	12	AT	
Tunnel, der, -	13	A	4a
Tür, die, -en	2	B	1a
Türkisch	2	A	1a
Tüte, die, -n	6	A	4

U

U-Bahn, die, -en	9	AT	
U-Bahn-Station, die, -en	9	B	1a
über	9	B	3a
überhaupt (nicht)	12	AT	3
übermorgen	5	B	3
übernachten	13	A	4a
Übernachtung, die, -en	13	D	1a
überweisen	7	B	2a
Überweisung, die, -en	7	A	1a
Überweisungsformular, das, -e	7	B	1
Uhr, die, -en	2	B	1a
um (1): um neun Uhr	5	A	3a
um (2): um die Ecke fahren	9	C	3a
Umkleidekabine, die, -n	12	A	1b
um|steigen	9	B	1a
um|ziehen	11	A	4
Umzug, der, "-e	11	A	4
Umzugskarton, der, -s	11	A	4
unbequem	3	AT	2
und	1	AT	3a
Unfall, der, "-e	8	E	1a
ungefähr	13	A	4a
unordentlich	3	AT	2
unten	3	C	2a
unter	9	B	3a
Unterricht, der, Sg.	8	C	2
Unterschied, der, -e	13	B	4a
unterschreiben	7	A	1a
Unterschrift, die, -en	14	B	3b
unterstützen	7	A	1a
untersuchen	8	D	1a

Unterwäsche, die, Sg.	12	AT	
unterwegs	10	B	
Urlaub, der, -e	10	A	1a
USB-Stick, der, -s	2	B	1a

V

Vater, der, "-	4	AT	
verdienen	7	A	1a
Vereinbarung, die, -en, (hier: nach Vereinbarung)	8	AT	
vergessen	6	A	1b
verheiratet	3	D	1a
verkaufen	10	C	1a
Verkäufer/in, der/die, -/-nen	1	E	1
Verkehr, der, Sg.	9	C	4
Verkehrsmittel, das, -	9	AT	1
verlängern	11	AT	2
verletzt	8	E	1a
Vermieter/in, der/die, -/-nen	11	A	1b
Verpackung, die, -en	6	A	4
Verspätung, die, -en	13	A	3a
verstehen	11	B	2b
Verwandte, der/die, -n	4	AT	3
Verzeihung	11	C	1a
viel	3	D	1a
viele	4	AT	3
vielleicht	5	D	1b
Viertel, das, (hier: Sg.)	5	A	1a
Visitenkarte, die, -n	2	D	1
Visum, das, Pl.: Visa	11	AT	2
Vitamin, das, -e	8	A	4a
Volkshochschule, die, -n	10	C	1a
von (1): die Kindheit von Eva	4	C	1a
von (2): Sie kommt von der Arbeit.	7	C	1a
von ... bis	5	A	6
von Beruf	1	E	
vor (1): Viertel vor sieben	5	A	1a
vor (2): vor dem Haus	9	B	3a
vor|bereiten	7	A	1a
Vorfahrt, die, Sg.	9	C	2a
Vorfahrtsschild, das, -er	9	C	2a
Vorhang, der, "-e	3	AT	1
Vormittag, der, -e	5	C	1b
vormittags	13	B	3
Vorname, der, -n	1	B	4
vorne	4	C	1c
vor|stellen	7	A	1a
Vorteil, der, -e	12	B	6
Vorwahl, die, -en	2	C	4a

W

Wald, der, "-er	13	AT	1
Walzer, der, -	7	A	4
Wand, die, "-e	3	A	4a
wandern	13	AT	3
Wandertour, die, -en	13	A	4a
wann	4	B	3
warm	3	D	4a
Warmmiete, die, -n	3	D	1a
warten	6	A	1b
Wartenummer, die, -n	11	C	1c
Warteraum, der, "-e	11	AT	
was	1	C	4a
Waschbecken, das, -	3	B	1b
Waschmaschine, die, -n	3	A	3a
Wasser, das, Sg.	6	AT	1
Wasserlabyrinth, das, -e	13	D	1a
Wasserweg, der, -e	13	D	1a
wechseln	7	A	1a
Weg, der, -e	9	AT	
weg|fahren	5	B	4a
weh|tun	8	A	4a
weiblich	11	A	1b
Wein, der, -e	6	AT	1
weiß	3	A	4a
Weißbrot, das, -e	6	B	3a
weit	9	B	1a
weiterfahren	9	C	2b
welcher, -s, -e	12	A	5a
wem	11	B	3a
wenig	8	A	5
wer	1	A	2a
Werkstatt, die, "-en	7	AT	2
Westen, der, Sg.	13	B	2a
Wetter, das, Sg.	13	B	
Wetterkarte, die, -n	13	B	2a
wichtig	10	C	1a
wie	1	AT	
Wie bitte?	1	B	3
wie viele	2	B	5
wieder	8	D	1a
Wiese, die, -n	13	AT	1
willkommen	1	AT	
Wind, der, -e	13	B	1a
windig	13	B	1a
Winter, der, Sg.	13	B	4a
Winterjacke, die, -n	12	B	1b
Winterschlussverkauf, der, Sg.	12	A	3b
wirklich	3	B	1a

wissen	7	A	1a
wo	1	C	5a
Woche, die, -n	5	C	
Wochenende, das, -n	4	B	3
woher	1	AT	2
wohin	5	B	4a
wohnen	1	A	1a
Wohnort, der, -e	3	D	1b
Wohnung, die, -en	3	AT	
Wohnzimmer, das, -	3	AT	
Wolke, die, -n	13	B	1a
wollen	7	A	1a
Wörterbuch, das, "-er	2	B	1a
wunderbar	14	A	5
Wunsch, der, "-e	6	B	1c
Wurst, die, "-e	6	AT	1
Wurstplatte, die, -n	6	D	1a

Z

Zahl, die, -en	1	D	
zahlen	8	B	1a
zählen	13	A	4a
Zahnarzt/-ärztin, der/die, "-e/-nen	7	C	5
Zahnarzttermin, der, -e	5	D	1b
Zahnbehandlung, die, -en	8	B	1a
Zahnbürste, die, -n	8	D	2
Zahnkontrolle, die, -n	8	B	1a
Zahnpasta, die, Sg.	8	D	2
Zahnschmerzen, die, Pl.	8	AT	2
Zeit, die, -en, (hier: Zeit haben)	4	B	3
Zeitung, die, -en	5	B	1a
zentral	3	D	2
Zentralheizung, die, -en	3	D	3
Zimmer, das, -	3	D	1a
Zoo, der, -s	9	B	1a
zu (1): Sie fährt zum Supermarkt.	7	C	1a
zu (2): zu lang, zu kurz	12	B	5a
zu Fuß	9	AT	1
zu Hause	4	A	2
Zucker, der, Sg.	6	A	1a
zuerst	4	B	4c
Zug, der, "-e	5	A	4b
zuletzt	10	C	4a
zurück	6	B	1c
zurück|kommen	13	A	4a
zusammen	5	D	1b
Zwiebel, die, -n	6	AT	1
zwischen	6	D	1a

Unregelmäßige Verben

Die Liste enthält alle unregelmäßigen Verben aus **PLUSPUNKT DEUTSCH** – *Leben in Deutschland*.

Infinitiv	Präsens er/es/sie/man	Perfekt er/es/sie/man
abbiegen	biegt ab	ist abgebogen
abfahren	fährt ab	ist abgefahren
abgeben	gibt ab	hat abgegeben
anerkennen	erkennt an	hat anerkannt
anfangen	fängt an	hat angefangen
anhalten	hält an	hat angehalten
ankommen	kommt an	ist angekommen
annehmen	nimmt an	hat angenommen
anrufen	ruft an	hat angerufen
anziehen	zieht an	hat angezogen
aufstehen	steht auf	ist aufgestanden
ausfallen	fällt aus	ist ausgefallen
ausgehen	geht aus	ist ausgegangen
aussehen	sieht aus	hat ausgesehen
beginnen	beginnt	hat begonnen
bekommen	bekommt	hat bekommen
beraten	berät	hat beraten
bleiben	bleibt	ist geblieben
bringen	bringt	hat gebracht
einladen	lädt ein	hat eingeladen
einschlafen	schläft ein	ist eingeschlafen
eintragen	trägt ein	hat eingetragen
essen	isst	hat gegessen
fahren	fährt	ist gefahren
fernsehen	sieht fern	hat ferngesehen
finden	findet	hat gefunden
fliegen	fliegt	ist geflogen
geben	gibt	hat gegeben
gefallen	gefällt	hat gefallen
gehen	geht	ist gegangen
gießen	gießt	hat gegossen
haben	hat	hat gehabt
heißen	heißt	hat geheißen
helfen	hilft	hat geholfen
herunterladen	lädt herunter	hat heruntergeladen
kennen	kennt	hat gekannt
kommen	kommt	ist gekommen
laufen	läuft	ist gelaufen

Infinitiv	Präsens er/es/sie/man	Perfekt er/es/sie/man
leidtun	tut leid	hat leidgetan
lesen	liest	hat gelesen
liegen	liegt	hat gelegen
losfahren	fährt los	ist losgefahren
messen	misst	hat gemessen
mitbringen	bringt mit	hat mitgebracht
mitkommen	kommt mit	ist mitgekommen
mitnehmen	nimmt mit	hat mitgenommen
mögen	mag	hat gemocht
nachsehen	sieht nach	hat nachgesehen
nehmen	nimmt	hat genommen
nennen	nennt	hat genannt
reinkommen	kommt rein	ist reingekommen
riechen	riecht	hat gerochen
scheinen	scheint	hat geschienen
schlafen	schläft	hat geschlafen
schreiben	schreibt	hat geschrieben
schwimmen	schwimmt	ist geschwommen
sehen	sieht	hat gesehen
sein	ist	ist gewesen
sitzen	sitzt	hat gesessen
sprechen	spricht	hat gesprochen
stattfinden	findet statt	hat stattgefunden
stehen	steht	hat gestanden
streiten	streitet	hat gestritten
tragen	trägt	hat getragen
treffen	trifft	hat getroffen
trinken	trinkt	hat getrunken
überweisen	überweist	hat überwiesen
umsteigen	steigt um	ist umgestiegen
umziehen	zieht um	ist umgezogen
unterschreiben	unterschreibt	hat unterschrieben
vergessen	vergisst	hat vergessen
verstehen	versteht	hat verstanden
wegfahren	fährt weg	ist weggefahren
wehtun	tut weh	hat wehgetan
wissen	weiß	hat gewusst
zurückkommen	kommt zurück	ist zurückgekommen

Cover Cornelsen/Hugo Herold Fotokunst – **U2:** Collage, Cornelsen/Volkhard Binder – **S. 4** 1+2: Cornelsen/Hugo Herold Fotokunst; 3: Fotolia/ArTo; 4: Cornelsen/Hugo Herold Fotokunst; 5: Shutterstock/Eugenio Marongiu; 6: Shutterstock/Bauer Alexander; 7: Cornelsen/Hugo Herold Fotokunst; – **S. 6** 8: Shutterstock/StockLite; 9: Clip Dealer/Axel Bueckert: 10: Shutterstock/william casey; 11: Bundesagentur für Arbeit; 12: Fotolia/Gina Sanders: 13: picture alliance/ZB/euroluftbild; 14: Cornelsen/Hugo Herold Fotokunst – **S. 9** Cornelsen/Hugo Herold Fotokunst – **S. 10** alle: Cornelsen/Hugo Herold Fotokunst – **S. 11** oben li.: Fotolia/mnimage; unten: Cornelsen/Hugo Herold Fotokunst – **S. 12** 1b 1: Shutterstock/Monkey Business Images, 2: Shutterstock/Pressmaster – **S. 13** 4a 1: Shutterstock/Monkey Business Images, 2: Shutterstock/Patrizia Tilly; 6: Cornelsen/Hugo Herold Fotokunst – **S. 14** oben links: Shutterstock/ProKasia; unten: Shutterstock/ESTUDI M6 – **S. 15** 1: Shutterstock/RGtimeline; 2: Shutterstock/branislavpudar; 3: Fotolia/contrastwerkstatt; 4: Shutterstock/Alexander Raths; 5: Shutterstock/Alexander Raths; 6: Fotolia/Kadmy; 7: Shutterstock/Tyler Olson; 8: Fotolia/contrastwerkstatt; 9: Fotolia/vukas; 10: Shutterstock/Phovoir; unten: Cornelsen/Hugo Herold Fotokunst – **S. 16** 2b 1: picture alliance/Geisler-Fotop/Van Tine; 2: picture alliance/sampics/Ste; 3: picture alliance/dpa; 4: picture alliance/dpa – **S. 17** links: Fotolia/nezezon; rechts: Cornelsen/Björn Schumann – **S. 19** 1: Fotolia/SeanPavonePhoto; 2: Shutterstock/claudio zaccherini; 3: Fotolia/Michael Mihin; 4: Fotolia/123455543; 5: Fotolia/cool chap; 6: Fotolia/Faraways; 7: Shutterstock/Pius Lee; 8: Your Photo Today/A1 pix/Superbild – **S. 20** 1: Fotolia/Jeannette Dietl; 2: Shutterstock/ArtFamily; 3: Shutterstock/AlenD; 4: Fotolia/leungchopan; 5: Shutterstock/Ozgur Coskun – **S. 21** oben: Fotolia/goodluz; unten: Shutterstock/eurobanks – **S. 22** oben links: Shutterstock/Vlue; oben: Cornelsen/HugoHerold, Fotokunst; 2a 1: Shutterstock/Julia Ivantsova;2 :Shutterstock/Hong Vo; 3: Shutterstock/MishAl – **S. 23** 3a 1: Fotolia/R+R, 2: Shutterstock/rj lerich, 3: Fotolia/FotoRuhrgebiet, 4: Shutterstock/jun.SU., 5: Shutterstock/Hong Vo, 6: Shutterstock/Amero; 3c: Cornelsen/Hugo Herold Fotokunst – **S. 25** unten: Fotolia/poplasen – **S. 26** 1a 1: Fotolia/waupee, 2: Fotolia/Zerbor, 3: Fotolia/Cobalt, 4: Shutterstock/IB Photography, 5: Fotolia/BEAUTYofLIFE, 6: Fotolia/arthurdent – **S. 27** unten: Cornelsen/Björn Schumann – **S. 29** links: Fotolia/Matthias Buehner; rechts oben: Shutterstock/Paul Maguire; rechts unten: Fotolia/lightpixel – **S. 30** unten: Fotolia/Kzenon – **S. 31** 4a: Shutterstock/Iriana Shiyan; 5a: Fotolia/styleuneed; 5b 1: Shutterstock/lawyerphoto; 5b 2: Fotolia/Marina Lohrbach – **S. 32** 1a 1: Shutterstock/Nezabudkina, 2: Fotolia/numax3d; 1b 1: Shutterstock/Praisaeng, 2: Fotolia/vichie81, 3: Shutterstock/Maksym Bondarchuk, 4: Shutterstock/Maxx-Studio, 5: Fotolia/ChinKS – **S. 33** oben: Fotolia/ArTo; unten: Cornelsen/Finedesign – **S. 34** 1: Shutterstock/Lisa S.; 2: Clip Dealer/ArTo; 3: Shutterstock/LianeM – **S. 35** 3 oben links: Fotolia/Event Content; 3 unten links: Fotolia/britta60; 3 rechts oben: Fotolia/perschfoto – **S. 37** unten: Cornelsen/Björn Schumann – **S. 39** links oben: Cornelsen/Hugo Herold, Fotokunst; links unten: Fotolia/Valeriy Velikov; Mitte: Cornelsen/Hugo Herold, Fotokunst; rechts oben: Cornelsen/Hugo Herold, Fotokunst; rechts unten: Shutterstock/Aubord Dulac – **S. 40** 1a 1: Fotolia/fotofreaks, 2: Shutterstock/Alena Root, 3: Shutterstock/TravnikovStudio; 2 1: Shutterstock/Roman Sigaev, 2: Shutterstock/Golden Pixels LLC – **S. 41** links: Shutterstock/baranq; rechts: Shutterstock/Blaj Gabriel – **S. 42** oben: Cornelsen/Hugo Herold, Fotokunst; unten: Shutterstock/lightpoet – **S. 43** oben+A+C+E: Cornelsen/Hugo Herold Fotokunst; B: Fotolia/DragonImages; D: Fotolia/kameraauge; F: Fotolia/Yvonne Bogdanski – **S. 44** München: 1: mauritius images/Bernd Römmelt, 2: Fotolia/Kzenon, 3: Allianz Arena/B. Ducke.; Hamburg: 1: Fotolia/Jan Schuler, 2: Fotolia/Sven Petersen, 3: Fotolia/ng_photo; Berlin: 1: Fotolia/Lars Kilian, 2: Fotolia/Katja Xenikis, 3: Fotolia/travelwitness; unten: Cornelsen/Hugo Herold Fotokunst – **S. 45** oben: mauritius images/imageBROKER/Norbert Michalke; unten: Fotolia/krutoeva – **S. 47** unten: Cornelsen/Björn Schumann –

S. 49 1: Cornelsen/Hugo Herold, Fotokunst; 3a 1: Shutterstock/gpointstudio, 2: Shutterstock/Daniel M Ernst – **S. 50** oben: Fotolia/Kaiya_Rose; Fernseher: Shutterstock/Marc Osborne; Landkarte: Shutterstock/bhjary; Buchstaben: Fotolia/mnimage; Sessel: Shutterstock/glo – **S. 51** 1: Shutterstock/Syda Productions; 2: Shutterstock/Jerry Horbert; 3: Cornelsen/Hugo Herold; 4: Fotolia/spass; 5: Fotolia/Daxiao Productions; 6: Fotolia/CandyBox Images; 7: Shutterstock/racorn; 8: Fotolia/fotoinfot – **S. 52** oben: Shutterstock/Anton Gvozdikov; unten: Shutterstock/wavebreakmedia – **S. 53** B: Fotolia/Luftbildfotograf; C: Fotolia/Bjoern Wylezich; D: Shutterstock/joephotostudio; E: Fotolia/Martin_P; 5 1+4+5: Fotolia/Fabian Petzold; 5 2: Fotolia/by-studio; 5 3: Fotolia/PhotoSG; 5 6: Fotolia/Gina Sanders – **S. 55** 4a 1: Shutterstock/Pavel L Photo and Video, 2: Fotolia/contrastwerkstatt, 3: Fotolia/Peter Atkins, 4: Fotolia/pressmaster, 5: Fotolia/belahoche, 6: Clip Dealer/Elena Elisseeva – **S. 57** 1a 1: Shutterstock/Eugenio Marongiu; 2: Fotolia/Smileus; 3: Fotolia/S K – **S. 59** unten: Cornelsen/Björn Schumann – **S. 62** oben: Fotolia/NorGal; links: Cornelsen/Hugo Herold Fotokunst; rechts 1: Fotolia/Fotoschlick; 2: Fotolia/VRD; 3: Fotolia/Natika; 4: Fotolia/ILYA AKINSHIN – **S. 63** 1: Fotolia/GVictoria; 2: Fotolia/Himmelssturm; 3: Fotolia/Sebastian Studio; 4: Fotolia/stockphoto-graf; 5: Fotolia/rdnzl; 6: Fotolia/Henry Schmitt; 7: Fotolia/qjuuu; 8: Fotolia/Africa Studio; 9: Fotolia/belamy; 10: Fotolia/designelements – **S. 64** 1: mauritius images/imageBROKER/Georg Stelzner; 2: Fotolia/flashpics; 3: Fotolia/Kzenon .4: Shutterstock/saaton; 5: Fotolia/Kzenon; 6: mauritius images/imageBROKER/Fotoatelier Berlin – **S. 65** 1: Shutterstock/Bauer Alexander; 2: Shutterstock/vvoe; 3: Fotolia/ikonoklast; Tafel: Shutterstock/stocksolutions – **S. 66** Bier: Fotolia/by-studio; Hände: Shutterstock/Marco Rullkoetter; Kaffee: Fotolia/Barbara Pheby; Kartoffeln: Fotolia/Barbara Pheby; Käse: Fotolia/fredja1; Mehl: Fotolia/womue: Pommes frites: Fotolia/kathrinm; Saft: Fotolia/womue; Salami: Fotolia/Joe Gough; Spaghetti: Fotolia/Picture-Factory; Tee: Fotolia/Zerbor; Pastagericht: Fotolia/Melanie Braun; Frauen: Cornelsen/Hugo Herold, Fotokunst – **S. 67** oben rechts: Fotolia/goodluz; 1: Shutterstock/Nailia Schwarz; 2: Fotolia/A_Lein; 3: Fotolia/Printemps; 4: Fotolia/Jacek Chabraszewski – **S. 69** Cornelsen/Björn Schumann – **S. 72** links oben: Shutterstock/Antonio Gravante; links unten: Shutterstock/racorn; rechts oben: Shutterstock/Chubykin Arkady; rechts unten: Shutterstock/eurobanks – **S. 74** Cornelsen/Hugo Herold, Fotokunst – **S. 75** 1: Shutterstock/360b; 2: Fotolia/M. Schuppich; 3: Fotolia/www.tilo-grellmann.de; 4: Fotolia/DeVIce – **S. 76** 1-6: Cornelsen/Hugo Herold, Fotokunst – **S. 77** 1: Shutterstock/GSPhotography; 2: Fotolia/Fotofreundin; 3: Shutterstock/Ditty_about_summer – **S. 79** Cornelsen/Björn Schumann – **S. 81** 1: Shutterstock/Anton Gvozdikov; 3: Shutterstock/Bauer Alexander; 4.1: Shutterstock/eurobanks; 4.2: Shutterstock/bikeriderlondon; 5: Cornelsen/Hugo Herold Fotokunst; 6: Shutterstock/photo-oasis; 7: Cornelsen/Hugo Herold Fotokunst; 9: Shutterstock/Pavel L Photo and Video – **S. 82** links oben: Shutterstock/Photographee.eu; links unten: Shutterstock/Syda Productions; rechts oben: Shutterstock/Zerbor; rechts unten: Shutterstock/YanLev – **S. 83** 1: Fotolia/CandyBox Images 2012; 2: Shutterstock/Michal Kowalski; 3: Clip Dealer/CandyBox Images 2012; 4: Shutterstock/Alexander Raths; links Schilder: ClipDealer/Rob Stark – **S. 84** 1 b unten: Fotolia/creative studio; 1b oben: Fotolia/Peter Atkins; 3a: Shutterstock/Voronin76 – **S. 85** Shutterstock/StockLite – **S. 86** A: Fotolia/Alexander Raths; B: BARMER; C: Fotolia/Zerbor; D: Fotolia/Tatjana Balzer; E: Fotolia/Alexander Raths – S. 87 Cornelsen/Hugo Herold Fotokunst – **S. 89** 1a 1: Shutterstock/Dmitry Kalinovsky, 2: Shutterstock/Monkey Business Images – **S. 90** 1: BARMER; 2: Fotolia/Tatjana Balzer; 3: Fotolia/fotoo / Mit Genehmigung der ABDA - Bundesvereinigung Deutscher Apothekerverbände e.V.; 4: ClipDealer/Rob Stark; 5: Fotolia/Alexander RathsM; 6: Fotolia/nikesidoroff – **S. 91** 5: Shutterstock/eurobanks; 7a: Cornelsen Björn Schumann – **S. 93** Mitte: TopicMedia Service/imageBROKER/Karl-Heinz Spremberg;– **S. 93** rechts von oben nach unten: 1: Fotolia- lassedesignen, 2:

Deutsche Bahn AG/Ralf Kranert, 3: Münchner Verkehrsgesellschaft (MVG)/Wolfgang Wellige, 4: Fotolia/acnaleksy; – **S. 93** unten von links nach rechts: 1: Fotolia/thomaslerchphoto, 2:Fraport AG, 3: Deutsche Bahn AG/Uwe Miethe – **S. 94** 1a 1: Fotolia/Schlierner; 1a 2: Fotolia/Radu Razvan; 3 1: Clip Dealer/Harald Fila, 2: Fotolia/ChiccoDodiFC, 3: Clip Dealer/cleo, 4: Fotolia/connel_design, 5: Fotolia/xy – **S. 95** 1a: Clip Dealer/Axel Bueckert; 2 1: Fotolia/lagom, 2: Fotolia/Kaubo, 3: Fotolia/djama / Mit Genehmigung der Hamburger Verkehrsverbund GmbH – **S. 97** oben: Shutterstock/Monkey Business Images; unten: Cornelsen/zweiband.media – **S. 98** rechts: Fotolia/Kaesler Media; links: Bundesdruckerei GmbH – **S. 99** unten: Fotolia/Dasharosato – **S. 100** 1: Fotolia/thomaslerchphoto; 2: Fotolia/herl; 3: Fotolia/Claudio Divizia; 4: Fotolia/Kramografie; 5: Fotolia/Daniel Hohlfeld; 6: Shutterstock/Art Konovalov; 7: Deutsche Bahn AG/Uwe Miethe; 8: Fotolia/connel_design; 9: Münchner Verkehrsgesellschaft (MVG)/Wolfgang Wellige; 10: Fotolia/BirgitMundtOsterwiec – **S. 101** links: Cornelsen/Björn Schumann; rechts: Cornelsen/Björn Schumann – **S. 103** 1: Shutterstock/ESB Professional; 2: Fotolia/Frank Wagner; 3: Shutterstock/william casey; 4: Shutterstock/PureSolution; 5: Shutterstock/racorn; 6: Shutterstock/Jill Chen – **S. 105**: Fotolia/Robert Kneschke – **S. 106** 1: Fotolia/Gina Sanders; 2: Shutterstock/Niki Crucillo – **S. 107** 3: Schloß Schönbrunn Kultur- und BetriebsgesmbH/Alexander E. Koller; 4: Shutterstock/In Tune – **S. 108** oben: Shutterstock/Palmer Kane LLC, 1: Shutterstock/CREATISTA; 2: Fotolia/Kalinovsky Dmitry; 3: Fraport AG; 4: Shutterstock/Alexander Raths – **S. 109** Cornelsen/Hugo Herold Fotokunst – **S. 110** oben: Shutterstock/Iurii Osadchi; unten: Shutterstock/Mopic – S. 111 3 1: Cornelsen/Hugo Herold Fotokunst, 2: Fotolia/Barbara Pheby, 3: Shutterstock/saaton; 5a: Cornelsen/Björn Schumann – **S. 113** oben links: Bundesagentur für Arbeit; oben rechts: Fotolia/DRON_FOTO; unten links: Fotolia/kathrinm; unten Mitte: Bundesagentur für Arbeit; unten rechts: Fotolia/stockphoto-graf – **S. 115** 2b: Shutterstock/Marc Osborne; 3 A: Fotolia/ehrenberg-bilder, B: Fotolia/Yannick D, C: Fotolia/ChantalS, D: Fotolia/cabania – **S. 116** 1 1: Clip Dealer/Harald Fila, 2: Clip Dealer/ArTo, 3: Fotolia/Jürgen Fälchle, 4: Clip Dealer/ArTo; 2a: Shutterstock/Monkey Business Images – **S. 117**: Cornelsen/Hugo Herold Fotokunst – **S. 118** Clip Dealer/Erwin Wodicka – **S. 119** 1 A: Fotolia/PhotographyByMK, B: Bundesministerium des Innern, C: ClipDealer/Bernd Leitner, D: Fotolia/VRD; 3 1: Fotolia/Leonardo Franko, 2: Fotolia/Leonardo Franko, 3: Clip Dealer/ArTo, 4: Fotolia/Leonardo Franko – **S. 121** Cornelsen/Björn Schumann – **S. 122** Shutterstock/Marc Osborne – **S. 123** oben: Cornelsen/Hugo Herold Fotokunst; unten: Cornelsen/Hugo Herold Fotokunst – **S. 124** Würfel: Shutterstock/Sasa Komlen; Geld: Shutterstock/kaarsten – **S. 125** links: Shutterstock/Kamenetskiy Konstantin; rechts: Shutterstock/Kamenetskiy Konstantin – **S. 126** oben: Shutterstock/Dmitry Kalinovsky – **S. 127** 3a 1: Shutterstock/Olaf Speier, 2: Fotolia/Gina Sanders, 3: Shutterstock/taboga, 4: Fotolia/Kirill Zdorov, 5.1: Fotolia/Alexandra Karamyshev, 5.2: Fotolia/Alexandra Karamyshev, 5.3: Fotolia/lalouetto, 5.4: Fotolia/iroto123, 5.5: Fotolia/Alexandra Karamyshev, 5.6: Shutterstock/Roberto Castillo, 5.7: Fotolia/TrudiDesign, 5.8: Shutterstock/Maksym Dykha, 5.9: Shutterstock/iceink, 6: Fotolia/Nicu MIRCEA; 4a 1: Fotolia/Africa Studio, 2: Fotolia/BEAUTYofLIFE, 3: Fotolia/Cobja, 4: Fotolia/BEAUTYofLIFE – **S. 128** 5c Damenbekleidung: 1: Fotolia/Alexandra Karamyshev, 2: Fotolia/Alexandra Karamyshev, 3: Fotolia/lalouetto, 4: Fotolia/iroto123, 5: Fotolia/Alexandra Karamyshev, 6: Shutterstock/Roberto Castillo, 7: Fotolia/TrudiDesign, 8: Shutterstock/Maksym Dykha, 9: Shutterstock/iceink – **S. 128** 5c Herrenbekleidung: 1: Shutterstock/Karkas, 2: Fotolia/macau, 3: Fotolia/BEAUTYofLIFE, 4: Shutterstock/kocetoiliev, 5: Shutterstock/Petr Malyshev, 6: Shutterstock/Barghest, 7: Shutterstock/K N – **S. 130** 1: Fotolia/cedrov; 2: Fotolia/RTimages; 3: Fotolia/cedrov; 4: Clip Dealer/Mile Atanasov – **S. 132** 1: Shutterstock/terekhov igor; 2: Fotolia/Alexandra Karamyshev; 3: Fotolia/Henry Schmitt; 4: Clip Dealer/Michael Biehler; 5: Shutterstock/Lucy Liu; 6: Fotolia/Simone Andress– **S. 133** 1: Fotolia/

rodrusoleg; 2: Fotolia/Alexandra Karamyshev; 3: Fotolia/Akova; 4: Fotolia/Henry Schmitt; 5: Fotolia/tawesit; 6: Fotolia/siraphol; 7: Clip Dealer/Mile Atanasov; 8: Fotolia/Khvost; unten: Cornelsen/Björn Schumann – **S. 135** links: picture alliance/euroluftbild.de/Gerhard Launer; rechts oben: Fotolia/Wolfilser; rechts unten: Clip Dealer/Thorsten Schier – **S. 136**: Deutsche Bahn AG/Hartmut Reiche – **S. 137** 1: Shutterstock/travelpeter; 2: Shutterstock/Arnon Polin; 3: Interfoto/imageBROKER/Alexander Schnurer; 4: Shutterstock/rj lerich; Mitte: Fotolia/Günter Menzl – **S. 138** A: Fotolia/Brian Jackson; B: Fotolia/ARochau; C: ClipDealer/Torsten Rempt; D: Shutterstock/ArtmannWitte; E: Clip Dealer/Erwin Wodicka; Wettersymbole: Shutterstock/Snamenski; Karte: Fotolia/Mirscho; Kompass: Fotolia/lockstoff – **S. 139** oben rechts: Shutterstock/CURAphotography; Mitte rechts: Fotolia/Katja Wickert; Mitte links: Clip Dealer/cleo – **S. 140** 1a: Shutterstock/GoodMood Photo; 2b: Cornelsen/Hugo Herold Fotokunst – **S. 141** 1: Shutterstock/Fotokostic; 2: Fotolia/AVAVA; 3: Shutterstock/SergiyN – **S. 142** 1: Fotolia/Tyler Olson; 2: Shutterstock/IM_photo – **S. 143** Cornelsen/Björn Schumann – **S. 145** Cornelsen/Hugo Herold Fotokunst – **S. 146**: Cornelsen/Hugo Herold Fotokunst – **S. 147** 4a: Shutterstock/stockcreations; 5: Cornelsen/Hugo Herold Fotokunst – **S. 148** 1b: Cornelsen/Hugo Herold Fotokunst; 2b: Fotolia/eyetronic – **S. 152** 1: Shutterstock/Len44ik; 2: Mauritius Images/PhotographyByMK; 3: Shutterstock/hxdbzxy; 4+5: Cornelsen/Hugo Herold Fotokunst; – **S. 152** 6: Shutterstock/arek_malang – **S. 153** 3b: Shutterstock/Claudio Divizia; 5a: Cornelsen/Björn Schumann – **S. 155** 1a: Fotolia/contrastwerkstatt; 1b: Fotolia/Minerva Studio; 3: Fotolia/michaeljung; 4: Fotolia/Thomas Reimer; 5: Bundesagentur für Arbeit; 7: Deutsche Bahn AG/Hartmut Reiche; 8: Cornelsen/Hugo Herold Fotokunst – **S. 157** 1: Fotolia/nandyphotos; 2: Shutterstock/PR Image Factory – **S. 161** 1: Cornelsen/Hugo Herold Fotokunst; 2: Fotolia/Barbara Pheby; 3: Shutterstock/saaton – **S. 164** Shutterstock/Thomas M Perkins – **S. 165** Shutterstock/Daniel M Ernst – **S. 167** 2a + 3a: Cornelsen/Hugo Herold Fotokunst; 4 Fotolia/fizkes – **S. 168** Shutterstock/PhotographyByMK – **S. 171** Bundesagentur für Arbeit – **S. 174** alle: Cornelsen/Björn Schumann – **S. 175** Cornelsen/Björn Schumann – **S. 176** 1a: Cornelsen/Björn Schumann; 1c A: Shutterstock/lawyerphoto, B: Fotolia/vichie81, C: Fotolia/ChinKS, D: Shutterstock/ppart; 2: Cornelsen/Björn Schumann – **S. 177** Cornelsen/Björn Schumann – **S. 178** Cornelsen/Björn Schumann – **S. 179** Cornelsen/Björn Schumann – **S. 180** Cornelsen/Björn Schumann – S. 181 Cornelsen/Björn Schumann – **S. 182** Cornelsen/Björn Schumann – **S. 183** Cornelsen/Björn Schumann – **S. 184** Cornelsen/Björn Schumann – **S. 185** Cornelsen/Björn Schumann – **S. 186** Cornelsen/Björn Schumann – **S. 187** Cornelsen/Björn Schumann – **S. 220** Cornelsen/Volkhard Binder

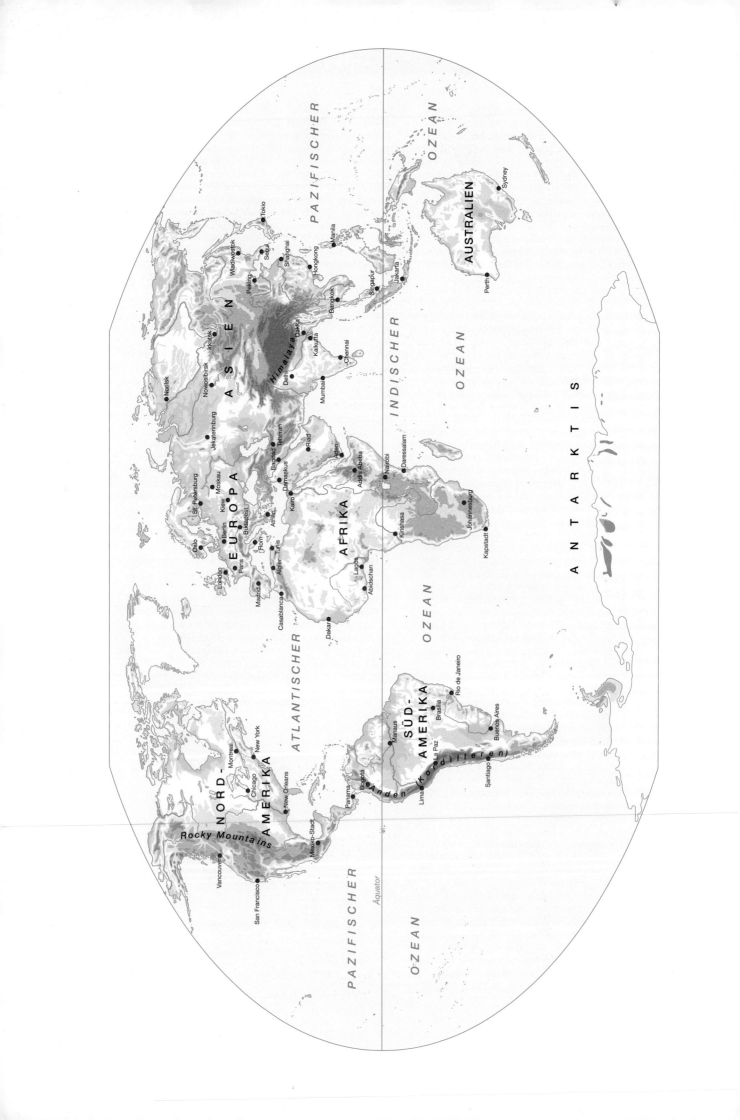